GROS-NEZ,
LE QUÊTEUX

Mario Bergeron

GROS-NEZ, LE QUÊTEUX

**Réflexions humoristiques d'un libre-penseur
dans les années 1890 à 1915**

Roman

MARCEL BROQUET

La nouvelle édition

Catalogage avant publication de Bibliothèque et Archives nationales du Québec et Bibliothèque et Archives Canada

Bergeron, Mario, 1955-

Gros-Nez le quêteux : réflexions humoristiques d'un libre-penseur dans les années 1890 à 1915

(Collection La Mandragore)

ISBN 978-2-89726-198-6

I. Titre. II. Collection : Collection La Mandragore.

PS8553.E678G76 2015   C843'.54 C2015-940939-X

PS9553.E678G76 2015

Pour l'aide à la réalisation de son programme éditorial, l'éditeur remercie la Société de Développement des Entreprises Culturelles (SODEC), le Programme de crédit d'impôt pour l'édition de livres - gestion SODEC.

L'éditeur remercie également le Gouvernement du Canada pour son aide en regard du programme du Fonds du livre du Canada.

SODEC
Québec ■■   Canadä

Marcel Broquet Éditeur
351, chemin Lac Millette, Saint-Sauveur (Québec) Canada J0R 1R6
Téléphone : 450 744-1236
marcel@marcelbroquet.com
www.marcelbroquet.com

Création de la couverture et mise en page : Alejandro Natan
Révision: Lorraine Longtin

Distribution :
Messageries ADP* 2315, rue de la Province, Longueuil (Québec), Canada J4G 1G4
Tél. : 450 640-1237 - Téléc. : 450 674-6237
www.messageries-adp.com
* filiale du Groupe Sogides inc.
 filiale du Groupe Livre Quebecor Media inc.

Distribution pour la France et le Benelux :
DNM Distribution du Nouveau Monde
30, rue Gay-Lussac, 75005, Paris
Tél. : 01 42 54 50 24 Fax : 01 43 54 39 15
Librairie du Québec
30, rue Gay-Lussac, 75005, Paris
Tél. : 01 43 54 49 02
www.librairieduquebec.fr

Pour tous les autres pays:
Marcel Broquet Éditeur
351, chemin Lac Millette, Saint-Sauveur
(Québec) Canada J0R 1R6
Téléphone : 450 744-1236
marcel@marcelbroquet.com
www.marcelbroquet.com

Diffusion – Promotion :
r.pipar@phoenix3alliance.com

Dépôt légal : 2er trimestre 2015
Bibliothèque et Archives du Québec
Bibliothèque et Archives Canada
Bibliothèque nationale de France

CHAPITRE 1893 : TRADITION

❧ ❧

« Un quêteux! Maman! Maman! Un quêteux! » La petite fille cherche protection derrière son frère de sept ans. Donnant ainsi l'alerte à sa mère, cette dernière sort de la maison quelques secondes plus tard. Le court délai a été suffisant pour que le vagabond fasse la conquête des deux oiselets craintifs à l'aide de quelques grimaces très drôles. Il enlève son chapeau de paille pour saluer la paysanne au visage sévère.

« Vous êtes un vrai quêteux?

— Oui, madame.

— D'où venez-vous?

— D'ailleurs, madame.

— Ce n'est pas une réponse! Parlez comme du monde! Vous n'êtes pas du canton, sinon, je le saurais. D'où arrivez-vous?

— De la côte, dans le coin de Québec.

— Vous voulez manger, je présume? Parce que de l'argent, vous n'en aurez pas ici.

— J'ai faim, madame, mais je ne tends pas la main : je tends mon cœur pour que celui de mes frères et sœurs de l'humanité s'ouvre à son tour. La charité est une récompense. Donnez-moi à manger et je répare tout ce que vous voudrez autour de votre maison.

— Mon mari est capable de faire ça. Vous ne parlez pas comme un quêteux.

— Je peux transporter de lourdes charges, brosser votre cheval, enlever les cailloux du chemin, je peux…

— Mon mari et mes gars peuvent se débrouiller avec cet ouvrage-là, que je viens de vous dire. Prenez place sur le perron et je vais aller voir si j'ai un petit quelque chose à vous donner. Votre nom ?

— Gros-Nez.

— Ce n'est pas un nom.

— Regardez ce que j'ai au milieu du visage et vous verrez que je ne peux avoir d'autre nom. »

La petite fille laisse s'envoler un éclat de rire, alors que sa mère se retient pour ne pas l'imiter. En effet, pense-t-elle, ce mendiant est affublé du nez le plus singulier que l'on puisse imaginer. Prédominant, rond, comme ces artifices que les bouffons des cirques portent pour dérider le public. L'homme replace son chapeau en s'installant sur la galerie, faisant rouler ses yeux de gauche à droite pour égayer le garçon.

La femme sort, tendant un bout de pain et un petit plat de graisse de rôti. Gros-Nez lève son couvre-chef pour remercier. Il mange très lentement. Elle chasse ses enfants trop curieux, qui se sont approchés pour regarder l'étranger impoliment. En réalité, elle désire parler en toute intimité avec ce colosse :

« Ma sœur habite à Montmagny. Est-ce que vous êtes passé par là ?

— C'était sur ma route, ma bonne dame.

— Pas de maladies à Montmagny ? C'est une grosse place. Y a toujours des risques de vermine dans les villes et les villages trop grands.

— À ce que je sache, tout le monde allait bien à Montmagny et dans les villages de la côte.

— Me voilà contente de l'apprendre. Ma sœur est fragile de sa santé. Elle m'écrit des lettres, mais c'est difficile de trouver quelqu'un pour les faire lire, surtout quand la maîtresse d'école du rang est partie chez ses parents pendant l'été.

— J'ai croisé une belle maison d'école en venant dans le coin. Vos deux enfants ne la fréquentent pas ? Ils pourraient lire les lettres de votre sœur.

— Ils sont encore petits, puis mon aîné a tout oublié ça, même s'il est capable de compter et signer son nom. Si… si… Est-ce que vous pourriez me lire sa dernière lettre ? Je vous donnerais encore du pain. Vous savez lire ?

— Très bien, madame.

— Mon mari est aux champs, avec mon grand. Si vous voulez les aider, on pourra vous laisser coucher dans la grange.

— Avec joie, madame.

— J'aimerais avoir toutes les nouvelles de Montmagny. »

Dans un cas semblable, le mendiant raconte ce que les gens veulent entendre. Quand il est question de parents, tout doit nécessairement aller bien. Gros-Nez sait repérer les paysans désireux d'entendre des malheurs, surtout quand les catastrophes proviennent de la ville, confirmant la sagesse des laboureurs de demeurer à la campagne. Quand le récit captive les familles, le quêteux repart avec de la nourriture dans son sac, quelques sous, un peu de tabac. En retour, il écoute avec attention ce que le laboureur raconte. Il y a souvent une phrase qui, plus tard, se transformera en histoire qu'il offrira à d'autres personnes.

« Retourne à la maison, quêteux, et reviens avec une cruche d'eau. 'Fait chaud, aujourd'hui ! Après, tu regarderas s'il reste des roches dans les sillons.

— À vos ordres, mon bon monsieur.

— Montmagny… ce n'est pas à côté! Ma femme, elle aime bien sa sœur. »

Les deux plus jeunes enfants couchés, les aînés demeurés sages ont le droit d'entendre les nouvelles des villages lointains et même de la ville. Dans un tel cas, Gros-Nez se procure un journal, à la recherche d'un entrefilet sensationnel qu'il pimente à sa convenance, sachant combien ce peuple canadien-français affectionne les mélodrames. Parfois, les nouvelles viennent d'Europe ou des États-Unis, mais le quêteux les transpose dans une municipalité de la province de Québec, surtout à Montréal, agglomération qu'il n'aime pas beaucoup à cause du zèle des policiers. Dans les villes moyennes, on a l'habitude de le laisser tranquille, de lui permettre de dormir dans un parc. De plus, beaucoup d'habitants de ces villes viennent de la campagne et l'accueillent à bras ouverts. Chaque famille paysanne a quelque chose à raconter sur un de ces étranges errants des grands chemins. Au cours de ses premières années de mendicité, Gros-Nez a vite appris à ne jamais tendre la main sans offrir quelque chose en retour. Ainsi, il a pu se faire de nombreux amis, retourner dans tel canton des mois plus tard, assuré de trouver une porte ouverte. Cette façon d'agir étonne souvent les cultivateurs, assurant que ce n'est pas tout à fait conforme à la tradition. De plus, Gros-Nez ne dit jamais que « Dieu vous le rendra » ni ne se proclame un pauvre protégé par le Divin. Il se refuse aussi à adhérer aux différentes superstitions concernant les mendiants, comme celle de pouvoir jeter des sorts.

Depuis que l'homme a adopté ce style de vie, il y a maintenant quatre années, il a beaucoup appris sur la nature humaine, sachant discerner les comportements qui lui seront favorables ou non. Chaque coin de la province présente une mentalité différente, malgré les points communs de la langue, de la religion, des coutumes. Il a aussi voyagé en Ontario, au Nouveau-Brunswick, aux États-Unis.

Cette famille, satisfaite des nouvelles données sur Montmagny et de l'histoire offerte, permet à Gros-Nez de dormir dans un coin de la grange, l'assurant qu'il aura un bon repas dès son réveil. La paysanne lui donne du pain pour emporter. Le mari lui demande où il compte se rendre. L'étranger mouille le bout de son doigt, l'expose au vent et répond : « Par là. » L'homme éclate de rire, lui tend chaleureusement la main et lui souhaite bonne chance.

« Pauvre terre à cultiver… Elle appartient à cet homme, héritage de son père. L'épouse aura autant d'enfants que d'occasions ratées. L'aîné héritera à son tour de ce lopin, alors que les plus jeunes seront journaliers ou fuiront vers la ville pour devenir manœuvres sans qualifications dans les manufactures anglaises. J'ai vu ça cent fois depuis 1890. C'est une tradition qui s'enracine. Bien joli, tout ça, mais le vent a décidé de me mener d'où je viens. À bien y penser… Quelle importance ? Quelle que soit la direction, elle mène à la pauvreté, ce qui m'assure de ne jamais manquer de rien. »

Marcher ! Marcher ! Tant marcher ! Gros-Nez a développé une certaine endurance qui, cependant, fond comme neige au soleil quand ses chaussures deviennent plus fatiguées que ses pieds. Le dernier emploi d'hiver semble déjà loin, le salaire modeste n'ayant servi qu'à l'achat du strict minimum vestimentaire afin de le protéger du froid. « Travailler pour aider son prochain dans le besoin, ça va ! Le faire pour engraisser un bourgeois anglais ou canadien, ça va un peu moins. Je ne devrais pas penser ainsi. C'est mal. Les Anglais sont aussi mes frères de l'humanité. Tout ça n'empêche pas que le cordonnier qui m'a vendu ces bottines doit rire encore de son coup. Je devrais aller prendre le train et… Tiens ! Un voyageur à l'horizon. Allons voir. »

Gros-Nez agite la main. Le conducteur passe outre, ne le regarde même pas. « C'était sans doute un homme de Montréal égaré dans le coin. » Le mendiant poursuit sa route, trouvant curieux de ne voir personne. Un sourire, une grimace, une histoire et le quêteux est gavé de l'essentiel, jusqu'au jour prochain où il n'aura plus rien. Gros-Nez a appris à attirer l'attention, mais encore faut-il qu'il y ait des gens ! Quel désert !

Fatigué, il s'assoit sur une roche imposante. Il se déchausse, masse le dessous de ses pieds, puis grignote le bout de pain laissé par la paysanne. Après ce léger repas, une bonne pipée avec le tabac du mari lui semble naturelle. Le feu à peine allumé dans la cuve qu'il voit pointer un autre véhicule. Cette fois, il ne bouge pas. Le conducteur est un vieillard, portant une admirable barbe blanche de patriarche. On le dirait tout droit sorti d'une toile d'un maître européen venu découvrir la rusticité canadienne.

« Tu t'en vas loin, quêteux ?

— Au fond de l'horizon.

— En plein dans ma direction ! Monte ! »

Gros-Nez sourit, reconnaissant « le fou de la parenté », celui qui n'a jamais réussi à devenir sérieux, le cauchemar des adultes responsables et le héros des enfants insouciants. Celui qui marche à quatre pattes pour faire rire les fillettes et triche sans cesse aux cartes. Le cœur grand comme la main, mais parfois perdu dans des bouderies incompréhensibles. Voilà le vieux qui offre sa biographie, livre ouvert sur une jeunesse turbulente, écrit cependant avec les mots de ceux qui sont passés sur Terre avant lui. Il mentionne le Bas-Canada au lieu de la Province de Québec. « Gros-Nez, je vais te dire quelque chose : les agronomes du gouvernement, ce sont tous des charlatans. Ma bonne vieille terre, je l'ai fait grandir seul, en me souvenant de tout ce que mon bon père m'a appris. J'ai fait la même chose avec mon plus grand gars. C'est par là que je m'en retourne. Je sais que ce n'est pas le fond de l'horizon, mais en attendant, il y a du tabac de première classe chez nous. On parlera. T'es un bon gars, le quêteux. »

Vieille terre, en effet… Sans doute aussi têtue que la famille en ayant pris possession il y a longtemps, souverains pour plusieurs générations. Au salon : la photographie de zinc de la famille. Ils étaient douze et n'en reste que trois dans la région. « Le vrai tabac canadien, quêteux ! J'ai ma recette secrète. Ne te gêne pas, mon jeune. On va prendre le temps de vivre et tu me diras ce qui se passe au loin. »

L'aïeul s'occupe d'un coin de jardin, donne un coup de main à sa bru, se rend au village pour faire les commissions. Le fils refuse que son père s'éreinte aux champs. Gros-Nez respire profondément une bouffée et sait quoi dire pour demeurer longtemps, manger et dormir.

« Un peu fort.

— Comment, un peu fort ? Tu fais ton difficile ? T'as pas l'air d'un agronome du gouvernement, bâti comme un bûcheron ! Tu dis que mon tabac est trop fort ?

— Un peu fort, mais pas mauvais.

— Bon ! Là, tu parles comme un homme, quêteux ! Pis ? Les nouvelles du lointain ?

— Il y a deux jours, j'ai vu le diable.

— Le diable ! Je l'ai déjà vu itou ! Attends que je te conte ça ! Assis-toé.

— Mais je suis assis.

— Assis-toé mieux. »

Un quêteux représente toujours un être éveillant la curiosité des gens de la campagne. Gros-Nez a déjà rencontré un confrère, spécialiste en lamentations, avec des goussets aussi vides que son ventre. Tout en demeurant poli envers le vieux, notre homme sait que ses contradictions vont lui fouetter les sens, attirer la sympathie, surtout quand il lui donnera raison.

Le fils laboureur, de retour pour le souper, avant même de demander le nom de l'étranger, désire connaître les plus récentes nouvelles des autres paroisses. L'épouse rassure son mari : ce quêteux connaît beaucoup de choses. Après le repas, un voisin vient flâner. « Je ne donne jamais aux gars de ton genre. Ce sont des paresseux. S'ils veulent manger, qu'ils aillent se faire engager dans les manufactures de la ville. » Gros-Nez décide que celui-là l'enrichira d'un dollar.

Les histoires qui laissent une grande impression sont souvent celles où le surnaturel se manifeste par surprise dans la vie quotidienne. Les bûcherons, vivant dans la forêt six mois par année, lui ont raconté cent fables de diables, de feux follets, d'ombres curieuses qui apparaissent sans crier gare. Les forgerons sont aussi experts dans ce genre de récit, eux qui passent leurs journées face au feu. Gros-Nez sait que si les diables de ces récits parlent anglais, les bons Canadiens reconnaîtront un patron, un contremaître. « Une histoire pour faire peur ! Je ne dormirai pas de la nuit ! » s'exclame la paysanne. Le clochard se fait rassurant en rappelant qu'il ne s'agit que d'une histoire. Il promet de ne dormir que d'un œil, au cas où le démon déciderait d'entrer dans la maison.

Au moment de son départ, Gros-Nez a plus qu'il ne faut dans son sac. Il ne peut s'empêcher de passer par la maison du voisin retors afin de lui serrer la main et lui dire, avec une politesse pointue, comme il a été enchanté de le rencontrer. « Cinquante sous ! Je visais trop haut avec ma piastre. N'empêche que je l'ai fait plier, celui-là. Ceux qui se vantent devant les autres veulent, au fond, faire comme tout le monde, mais ne surtout pas le montrer. Curieuse, la nature humaine… »

Dix milles plus loin, il trouve un ruisseau pour tremper ses pieds fatigués. Il puise un peu d'eau avec sa tasse de fer blanc afin de se désaltérer. Rien de meilleur que l'eau de la nature, encore plus délicieuse que celle des puits de fermes et surtout que le liquide souterrain des aqueducs urbains. Gros-Nez enlève sa chemise, la savonne un peu avant de l'accrocher à une branche. Il se couche, ferme les yeux, écoute le silence derrière le chant des oiseaux et la roucoulade du ruisseau. Puis il allume sa pipe et sort de son sac un journal trouvé sur un banc de parc à Bonaventure. « Ils écrivent comme des grammaires, ces bourgeois-là ! Aucun style, aucun sentiment. » Que lui importent les articles sur l'actualité. Il préfère les entrefilets vagues, car ils lui donnent des idées pour inventer d'autres récits qu'il va situer loin des maisons visitées. Dans les campagnes, les frontières absolues sont dessinées par celles du village. Les voisins du second village sont déjà des étrangers.

Il lui est arrivé de rencontrer hommes et femmes curieux d'apprendre des nouvelles du roi de France Louis XVI, comme si ce monarque guillotiné avait traversé les âges de bouche à oreille, de génération en génération, pour rejoindre les pensées de ces gens d'aujourd'hui qui n'ont jamais entendu parler d'une guillotine, pour qui la France Louis XVI, demeure toujours le pays de leurs cousins, de leurs ancêtres.

Gros-Nez plie le journal, vérifie si sa chemise est sèche, puis se fabrique un semblant de semelle avec des herbes, qui garderont ses pieds au frais. Il a une quinzaine de dollars dans une vieille blague à tabac lui servant de porte-monnaie. La tentation de changer ses chaussures lui chatouille l'esprit. « Non ! Il ne faut pas ! C'est pour Joseph, cet argent. Qui a besoin de piastres et de sous quand on a la nature ? Un petit Jos de la ville et pas un homme libre comme moi. »

Une heure plus tard, ses chaussures le font encore souffrir. Il grimace un peu, puis siffle afin d'oublier à son mal. Il pige dans son sac une vieille balle de baseball très défraîchie, souvenir de ses années de jeunesse quand son père l'envoyait travailler à Manchester, au New Hampshire. Il y avait découvert ce sport, qui avait fait naître beaucoup d'interrogations chez lui. Le jeune homme avait compris progressivement que les plus beaux aspects de la nature humaine se trouvaient dans l'exécution de cette activité. L'année suivante, Gros-Nez faisait partie d'une équipe de jeunes. Sa stature imposante avait impressionné les Canado-Américains, se mêlant aux Yankees pour des compétitions sans fin. Gros-Nez passait douze heures à l'usine et cinq autres à lancer et frapper. Il regarde la balle, se remémorant ces beaux jours, tout en sachant qu'elle deviendra de plus en plus difforme et qu'il devra s'en débarrasser.

Il arrête, frotte l'objet soigneusement entre ses mains, plante ses pieds au sol, lève la jambe et la lance de toutes ses forces. « Et dire que j'aurais pu… » Quand Gros-Nez se sent découragé, que la faim le tenaille autant que la solitude, il a pris l'habitude de lancer cette balle et de trotter vers elle, comme si l'objet était devenu l'ami des moments difficiles. Après une demi-heure de cette manie, il marche le cœur plus gai. Il regarde le soleil et devine que le moment des restes de table approche. L'homme ne choisit pas, tourne vers le premier chemin menant à une maison. Les paysannes cuisinent toujours beaucoup trop, et même si elles ne perdent jamais rien, ces femmes font souvent preuve de générosité, obéissant ainsi aux principes prônés par la religion catholique. Des enfants le regardent manger à petites bouchées. Le vagabond ne peut s'empêcher de semer des grimaces pour les entendre éclater de rire. La mère, d'un regard autoritaire, cloue au silence les fautifs impolis. Gros-Nez offre ses services d'homme fort pour remercier, même si elle refuse. Le mari désigne la grange du menton, lui demandant de donner un coup de balai. « 'Faut jamais contrarier un quêteux, ma femme », murmure-t-il, alors que Gros-Nez s'éloigne vers son travail.

« Tu peux coucher dans le foin si tu veux, étranger.

— Je vous remercie, monsieur, mais je préfère poursuivre ma route.

— Il va faire noir comme en enfer dans pas moins de deux heures.

— Il faut voir les étoiles pour le croire et se rendre compte que la lune veille sur nous avec une clarté bienveillante.

— C'est correct. Je ne contrarie pas un quêteux. Bon chemin ! »

Gros-Nez trouve un autre cours d'eau afin de s'installer confortablement pour la nuit. Ayant vécu quelques saisons près des Indiens, l'homme sait qu'il ne peut exister plus doux sommeil que celui gardé par la lune et les étoiles. La nature a mis tout en œuvre pour protéger, cela même quand elle se montre capricieuse. Tout ce qui règne autour de lui peut être utilisé. Dans les camps de bûcherons, les hommes étaient pleins de poux. Trente milles au nord, chez les Indiens, aucune de ces bestioles ne venait perturber le sommeil. Au milieu de cette nuit, le vagabond est surpris par la pluie. Il bâille, étire les bras, place sa tasse à quelques pas, marmonnant qu'il aura de l'eau fraîche au lit à son réveil.

Le lendemain, après un séjour de quelques heures chez un laboureur, Gros-Nez atteint un hameau, avec sa modeste église de bois autour de laquelle se sont agglutinées une vingtaine d'habitations et des maisons de service. Les villages sont les lieux de résidence de quelques jeunes et de beaucoup de rentiers, ces hommes ayant laissé la terre ancestrale au plus âgé des fils et désireux de prendre le temps de vivre pas trop loin du magasin général, du bureau de poste et de l'église. Le quêteux remarque une maison détonnant du paysage général : elle est en pierres, alors que toutes les autres sont en bois. Sans aucun doute une des rares survivantes de l'époque de la Nouvelle-France. Lors de la guerre de la Conquête, les soldats anglais avaient tout brûlé sur leur passage, en route vers Québec. L'homme qui y habite doit être le riche du lieu.

En cognant à la porte, il fait plutôt face à deux vieilles filles rachitiques, de noir vêtues, au regard méfiant et au visage de cire. Gros-Nez connaît ce type de demoiselles, s'y étant frotté à plusieurs occasions. Le cœur et les sentiments habitent toujours ces femmes, même s'ils se sont barricadés derrière un solide mur de conventions religieuses qui feraient fuir le pape. Gros-Nez demande gentiment, l'air un peu plaintif. Du bout des doigts, elles lui donnent un croûton de pain. Sa tâche : laver les carreaux des fenêtres.

Il le fait en chantant, dans le but d'attirer les curieux. La présence d'un étranger fait toujours naître des interrogations et, conséquemment, des conversations. Un voyageur anonyme, vêtu de hardes, devient la grande nouvelle de la journée, peut-être de la semaine, sinon du mois. Le travail terminé, Gros-Nez se retourne et salue les badauds, souriant généreusement, tel un saltimbanque à la fin de son numéro. La porte de la maison s'ouvre rapidement. Deux biscuits et une tasse de thé froid sont déposés, comme si les vieilles filles voulaient signifier qu'elles sont de bonnes chrétiennes et nourrissent les pauvres.

Les premières questions demeurent toujours les mêmes : « D'où viens-tu ? » Les réponses imprécises de Gros-Nez ont leurs variantes :

« D'ailleurs », « De loin », « De l'horizon ». La seconde question : « Où vas-tu ? » Mêmes réponses que pour la première interrogation. Il sait que cette part de mystère intrigue, invitant les locaux à parler davantage. Cependant, aujourd'hui, le mendiant fait une exception : il désire traverser le fleuve.

Un homme lève le doigt, certain de connaître celui qui lui rendra ce service. Son frère habite là-bas. Il s'y rend une fois par semaine. Gros-Nez passe le reste de l'après-midi à laver d'autres fenêtres, afin d'ajouter un peu de nourriture dans son sac de marcheur : un pot de confiture, des biscuits, un peu de lard. Il demande au marchand général un salaire étonnant en retour de son service : un pot d'encre.

Le propriétaire de la chaloupe regarde le quêteux de haut en bas, impressionné par une telle stature. « Je vais te faire traverser. Une fois, ma femme avait refusé à manger à un des tiens et il avait jeté un sort sur mon champ. Les récoltes n'avaient pas été trop abondantes, l'automne venu. » Gros-Nez précise qu'il n'est pas charlatan et que même s'il possédait un tel don, il ne chercherait pas de mal à son prochain. Le laboureur demeure fidèle à sa conviction. Pour sa part, l'épouse ne doit pas partager les mêmes croyances, ordonnant au vagabond de ne point approcher de la maison. Pourtant, peu avant le coucher, le couple sort rejoindre Gros-Nez, qui a rêvé une partie de la soirée sous un arbre. Ces bonnes gens, il le devine trop bien, désirent entendre des nouvelles des villages visités ces derniers jours. Elles sont à la convenance du couple. Le laboureur lui demande s'il a déjà exercé un métier. « Cent métiers, monsieur. J'ai souvent travaillé comme bûcheron. Un bon, je crois ! Mais un jour, j'ai… Oh ! non… Il vaut mieux ne pas parler de ça. Je vais aller dormir près de la grange et serai prêt pour la traversée dès que vous me ferez signe. »

Il ne fallait que cette hésitation coutumière pour que les hôtes se redressent, insistent pour connaître le secret. Lors de son séjour chez les Indiens, un sachem lui avait raconté l'histoire d'un homme habité par dix esprits des aïeux et qui pouvait s'exprimer comme il y a deux cents ans. Gros-Nez n'a jamais oublié et lors de ses déplacements, il se plaît à faire part de cette légende étrange, l'adaptant aux mœurs des Canadiens français. Il n'y a qu'à parler de la fidélité à la terre et son auditoire se sent fier.

Le quêteux, à la voix forte et profonde, se met à gesticuler tout en racontant. Les passages effrayants sont chuchotés, ceux euphoriques s'accompagnent de grondements. « J'ai eu peur de cet homme, mes bons amis, je l'avoue sans honte, surtout quand il m'a dit que couper des arbres ne devait servir qu'à se chauffer, bâtir une maison et une grange. J'ai alors décidé que je ne serais plus bûcheron pour le compte des Anglais, qui coupent sans respecter la sagesse des ancêtres. Je me suis alors juré que je voyagerais dans toutes les campagnes de la province de Québec, pour donner un coup de main en retour d'un toit, d'un peu de pain, mais surtout de l'amitié et de la chaleur des miens. L'âme canadienne doit sans cesse nous habiter. Voilà mon message, appris de cet homme que je n'oublierai jamais. »

Le lendemain, la paysanne permet au quêteux d'entrer, insiste même pour qu'il le fasse, car un copieux déjeuner l'attend sur la table de la cuisine. L'histoire de la veille sera racontée au voisin, puis à un autre, jusqu'au village. Quand l'étranger reviendra, dans dix années, elle sera métamorphosée et plus personne ne se souviendra de celui qui l'avait contée la première fois. Alors que Gros-Nez rame avec une force prodigieuse et avec la dextérité d'un vieux marin, le propriétaire de la barque, stupéfait, l'examine et, dès son retour chez lui, ajoutera un peu d'épices à la légende de ce vagabond peu banal qui avait cogné à sa porte lors de l'été 1893.

Quelques milles d'eau séparent deux univers : le sud agricole, puis celui du nord boisé et montagneux, davantage isolé. Gros-Nez rencontrera sur son chemin de rudes gaillards portant la hache, alors que les villages seront des îlots d'artisans. L'étrangeté de sa présence sera cependant la même que dans tous ces lieux coupés de la modernité des villes. Depuis quatre années de cette vie d'errance, le mendiant n'a trouvé que des portes ouvertes et lorsqu'elles étaient fermées, il arrivait toujours à les faire s'entrebâiller.

Il reprend sa marche tout de suite après avoir serré la pince à son bienfaiteur. Il longe la plage, ne se prive pas de se déchausser pour se laisser caresser l'épiderme et ne pas user ces chaussures qui lui donnent tant de soucis. Gros-Nez marche lentement, se parlant seul, sifflant une mélodie qui le fait rire. Avant de retrouver des gens, l'homme salue cette solitude et la remercie pour ses bienfaits. Le mendiant s'assoit contre un arbre et décide d'écrire au jeune Joseph des Trois-Rivières, qu'il considère avec l'affection d'un frère aîné. Le rare argent qu'il touche est souvent destiné à ce garçon aux ambitions de commerçant, mais qui n'y arrivera jamais. En effet, le gagne-petit est pris dans l'engrenage d'un mariage et d'une récente paternité, sans oublier son attitude très « tête dans les nuages » et son désir de dépenser à chaque fois qu'un cirque arrive en ville ou des conférenciers de lanterne magique et des guignols du vaudeville. Le message écrit, Gros-Nez s'assure que son pot d'encre est fermé étanchement, afin qu'il ne se renverse pas dans son sac, comme cela lui était arrivé l'an dernier.

Gros-Nez sourit en se rendant compte que la route n'était qu'à deux minutes de son arbre. Qualifier ce chemin primitif de « route » l'incite à s'esclaffer. Les traces de quelques voitures indiquent une direction. Dix minutes plus tard, l'errant voit une ferme, ne sait pas pourquoi il l'ignore, d'autant plus que la température semble laisser présager une averse. Il en a vu de toutes les sortes : la pluie rafraîchissante, celle qui effraie, le vent caressant et son frère qui bouleverse tout. Les orages électriques ! La grêle ! La gadoue ! La chaleur écrasante ! « Il en faut beaucoup pour qu'un arbitre arrête une partie de baseball », dit-il au ciel, tout en faisant danser une grimace vers les nuages. Cette pensée le pousse à sortir sa balle et à la lancer au loin. Dix minutes plus tard, un enfant se saisit de l'objet. Gros-Nez tonne : « Hé ! Laisse ça ! » Il approche à grands pas, se rend compte qu'il a effrayé le petit.

« Ne m'enlevez pas, monsieur le quêteux ! Je ne le ferai plus !

— Je m'excuse si j'ai parlé un peu fort. Tu peux tout me prendre, mais surtout pas ma balle de baseball.

— Qu'est-ce que c'est ?

— Je parie que tu ne sais pas ce qu'est le baseball.

— Non, monsieur.

— Je vais t'expliquer. »

Cette zone fait partie du passé de la province de Québec, tant le développement des autres régions ne semble pas avoir atteint cette rive. Les gens ayant quitté pour la Nouvelle-Angleterre proviennent de partout, sauf de ce secteur. La description du sport américain doit faire passer Gros-Nez pour un sorcier aux oreilles de ce jeune.

La ferme n'est qu'à quelques pas de la montagne. Cette famille cultive sans doute pour sa seule consommation. Le vagabond remarque un modeste poulailler et une vache solitaire. La mère de famille porte un bonnet, héritage féminin d'un siècle lointain.

« Vous allez manger, quêteux ?

— Non, madame. Je n'ai pas faim.

— Un quêteux le ventre plein ! Ça ne se peut pas !

— J'arrive de l'autre rive où j'ai déjeuné comme un prince.

— De l'autre côté du fleuve ? Qu'est-ce qui s'y passe ? Il y a des nouvelles ?

— Oui, madame.

— Restez là ! Mon mari et son père voudront entendre. »

Pendant qu'elle lui prépare une tasse de thé, Gros-Nez regarde autour de lui. Tout semble désert. Pas même l'habituelle armée d'enfants. Le visage ingrat de la dame indique un mariage tardif. Peut-être que, tout simplement, les rejetons sont partis grossir les effectifs des manufactures urbaines. Elle revient avec la boisson chaude et cent questions précises. Gros-Nez remarque qu'elle parle avec un accent paysan moins prononcé. Peut-être est-elle une ancienne maîtresse d'école ayant trouvé un veuf pas trop exigeant. Les questions laissent croire qu'elle s'ennuie, seule dans ce lieu.

L'époux arrive deux heures plus tard avec son père, conduisant une charrette tirée par un bœuf pas très jeune non plus. En l'entendant, Gros-Nez note tout de suite qu'il est immigrant. Une rareté, à la campagne ! Le vieillard ne parle pas du tout français. Ils sont sans doute arrivés d'Europe le cœur plein de ces légendes sur les chances de réussite dans le Nouveau Monde, mais n'ont trouvé que des miettes, la désillusion et la xénophobie des Canadiens français.

La voiture déborde d'objets métalliques, de bouts de bois et de vêtements en lambeaux. Un peu quêteux, lui aussi ? « Homme fait tout », de répondre le gaillard, provoquant un sourire du vagabond, se pressant pour aider à sortir ce bric-à-brac du véhicule. « Père à moi artisan, Russie. Cordonnier. » Gros-Nez jubile : un cordonnier ! Ce qu'il espérait tant ! Le quêteux se déchausse, montre la semelle usée au vieil homme.

Gros-Nez demeure dans l'entourage de ces gens pendant deux journées, curieux de noter les gestes du vieillard, reflets de son pays d'origine. L'invité a nettoyé les fenêtres, réparé une porte, tout en parlant sans cesse, à la femme, des rues, des villes et des villages lointains. Il a aussi accompagné le mari, cognant aux portes pour récupérer ce que les autres rejettent. Avec dextérité, l'homme répare les objets brisés qu'il va vendre en prenant l'autre direction. Enfin bien chaussé, Gros-Nez tourne le dos à cette rencontre. Il y a tant de gens à voir, tant de choses à découvrir entre ses pas et le bout de l'horizon. Voilà le but de sa vie, pour qu'à jamais son cœur demeure chaud.

CHAPITRE 1898 : FEMMES

Gros-Nez se souvient du premier accueil de cette femme de la Vallée du Richelieu : le balai! Pas qu'une menace symbolique : à grands coups dans le dos! Il était alors demeuré dans les alentours, décidé à apprivoiser la violente. Cela lui avait pris un mois, juste au moment où il devait partir afin de se trouver un modeste emploi hivernal pour se tenir à l'écart du froid. Pendant ces trente jours, il avait rendu maints services aux villageois afin que sa bonne réputation atteigne l'artiste du balai.

« Têtu! Voilà ce que j'étais. Je crois que j'ai eu tort, mais comme on ne refait pas le passé… Je ne sais pas si l'entêtement représente une qualité ou un défaut. Peut-être les deux à la fois, selon les circonstances. Quand j'y pense… Elle avait ouvert sa porte et lors de mon spectacle de fin de soirée, cette femme avait ri plus fort que son mari et ses enfants. » La maison de ferme n'a pas changé depuis ce souvenir. Gros-Nez approche avec la même innocence qu'en 1895. Trois années se sont passées et il lui semble encore la voir surgir avec son balai, le traitant de serviteur de Lucifer, de fainéant, de plein de poux. La voilà! Toujours avec son balai, prête à gronder comme autrefois.

« Qu'est-ce que vous voulez?

— Je suis Gros-Nez, le quêteux. Vous vous rappelez de moi? Au village, tout le monde se souvient.

— Et puis après?

— Je voudrais un peu à manger et…

— Menteur! Vous êtes gras comme un voleur! Voilà ce que sont les quêteux : des voleurs! Trop paresseux pour travailler et acheter de la nourriture. Ça court les grands chemins pour se faire prendre en pitié par une bande de niaiseux, comme ceux du village. Votre sac est plein d'argent, plus qu'il n'y en a dans ma maison.

— D'accord, je ne veux pas manger. Si vous aviez cependant un bout de savon, je…

— Certain que vous êtes sale! Vous puez! Ça n'a pas de sens d'être négligé comme ça! Des culottes trop grandes, des souliers crottés et une barbe malpropre.

— Je ne tends jamais la main, madame. Quand je demande quelque chose, c'est toujours en retour d'un service.

— Et ça parle pour ne rien dire! Ça fait des sermons!

— Non, madame. Je n'ai jamais été adroit avec les sermons. Le langage du cœur, voilà ma langue. »

Le mendiant ne se rend pas compte immédiatement qu'il vient de tomber dans le piège tendu par cette solide Canadienne vêtue de noir, comme si elle portait constamment le deuil. Après quinze minutes de répliques impromptues, elle finit par se trahir avec un mince sourire : « Tu l'as gagné, ton bol de soupe et ton savon. Entre, quêteux, que j'écoute tes sornettes! »

Depuis toutes ces années sur les routes, Gros-Nez a vu tous les genres de femmes. Avec un homme, c'est toujours « Oui » et « Non », laissant parfois entendre « Peut-être ». Lorsqu'il arrive dans une ville, un village ou une campagne, ce sont toujours les femmes qui lui ouvrent la porte, symbolisant ainsi leur pouvoir entre un repas ou le jeûne, entre une nuit dans une grange ou à la belle étoile. Tout semble plus complexe avec une femme. Complexe et plein de surprises!

Petites, grandes, grosses, maigres, belles, monstres, grenouilles de bénitier, pécheresses, mariées, vieilles filles, veuves, leur destin semble toujours dépendre de la présence ou de l'absence d'un homme.

« Trouve-moi un mari et je te donnerai à manger », avait ordonné à la blague une femme des Cantons de l'Est, il y a quelques années. Le plus ridicule est que Gros-Nez avait tenté l'effort, arrêtant sa recherche après deux journées, se sentant soudainement crétin. « Je n'en ai pas trouvé », avait-il répondu, avant de la voir éclater de rire, puis l'inviter à sa table pour un repas sans fin.

« L'histoire que tu m'avais contée, je m'en souviens très bien. Elle me fait encore rire. » Gros-Nez avance un oui de la tête, attendant un résumé. Il l'aurait juré : le temps passé a créé des variations, sans doute entretenues par des personnes des alentours. Voilà la richesse des histoires : elles ne demeurent jamais comme à l'origine, s'enrichissant de noms de lieux, de gens. Il souhaite que la reine du balai, devenue grand-mère plusieurs fois, dise plus tard à ses petits-enfants : « Un quêteux m'a raconté ce que je vais vous dire. » Elle demande une nouvelle fable. Au cœur de l'après-midi ? Elles doivent être réservées aux fins de soirée, pour avoir plus de portée.

« C'est bien beau, tout ça, mais j'ai ma lessive à faire.

— Puis-je vous aider ?

— Ce n'est pas l'ouvrage d'un homme.

— Je peux balayer, peut-être ? J'aimerais mieux voir le balai entre mes mains qu'entre les vôtres. »

Heureux Gros-Nez reprenant la route ! Plus les années passent, plus son réseau amical s'étend. Il s'agit de vérifier de temps à autre. « Où aller, maintenant ? Tiens ! Si le premier homme que je rencontre est moustachu ou barbu, j'irai vers le nord. Sinon, ce sera le sud. » Quinze minutes plus tard, il voit passer un jeune homme qui se fait pousser la moustache. « Pas tout à fait glabre, donc… Alors, je choisis l'est. »

Au village suivant, il s'attarde à la gare, désireux de regarder les couleurs de l'impatience sur les visages, sans oublier les hommes qui, sans cesse, pigent leur montre dans leur poche. Des vieux flânent, désireux de voir descendre des étrangers ou de regarder les ombres par les fenêtres. Il y aura aussi la joie des retrouvailles. Les gares représentent les baromètres des sentiments humains. Le voyage dans un wagon de passagers n'est d'aucun intérêt pour le quêteux. Seule compte son habileté à déjouer les employés du chemin de fer en grimpant dans un wagon de marchandises, à la queue du convoi. Il réussit à tout coup, n'ayant aucune crainte d'un accident. Jadis, il avait vu un Indien le faire avec une habileté extraordinaire. Un gaillard lui avait donné de judicieux conseils pour y arriver. Le vagabond a pris l'habitude de toujours descendre avant un arrêt et d'approcher d'une communauté en marchant sur les rails. Les villages de la province de Québec présentent tous le même visage. Ils portent des noms de saints ou de phénomènes de la nature qui font quelque chose d'inattendu : danser, rire, pleurer; les rivières, lacs et montagnes le font tous.

« Monsieur, s'il vous plaît ?

— Que puis-je pour vous, mademoiselle ?

— Où est la rue principale ?

— Au centre des rues secondaires.

— Je vous le demande poliment, monsieur.

— Je vais vous guider, mademoiselle. »

Parce qu'il a de la suie sur le visage et que ses pauvres vêtements peuvent se confondre avec ceux d'un mécanicien, la jeune femme croit que Gros-Nez est un employé du chemin de fer en qui elle peut avoir confiance. Rue Principale! Facile, en effet! Partout, dans la province de Québec, le clocher indique la voie à suivre. Elle demande un nom précis. « Je viens de passer quinze années en Ontario. Je ne sais plus trop, mademoiselle. » La belle trouvera sans doute la personne désirée. Elle remercie en donnant un cinq sous au vagabond. « C'était une fille de la ville », se dit-il. Ses manières, sa démarche et demander la rue Principale d'un village, voilà autant d'éléments pour prouver son urbanité. Gros-Nez laisse tomber la pièce dans son sac, puis regarde autour de lui, cherchant une auberge.

« Je vais prendre une pointe de tarte aux fraises et une tasse de thé, madame.

— Vous avez de l'argent pour payer ?

— Je peux laver la vaisselle ou passer le balai.

— Il y a quelqu'un pour ce travail. Pas d'argent : pas de nourriture.

— D'accord, d'accord, je vais payer. Avant, je voudrais me laver les mains. Est-ce que je dois débourser pour ça aussi ?

— Au fond, à gauche. Votre commande, vous irez la manger dehors.

— N'exagérez pas, madame. Depuis quand les gens mettent-ils les clients à la rue pour consommer ? Ce n'est guère civilisé.

— Il fait très chaud, à l'extérieur. »

Prompte ! Sèche ! Cœur dur ! Gros-Nez en a vu des centaines de cette catégorie. La jeune domestique, à la cuisine, doit gagner deux dollars par semaine entre les mains de cette patronne au visage de fer. Les femmes aiment parfois maltraiter les jeunes, surtout les plus belles. Peut-être que ce gros village désire se donner des airs de ville, avec la douzaine de gueules de bois que Gros-Nez a croisées en peu de temps. Voilà le quêteux au visage rafraîchi, débarrassé de tout ce que le vent lui a donné comme gifles. Passant devant le carreau de la cuisine, il s'y met la tête en criant « Bonjour ! » à la domestique. Un peu de soleil dans ce lieu nuageux lui fera le plus grand bien. La patronne hausse le ton et exige de voir les espèces sonnantes. Elles sont à sa portée, mais le quêteux fait semblant qu'elles nichent au fond de son sac, prenant plaisir à sortir un à un les objets les plus hétéroclites : sa tasse de fer blanc, des lacets, un peigne, sa blague à tabac, deux pipes, un vieux journal, sa balle de baseball, un…

« Ça suffit !

— J'ai l'argent, ma bonne dame. De la monnaie, c'est petit, dans un aussi grand sac.

— J'ai dit que ça suffit ! Allez manger ailleurs ! Pas de va-nu-pieds dans mon restaurant ! »

Le mépris n'apporte que des ennuis, surtout pour ceux qui en font un art de vivre. Gros-Nez pardonne, mais son entêtement, tout comme son sens du sarcasme, l'incitent à traverser face à l'auberge. Il cogne à la porte de la grande maison et demande à une femme menue une tasse de thé et une pointe de tarte en retour d'un service qu'il lui rendra avec joie. Gros-Nez sent que cette personne, sans doute vertueuse, est remplie des principes catholiques de la charité. « Dieu aime les pauvres », assure-t-elle. Il hoche la tête, sans répondre véritablement.

« Je vais passer un coup de balai, pour vous remercier.

— Ce n'est pas nécessaire, mon pauvre homme.

— Je peux déplacer les meubles lourds, si vous désirez nettoyer derrière. Je ne demande pas la charité, madame : je veux rendre service en guise de remerciement pour votre générosité.

— Dans ce cas-là, allez me chercher un sac de farine au magasin général qu'il y a sur la rue Principale, à dix minutes de marche d'ici. »

Le magasin général est synonyme du journal villageois. C'est de ce point que sont évoquées les plus récentes nouvelles pour partir dans toutes les directions. Le marchand vend aussi des journaux, mais pour les habitants du lieu, ces publications sont écrites par des bourgeois des villes, qui ne connaissent rien à la véritable vie canadienne-française. Le magasin abrite aussi les plus extraordinaires exemplaires de commères masculines, perdant des journées entières à jouer aux dames, à regarder ceux qui entrent, tendant l'oreille pour ne rien rater, surtout quand il s'agit d'un étranger. Ainsi, Gros-Nez apprend qu'une jeune femme de la ville est descendue du train pour visiter une cousine.

« Vous n'êtes pas du canton, vous.

— Non, monsieur.

— D'où venez-vous et qu'est-ce que vous faites ici?

— Je viens d'ailleurs et je suis ici pour vivre quelques moments de mon existence.

— Ne faites pas le malin, monsieur! On en a vu d'autres, au village! »

La farine sur la table de la cuisine de la ménagère, Gros-Nez s'apprête à partir quand il fut retenu par la femme désireuse d'apprendre des nouvelles du lointain. Jeune quêteux, l'homme répétait ce qu'il avait lu dans les journaux, jusqu'à ce qu'il se rende compte que les gens ne le croyaient pas, qu'il valait mieux déformer ce qu'il avait lu afin de rejoindre ses semblables. Les accidents et les incendies sont toujours appréciés, permettant de réaliser la chance de ne pas en être victime.

« Il y a dix jours, j'ai rencontré une quêteuse, près d'un village de la vallée du Saint-Maurice.

— Une femme? Ce n'est pas convenable.

— Je l'ai un peu pensé moi aussi, madame. J'ai trouvé qu'elle faisait pitié à voir. J'ai demandé à sa place et obtenu de quoi lui donner à manger pendant deux jours. C'était une orpheline, veuve, sans enfants, pour ainsi dire abandonnée.

— Pauvre elle! C'est si épouvantable ce que vous me dites là! »

Gros-Nez ajoute quelques mélodrames pendant une demi-heure, avec gestes et mimiques appropriés, jusqu'à ce que la femme soit prête à pleurer à chaudes larmes. Cette histoire lui donnera-t-elle des cauchemars? Peut-être pensera-t-elle qu'il y a toujours pire que soi.

Le quêteux part avec de la nourriture additionnelle dans son sac. Il s'installe devant le restaurant de l'auberge pour croquer une pomme. Le voilà décidé à défier un train vers un autre village, où il racontera la légende d'une aubergiste sans cœur qui a vécu de grands malheurs à cause de son manque de générosité. « Non », pense-t-il soudainement, jugeant que c'est là une mauvaise idée. « Pas de médisance. » Il se met en route d'un pas décidé, quand la jeune domestique de l'auberge le rattrape :

« Elle était drôle, votre grimace, monsieur. Pourquoi avez-vous fait ça ?

— Pourquoi pas, mademoiselle ? J'ai rendu votre journée inoubliable.

— Ah, c'est certain ! Quand j'étais petite, mes parents m'avaient emmenée à Sherbrooke pour voir un cirque américain et il y avait un bouffon qui grimaçait aussi bien que vous.

—Un bouffon avec un Gros-Nez ?

—Il était rouge. Un déguisement.

—Moi, je n'en ai pas besoin.

— Si vous voulez une pointe de tarte avec une tasse de thé, venez à la maison. Maman va vous en donner. »

Avec tout ce qu'il a avalé, Gros-Nez n'a certes pas faim. Il y a tant de jours où il ne mange pas et d'autres, beaucoup trop. Par contre, la gentillesse de cette jeune ne peut se refuser. En entrant dans la maison, à la frontière du village, le quêteux y voir sept filles. Devinant la pensée de l'étranger, le père de famille hausse les épaules, comme pour lui signifier que ce n'est pas de sa faute.

Les plus jeunes se montrent d'abord méfiantes. Il suffit d'un sourire un peu loufoque pour les charmer. « On travaille tous pour envoyer la plus jeune au couvent. À six ans, elle a déjà la vocation. » Tout semble respirer la paix et le bonheur dans ce foyer. « Il y a un banc de quêteux tout près. C'est pour vous autres qu'ils ont été inventés. Profitez-en pour y passer la nuit. » Les enfants les plus grandes se disent heureuses d'avoir un invité pour le déjeuner. La veille, personne n'a réclamé d'histoire, demandé des nouvelles d'un autre canton, pas plus que de chercher à connaître le vrai nom de Gros-Nez et d'où il vient. Le mendiant part avec un pot de marinades dans son sac, accompagnant le père.

« Tu veux sauter dans un train en marche ? Pourquoi ? C'est dangereux.

— La meilleure raison pour le faire.

— Ah bon ! Vivre dangereusement !

— J'ai un peu d'argent… Autour de trois dollars. Je vais vous les donner et ce sera pour le couvent de la petite.

— Un quêteux qui fait la charité ! Je n'ai jamais vu ça !

— On me la fait si souvent. J'ai droit aussi. »

À la sortie du village, le train, caché derrière une courbe, fait entendre son grondement. Gros-Nez surgit du néant, court en tendant la main vers les barres de fer qu'il y a toujours sur les wagons de marchandises. L'objet saisi, il se donne immédiatement un élan pour déposer ses pieds sur le rebord du wagon. Le voilà en position pour faire voler le loquet de la porte, la poussant ensuite avec son pied et se jeter facilement à l'intérieur. « Je t'ai eu, hein ! » dit-il en riant. Il s'installe, sans regarder autour de lui, jusqu'à ce que le ventre lui fasse mal. « Un quêteux pris d'une indigestion ! J'ai honte ! » Après quarante minutes, il décide de sortir. Descendre paraît plus risqué que de monter. Il court le danger de se casser une jambe, de se faire sérieusement mal en roulant sur lui-même, aboutissant il ne sait jamais trop où. Le voilà attendant le lieu le plus propice pour se jeter dans le vide. Pied à terre, il tombe, puis roule en se protégeant la tête et aboutit dans un ruisseau.

Il se relève, essuie ses vêtements avec ses mains, se presse d'ouvrir son sac pour s'assurer que le pot d'encre n'est pas cassé. Marchant vers la forêt pour se soulager, il se rend compte que le bouton de son pantalon n'a pu résister au choc. Il le cherche dans le ruisseau, puis le long de sa trajectoire. En vain. A-t-il une corde dans son sac pour retenir sa culotte ? Non ! Marchant sur la voie ferrée en retenant son vêtement,

Gros-Nez, las, laisse tomber et le pantalon en fait autant. Il s'assoit, prend un cordon de chaussure pour retenir le fautif. Maintenant, il marche maladroitement et a peur de trébucher. Pour oublier, il sort sa balle de baseball, qu'il lance au loin, ne pensant qu'à la rattraper afin de la lancer encore. Soudain, il voit un chemin et, tout au fond, une maison. Sans doute qu'un village n'est pas trop loin.

« Madame, je m'appelle Gros-Nez et je suis quêteux. Je cogne à votre porte pour…

— Retourne chez vous, pouilleux !

— Laissez-moi terminer, je vous prie.

— Mon mari a une carabine ! Sacre ton camp, bandit ! »

Le coup de la menace avec une arme, Gros-Nez n'y avait jamais cru jusqu'à l'été 1898, alors qu'une femme était rentrée promptement dans sa maison pour en ressortir armée et tirer au-dessus de sa tête. Dans sa fuite, il avait entendu deux autres pétarades. À une autre occasion, un homme avait sorti un véritable sabre ! Si celle-ci ne veut rien entendre, peut-être que la voisine sera d'avis contraire.

« Passe ton chemin, crotté ! Mon mari a un fusil !

— Votre mari, c'est le frère de la voisine ?

— Quoi ? »

Avant de tenter à nouveau sa chance, Gros-Nez arrête pour réfléchir à la manière de les conquérir, ces deux-là. Ce lieu isolé lui paraît étrange : au cœur d'une forêt, sans village en vue. Il poursuit sa marche, repère trois autres habitations, de petites zones défrichées, comme il y en a dans les cantons de colonisation du nord de la province. Soudain, le cordon de bottine cède. « Ah non ! Ce n'est pas vrai ! » Il bifurque vers la dernière maison croisée, arrache un clou rouillé de la clôture dans le but de le courber et de le transformer en crochet. À l'instant, une grande fille sort de la maison, agitant les mains, ordonnant de ne pas toucher à la clôture.

« Je peux vous le payer, votre clou.

— On sait ce qui arrive quand des étrangers viennent dans le coin !

— Ah non, mademoiselle, je ne sais pas.

— C'est pour nous faire des problèmes parce qu'on n'est pas comme les autres ! Passez votre chemin ! »

Gros-Nez sursaute, étonné par cette remarque. Il regarde comme il faut cette fille et, en effet, elle a le teint plus foncé que les autres de son âge. Elle insiste, menace. Las, le vagabond enlève le clou et le pantalon tombe aussitôt, provoquant un éclat de rire immédiat chez la jeune. Outré, le vagabond s'éloigne en retenant son vêtement à deux mains.

« Monsieur, si c'est du fil et une aiguille que vous vouliez, il fallait le demander.

— Alors, je le demande.

— Vous êtes quêteux, hein ?

— Est-ce que j'ai l'air d'un député ?

— Venez à la maison. Je vais vous réparer ça. »

Fier, travaillant, joyeux, généreux ! On peut donner à ce peuple tous ces qualificatifs, aveuglément ou en toute conscience. Les défauts ont aussi droit à l'existence avec, en tête, l'intolérance et la xénophobie. Les hommes créent des frontières pour isoler tout ce qui ne semble pas comme la majorité. Gros-Nez l'a tant vu, aux États-Unis, avec ces coins de villes pour les Juifs, d'autres pour les Noirs, les Italiens, les exilés du Nord et leurs Petits Canadas. Il se souvient de ce jeune Noir de son âge, lançant une balle de baseball avec autant de force que les professionnels, mais qui n'avait pas le droit d'intégrer les équipes des Blancs. Le quêteux l'a particulièrement noté chez les Indiens, alors que les Visages pâles arrivaient en conquistadors pour arracher de l'âme de ce peuple leurs croyances et leurs traditions.

Cette petite au teint un peu brunâtre est la troisième génération de métissage indien. Le père, absent, est le second, alors que la source fume sa pipe dans sa berçante : une véritable Indienne. La femme à la carabine, il le réalise, n'avait pas un accent tout à fait canadien-français. Voici donc un chemin de maisons pour ceux qui ne peuvent demeurer au village. La vieille Indienne regarde l'étranger avec la méfiance de soixante-quinze années de mépris, avant de se lever et de se diriger vers sa chambre, fermant la porte avec fracas.

« Monsieur, je vous prête un pantalon de mon père, pendant que je couds un bouton sur celui-ci. Ce serait aussi une bonne idée de le laver. » Pour enfiler ce vêtement, Gros-Nez se rend dans la chambre à coucher où, étonné, il voit un collier de dents de loups fixé au bout d'un bâton. Il remarque l'absence de crucifix. De retour dans la cuisine, il sourit à la mère qui garde un visage stoïque. La jeune fille chantonne en accomplissant son travail. Soudain, la vieille retrouve sa chaise et sa pipe. Désirant l'approcher, le visiteur est arrêté par un cri de la mère : « Laissez-la tranquille ! » Gros-Nez hoche la tête, s'informe de l'absence du père. « Il travaille à Arthabaska. Il demeure là toute la semaine et revient le dimanche. » La jeune fille s'informe si, par hasard, le vagabond sait écrire. Oui ? Par quel miracle un quêteux possède-t-il cette science ? Elle veut faire écrire une lettre à son père, qui trouvera sans doute quelqu'un pour la lire.

Gros-Nez, plus que satisfait du joli bouton à sa culotte, refuse poliment le repas offert et prend la route vers le village, situé à quatre milles. Chemin faisant, il se rend compte que les déclassés du coin habitent tous ces infectes cabanes. Il apprend que la femme au fusil est une Italienne qui a épousé un Écossais. Le vagabond avance à pas sautillants, comme pour mettre le bouton à l'épreuve. « Il vaudrait mieux acheter un nouveau pantalon. Celui-là est au bout du rouleau et... Non ! L'argent est destiné à Joseph et à mes urgences. Je quêterai une bonne culotte usagée. »

Gros-Nez se voit étonné d'être poursuivi par sa bienfaitrice, à bout de souffle. Il arrête et la regarde approcher, le chignon défait, les bras pendants. « Je voudrais que vous écriviez une autre lettre, à mon amoureux. Enfin… il ne sait pas que je l'aime, mais je voudrais lui dire avant qu'il ne trouve une blonde là où il est parti, à Nicolet. » Le vagabond hoche la tête, signifiant son acceptation. L'homme cherche un coin pour s'asseoir, où il pourra écouter la confession de la belle et la transformer en poème d'amour sur une feuille.

« Pensez-vous qu'il va comprendre ?

— J'en suis certain.

— Vous avez vraiment écrit tout ce que j'ai dit ?

— Je le jure sur mon honneur, mademoiselle.

— Vous êtes un homme bon.

— Surtout pour un voleur de clou de clôture. Donnez-moi l'adresse, je vais acheter une enveloppe au village et la laisser à la maîtresse de poste.

— Je ne sais pas… Nicolet, ce n'est pas suffisant ?

— Il y a beaucoup de gens à Nicolet et autant de boîtes postales. Où habitait-il, ce garçon ? Je vais demander l'adresse à ses parents.

— Ils ne veulent pas que je le voie parce que j'ai du sang de sauvagesse.

— Ce n'est pas mon cas. Dites-moi où il demeurait. »

Depuis longtemps, Gros-Nez se sent envoûté par les effets contradictoires que lui procurent les bureaux de poste. Dans les villes, le plafond des locaux est très haut et les commis arborent tous des visages cadavériques. À la campagne, il s'agit soit d'un modeste comptoir dans le magasin général ou d'une pièce de la maison d'une veuve triste ou d'une vieille fille bigote.

« Vous êtes étranger, n'est-ce pas ?

— Nous le sommes tous aux yeux d'autrui.

— Ce n'est pas une réponse.

— Oui, madame. Je suis un étranger. Un homme de passage.

— Mademoiselle !

— Je vous demande pardon.

— Êtes-vous un mendiant ?

— En effet, mademoiselle.

— Pouvez-vous payer le timbre ?

— Bien sûr. »

Au cours de ces huit années de vagabondage, Gros-Nez a vu tous les aspects de la charité. Il y a celle venant du cœur, celle qui devient une obligation morale, puis la charité hypocrite, à rebrousse-poil. La générosité des reines de la Sainte-Catherine est motivée par la religion. Après avoir donné, elles se sentent moins seules. Les riches proposent toujours de l'argent et les pauvres à manger. Les vieilles filles n'offrent jamais de copieux repas, car cela implique qu'un homme doit demeurer longtemps dans leur cuisine. Une tasse de thé, quelques biscuits… et prière de déguster à l'extérieur. Cependant, celle-ci déjoue Gros-Nez : une aiguille et une bobine de fil à coudre en guise de cadeau. « Les nouvelles voyagent rapidement… », de penser le mendiant.

Le quêteux regarde l'enveloppe, puis décide de la mettre dans son sac et d'aller la porter à Nicolet. Il quitte le village par la route, jugeant qu'il a trop utilisé le train depuis ces dernières semaines. Bercé par l'enthousiasme de cette mission romantique, Gros-Nez retrouve le pas saccadé du jeune quêteux de vingt-cinq ans, désireux de saisir toutes les nuances du genre humain au contact de ses frères et sœurs de la Terre.

Au cours du reste de cette journée, il rencontre trois paysans, un vieux couple et une femme avec un large chapeau de paille. Rassasié par ces conversations, le vagabond prépare son lit d'éléments de la nature.

La fin de la soirée lui apporte une surprise : il pleut. L'homme place sa chemise dans son sac, ainsi que ses chaussettes, afin de les garder au sec. La pluie filtrée par le feuillage d'un arbre géant se transforme en bruine joyeuse, alors qu'au loin, il voit cette eau se déverser avec enthousiasme. Le matin venu, Gros-Nez se rend compte que le chemin est très boueux. Il décide d'en profiter et de marcher pieds nus.

« Je suis Cupidon, madame. Je m'en vais à Nicolet délivrer une flèche d'amour.

— Non seulement vous ne parlez pas comme un vrai quêteux, mais vous ne vous exprimez pas comme les gens normaux.

— Le monde est vaste, vous savez. Vaste et de toutes les couleurs.

— Au lieu de me faire perdre mon temps, entrez et je vais vous donner à manger. Cupidon ! Peuh ! »

Plus la femme canadienne est grosse, plus il faut s'attendre à des rires, un peu de sans-gêne et de la générosité, comme si la proportion du corps invitait à tous les excès. Cette rude paysanne a d'abord examiné Gros-Nez de long en large afin de décider s'il méritait un repas. Costaud, les épaules larges, le vagabond n'a pas l'air d'un affamé. Son corps athlétique, il le sait, intrigue souvent les femmes.

À l'intérieur de la maison : trois fillettes et l'incontournable grand-mère, un bonnet sur la tête, qui se berce dans une antique chaise, installée près de la fenêtre. « J'ai ai trois autres : deux qui travaillent comme domestiques et une dernière au couvent. Pas de garçon ! Il surgira un de ces jours et apprendra à marcher droit, avec toutes ces femmes autour de lui. » L'arrivée du père de famille fait sourire Gros-Nez : maigre comme une asperge. Immédiatement, l'homme demande des nouvelles d'un canton voisin. Les filles approchent pour écouter. Le quêteux se met à parler de Montréal, aussitôt interrompu par le *pater familias* : « Ce ne sont pas des vraies nouvelles, celles de Montréal. Ça ne nous concerne pas, les villes. » L'épouse précise que

Montréal représente le mal. L'aînée s'insurge, anxieuse d'entendre l'étranger lui dire quel type de robes est à la mode dans la métropole.

« Vous avez raison, madame. Il y a beaucoup de mal dans les grandes villes. Si je vous racontais le malheur que j'ai vu chez une femme de Montréal… Vous seriez trop effrayée! À la place, je vais vous faire part du grand bonheur vécu par le maréchal-ferrant du village de…

— Qu'est-ce qui lui est arrivé, à cette femme de Montréal?

— Oh! Trop épouvantable!

— Bonne sainte Vierge! Mais qu'est-ce qui s'est donc passé? »

Le malheur de l'une fait le bonheur de toutes ses semblables. Les femmes représentent toujours de délicieuses victimes. Gros-Nez sait que les filles d'Ève accourent vers les théâtres des grandes villes pour pleurer en écoutant les mélodrames. Il avait plutôt vu un homme tomber avec violence sans qu'aucun passant ne lève le petit doigt pour l'aider à se relever. Il ne reste qu'à changer le sexe, ajouter une lourde charge entre ses bras, des vêtements déchirés et préciser que la malchanceuse avait perdu son mari et son garçon en l'espace de quatre mois. Même la grand-mère cesse de se bercer pour écouter.

« Ce n'était pas vrai, cette histoire.

— Plus ou moins, monsieur.

— Couche-toi là, quêteux. Tu vas être confortable. Demain, si tu veux, tu me donneras un coup de main aux champs et ma femme te préparera trois bons repas.

— Je vous remercie, monsieur.

— Bonne nuit et… T'es certain qu'elle a perdu le mari et le fils en dedans de quatre mois? »

Copieux déjeuner et dîner généreux. Gros-Nez pense qu'il devrait se mettre au régime. Après l'ouvrage de l'après-midi, il décide de se priver du souper. « Adieu, Cupidon! Quand vous repasserez dans le coin, arrêtez nous voir. » Le mendiant salue d'un coup de main, prend la route, mais devine qu'il n'en a pas terminé avec cette famille. Voilà pourquoi il ne marche pas rapidement. Après cinq minutes, le voilà poursuivi par l'aînée. Décidément, l'homme semble provoquer une attirance chez ces jeunes filles. Elle apporte quelques biscuits pour mettre dans son sac, excuse idéale afin de lui parler de la mode féminine des villes. Gros-Nez met tant d'insistance sur la rigueur des corsets que la demoiselle grimace un peu. Ne voulant pas laisser un mauvais souvenir, le vagabond poursuit sur la splendeur des chapeaux. « C'est le cœur qui importe le plus, mademoiselle. Il vêtit de merveilles les plus miséreux. »

Enfin à Nicolet, Cupidon tire sa flèche. Elle bondit contre une épaisse carapace. Il s'arme à nouveau et, quatre heures plus tard, une seconde lettre est remise au récalcitrant. Une œuvre plus romantique, croit-il. Gros-Nez imagine la fébrilité de la jeune métisse en recevant une enveloppe en provenance de Nicolet, marchant à pas saccadés pour trouver une bonne âme qui la lui lira. Émue, elle serrera les mains et sentira son cœur battre. Le quêteux salue le jeune homme aimé, sans ajouter une parole, sachant que la femme vient de triompher.

CHAPITRE 1906 : PROGRÈS

⚜ ⚜

Mal de pieds! Mal de ventre! Gros-Nez en oublie même le vilain rhume qui l'a affecté, il y a deux semaines, alors que tout le monde semblait s'être donné le mot pour lui refuser un coin de grange le soir venu. Voilà le vent qui s'en mêle! Dix minutes plus tard, il reçoit dans le dos un lourd morceau de toile. Il le retourne en tous sens afin de savoir de quoi il s'agit et pourquoi cet objet tombe de nulle part sur ce chemin désertique. « C'est une capuche d'automobile! Avec un peu de chance, le véhicule devrait suivre. »

Lors de son dernier séjour à Montréal, une de ces voitures avait tant effrayé un cheval qu'il s'était cabré, hennissant, et avait renversé dans son spasme le contenu de la charrette qu'il transportait. Les pommes roulaient en tous sens, provoquant les rires des passants. Le conducteur de l'automobile ne s'était même pas donné la peine d'arrêter. Gros-Nez avait aidé le paysan à remettre ses fruits dans ses corbeilles. Heureux d'avoir rendu service, le quêteux était reparti avec une douzaine de rouges dans son sac.

Le vagabond marche en sens inverse et ne tarde pas à voir un couple en détresse, car la pluie vient de se mêler au vent et que la bourgeoise sent la fleur de son chapeau se faner. « C'est à vous, cette capuche, monsieur? » L'homme désespéré émet un « Ah! » de délivrance, tout en ouvrant les bras vers l'objet. Gros-Nez l'aide à mettre le protecteur en place. « Facile à installer, mais pas très solide », de penser le bon Samaritain.

« Nous vous remercions, monsieur. Vous nous avez tirés d'un grand embarras.

— J'aimerais vous aider pour votre beau chapeau, madame.

— Cher époux, donnez quelques sous à ce brave homme. »

L'automobile s'éloigne rapidement, ses occupants maintenant au sec, alors que Gros-Nez demeure sous la pluie, lançant mollement sa pièce de cinq sous dans les airs, avant de la laisser choir dans la boue. « Je la laisse là. C'est de l'argent sale. La pièce enchantera un gamin. Il y a peu à attendre des riches », se dit-il. En 1897, il avait rencontré un autre quêteux n'ayant dans son sac que trois carottes. L'homme en avait donné une à son confrère, affamé depuis deux jours.

Gros-Nez regarde le ciel et pense : « Les gars de l'équipe de Boston ont déjà vécu pire. Il fallait jouer et ce n'est pas une petite averse qui les empêchait de se battre pour la victoire. » Il lance sa balle au loin, tout en hurlant au vent les différentes habiletés athlétiques. « Il faudrait que j'aille aux États-Unis et me rendre applaudir ces hommes dans leur beau stade. Quel magnifique souvenir ! »

Trente minutes plus tard, la pluie cesse quand il arrive dans un gros village où on a ajouté le mot « ville » au bout de son nom afin de gonfler le thorax. Ses chaussures détrempées couinent. Sensation désagréable ! Il secoue sa tête vivement, comme un chien sortant d'un lac. Le quêteux cherche un parc, un coin de verdure où il pourrait enlever ses souliers et tordre ses chaussettes. Chemin faisant, il croise l'automobile de tantôt, garée devant une maison cossue. Une nuée d'enfants s'est agglutinée tout autour pour mieux admirer cette mécanique rare. Un jeune garçon tient fermement la main de sa petite sœur, sans doute pour la protéger au cas où ce monstre se déciderait de rugir.

« Belle machine, n'est-ce pas ?

— Oui, monsieur. Quand je serai grand, j'en aurai une comme celle-là.

— Elles seront encore plus perfectionnées, mon petit. Rien n'arrête le progrès. Conséquemment, elles coûteront une fortune. Sais-tu combien vaudra cette automobile, quand tu seras grand ?

— Non, monsieur. Combien ?

— Cinq sous. »

Lors de son dernier séjour aux Trois-Rivières, Joseph avait confié à Gros-Nez qu'il rêvait nuit et jour de posséder une automobile afin de la mettre au service du peuple dans le cadre d'une compagnie de transport public. Silencieux, le quêteux avait écouté les divagations du jeune homme. Lors de leur première rencontre, dans un chantier de coupe de bois du Haut Saint-Maurice, en 1887, le gaillard avait été inondé de discours de Joseph sur les locomotives, les machines à vapeur, tout ce qui était en train de chasser ou de modifier la vie traditionnelle. Depuis, dans les propos du Trifluvien, l'électricité a remplacé la vapeur et les trains foncent dans l'horizon, toujours plus déchaînés.

Gros-Nez ne trouve pas de parc, mais accepte l'invitation polie d'un marchand de s'asseoir sur le banc face à son local. L'homme donne au quêteux une serviette et prend ses chaussures pour les faire sécher sur la tablette au-dessus de son poêle. Le fils, d'une dizaine d'années, suit avec une tasse de thé bouillant.

« Vous êtes un homme bon et je vous remercie, monsieur. En retour, je peux vous rendre des services.

— Pourquoi ne me dites-vous pas que Dieu me le rendra ?

— Parce qu'il ne nous a rien pris.

— C'est drôle ce que vous venez de dire là ! Si vous le désirez, j'aurais besoin d'aide pour préparer ma voiture d'hiver.

— Avec joie.

— Terminez votre thé. Nous nous retrouverons tantôt et... Regardez ce qui approche ! L'automobile ! Elle appartient au mari de la sœur de notre notaire, un homme très en vue dans la ville de Québec. Je ne sais pas si ces machines ont beaucoup d'avenir, mais elles sont belles à voir. »

Tous les passants dévorent des yeux ce miracle sur roues. À Montréal ou à Québec, elles sont nombreuses, alors que dans les villages et les petites villes, elles demeurent plus rares et fascinent davantage les gens. Gros-Nez sait pourtant que rien ne pourra remplacer la noblesse d'un cheval. « Peut-être suis-je un peu conservateur », pense-t-il, amusé. La première fois qu'il avait pris place dans une automobile, en 1901, il s'était senti étourdi.

Le thé terminé, le vagabond se presse de signaler à son bienfaiteur qu'il est maintenant prêt à l'aider. L'atelier, dans le fond de la cour, déborde de bric-à-brac, sans oublier une modeste forge. « Je répare tout », d'assurer l'hôte, ajoutant : « Brisez-moi quelque chose et je vous le remets à neuf. » La force physique de l'étranger est la bienvenue, ainsi que ses connaissances générales acquises lors de différents petits emplois. Des questions naissent aussitôt. Le quêteux sait garder son mystère, mais parfois, il laisse échapper des bribes de son passé relatives à sa musculature : Travaillé dans un chantier de coupe de bois? Aucun doute! Besogné dans l'entourage de chevaux? Assurément!

« Jeunesse, je passais les vacances estivales chez mon oncle à Manchester, au New Hampshire. Je lui donnais un coup de main, puis, une année, j'ai travaillé dans une usine de textiles. J'ai appris toutes sortes de choses aux États-Unis.

— C'est le pays du progrès et des inventeurs. Dans la province de Québec, on ne produit que des notaires, des avocats et des prêtres. Avez-vous entendu parler des machines volantes? Ils vont se casser le cou dix ou douze fois avant d'y arriver. Ils donneront à la machine le nom de celui qui se sera pété la gueule le moins de fois. Pour les livraisons, voler sera plus rapide que le train.

— Rien n'arrête les progrès du siècle du modernisme.

— Vous avez raison, quêteux. Tiens! Venez voir cette horloge. Elle est fascinante! »

Il y a quelques années, un homme avait offert à Gros-Nez une montre de poche. Pourquoi tant de générosité? La montre avait rapidement révélé ses secrets : plus lente que le soleil et la lune. La nature ne dit pas l'heure de la même façon que les hommes l'ont inventée. Elle indique les moments, sans leur apposer des chiffres : moment de se coucher, temps de se lever. Avec douceur et poésie, elle annonce la venue progressive des saisons. Pour prédire la température, un Indien avait révélé à Gros-Nez les indices sur l'écorce des arbres.

Le quêteux se montre attentif aux explications techniques de cet homme. Il ouvre les entrailles de cette antique horloge grand-père, qui a passé deux décennies inactive dans un grenier, avant qu'on ne lui en fasse cadeau. « Les semaines, les mois, les années passent, et cette horloge ne connaît que les heures. Elle sera donc toujours jeune. Pour la réparer, je dois réinventer des morceaux qui n'existent plus depuis longtemps. Ce sera le temps qui la ressuscitera. » Heureux de cette rencontre, les pieds enfin aussi secs que ses chaussures, Gros-Nez salue et reprend la route. L'orage n'aura pas duré assez longtemps pour empêcher le soleil d'automne de poursuivre son délicieux devoir. Tout de même, le vagabond sait qu'il commence à se faire tard pour coucher à la belle étoile. Son destin se trouve vers les zones agricoles, où les gens se montrent plus généreux que dans les villes et les villages. Quêter devient de plus en plus difficile dans les grands centres. Depuis longtemps, il évite Montréal, sachant que les policiers se montrent fort peu polis en dirigeant ceux de son état vers des refuges soi-disant charitables, mais qui se révèlent des prisons déguisées. Les règles strictes y régnant lui rappellent des mauvais souvenirs d'une partie de sa jeunesse. Québec se montre plus tolérante.

Gros-Nez ne pensait jamais croiser l'automobile du mari de la sœur du notaire, qui a pourtant quitté le village, il y a plus d'une heure. Le bourgeois ne semble pas trop vouloir se salir les mains, tentant mollement de dégager la voiture dont le train arrière est enfoncé dans la boue. « Pouvez-vous m'aider, monsieur ? » Il fait semblant de ne pas reconnaître le quêteux, alors que la femme rougit d'embarras, n'osant pas regarder l'étranger. Gros-Nez se méfie un court instant. Il a récupéré la capuche du véhicule, l'a installée et ce sans-cœur l'a laissé sous la pluie, après lui avoir donné un ridicule cinq sous. Soudain, le vagabond se demande si cet homme osera lui faire subir cet affront une seconde fois. Exact ! Le cinq sous en moins…

Au lieu de maugréer ou de projeter des blasphèmes aux quatre vents, Gros-Nez sort de son sac sa balle de baseball pour recommencer son rituel de la lancer au loin et de la poursuivre. Vingt minutes plus tard, l'objet est intercepté par un jeune homme vêtu d'une salopette, portant sur son épaule un bâton propre au sport favori du quêteux.

« Nous jouons deux fois par semaine.

— Votre terrain doit être submergé.

— Et puis ?

— T'as bien raison ! Besoin d'un arbitre ? Je connais tous les règlements par cœur. J'ai arbitré plusieurs fois quand je demeurais au New Hampshire. J'ai déjà vu l'équipe professionnelle de Boston à l'œuvre.

— Les arbitres nous empêchent d'avoir du plaisir. Venez quand même. On verra ce qui va se passer. »

L'histoire de ce soir est racontée autour d'un feu sortant d'un baril, dans la cour d'une belle maison de ferme, pour le bon plaisir d'une quinzaine d'athlètes amateurs qui se sont délectés des décisions précises de cet homme étrange à la stature impressionnante. Point de feu follet, de veuve en pleurs, de diable dans un buisson et de tout ce que les Canadiens aiment entendre. Gros-Nez raconte la légende d'un joueur de baseball invincible qui apparaît sur le terrain dès le début d'une partie et disparaît à la fin de la rencontre, tel un fantôme.

Le quêteux peut coucher au chaud dans la grange, satisfait des rencontres de cette journée. Son petit doigt lui raconte qu'il n'en a pas terminé avec cet automobiliste ingrat et radin. Le vagabond a du mal à s'endormir, se demandant de quelle façon il pourra transformer cette anecdote en légende, afin de captiver un futur auditoire.

Autre lendemain : nouveau départ. Le fait d'accepter une expérience pénible l'invite parfois à se rendre voir ailleurs. Ne jamais demeurer en place ni observer les conventions. Voilà ce qui l'avait incité à choisir cette vie, il y a une quinzaine d'années, alors que Joseph lui avait attribué ce surnom de Gros-Nez. « Bonne décision », se répète-t-il souvent, souriant en se remémorant des anecdotes. Le printemps, l'été et l'automne voient l'homme devenir quêteux, alors qu'au cours de l'hiver, sans grande joie au cœur, il accepte un petit emploi. Marcher dans la neige et le froid ? Il l'a fait au début, pour vite se rendre compte que cela deviendrait trop dangereux. « Je suis un quêteux saisonnier. » Il apprécie les emplois à la campagne, se permettant, à l'occasion, de cogner aux portes voisines pour un peu de chaleur humaine. Les gens sont particulièrement généreux au cours des célébrations de décembre et de janvier.

La paysanne de la veille, pour le remercier de son histoire de joueur de baseball, lui a fait cadeau d'un vieux chandail. Le mendiant a accepté, bien qu'il en cachait déjà un dans son sac. Refuser quoi que ce soit devient souvent une insulte. Il décide de le porter, car le vent semble vouloir gronder. Marche ! Marche ! Toujours marcher ! Parfois, il profite d'une pause, alors qu'un passant en voiture le fait monter, question de briser la monotonie en parlant à quelqu'un. Un étranger sur une route attire toujours l'attention ou la curiosité. Un laboureur peut déjà l'identifier à l'histoire racontée la veille. Le vagabond aura ainsi deux milles de moins à franchir. En descendant, Gros-Nez demande où se niche la voie du chemin de fer la plus proche.

L'express pour Québec ? Beaucoup plus difficile à attraper au vol, celui-là ! Les trains régionaux, anciens, roulent plus lentement. Gros-Nez se souvient avoir raté son coup cinq fois avec ce train plus récent et important, comme s'il avait été conçu à l'épreuve des aventuriers. L'homme perd son temps autour des rails depuis une heure quand, soudain, il entend le grondement du monstre. Tout de suite, il court le long des travers. Au moment propice, il tend les mains pour agripper une tige de métal d'un wagon de marchandises et se lancer dans les airs. Deux minutes plus tard, il chante : « Je t'ai eu, mon gros tas de ferraille ! » Il ferme la porte et s'installe. Une mince ouverture, au sommet, permet de laisser filtrer la lumière du jour.

Gros-Nez regarde les caisses entreposées, empilées pas très haut. Il devine qu'elles contiennent des objets fragiles. La curiosité étant le péché mignon de tous les hommes… « Des téléphones ! Une cargaison complète ! Tout ça est sûrement destiné à un village ou une petite ville située avant Québec. Qu'est-ce que je fais ? Québec ou un village ? Oh ! Je verrai bien ! Avant tout : une bonne pipée pour me reposer de mon effort. »

L'homme ouvre légèrement la porte pour laisser ses jambes balancer dans le vide. « Cette sensation de liberté, pense-t-il, peu d'hommes peuvent la ressentir, surtout pas les plus instruits, sans cesse coincés dans leurs conventions. Le monde finira-t-il par changer ? Dans la province de Québec, tout va plus lentement, bien que plusieurs inventions nouvelles fassent regretter aux laboureurs de vivre à la campagne. »

Gros-Nez se souvient de l'arrivée du téléphone. On tenait le cornet du bout des doigts, en parlant très fort, croyant que l'interlocuteur aurait de meilleures chances d'entendre. Il se rappelle surtout que les poteaux pour supporter les fils ont défiguré les villes. Quand son ami Joseph a fait installer un appareil dans sa boutique, il s'est empressé de donner son numéro à son ami. Gros-Nez ne s'en est jamais servi, espérant que le jeune homme des Trois-Rivières avait compris que leurs rencontres sporadiques prenaient de la valeur à cause de leur aspect inattendu.

Gros-Nez reconnaît rapidement le paysage défilant sous ses yeux. Il sait que sauter deviendra plus difficile à l'approche de la ville. Après avoir remisé sa pipe, il s'assure que tout est placé soigneusement dans son sac, avant d'attendre le moment et le lieu propices pour se lancer en bas, vers un talus d'herbe fraîche, afin d'amortir la chute au cas où il ne rebondirait pas sur ses jambes comme un chat. « Je t'ai eu deux fois, mon vieux ! Merci et salut à toi, le train ! »

Gros-Nez atteint facilement un village qu'il reconnaît, y ayant séjourné un certain temps. Il se dirige vers la berge du fleuve Saint-Laurent, car un fabricant de barques l'avait déjà engagé au cours d'un hiver. Il ne trouve rien. Faillite ? Incendie ? Il finira par le savoir rapidement. Retournant sur ses pas, le quêteux croise un vieillard lui ouvrant les bras et l'interpellant par son surnom. Le vieux se sent prêt à tout lui raconter : les mariages, les naissances, les décès, les départs, comme un journal vivant de toutes les activités villageoises. « La vieille fille du bureau de poste s'est mariée. À soixante ans, il était temps ! Le maire a fait venir une autre catherinette pour la remplacer. Plus jeune, celle-là : à peine quarante-sept ans. » L'homme invite le vagabond à faire connaissance. S'apprêtant à ouvrir la porte, Gros-Nez reçoit dans le ventre deux jeunes filles excitées, les yeux rivés sur un paquet.

« Excusez-moi, monsieur. Oh ! Vous êtes le quêteux des Trois-Rivières !

— Non, mademoiselle. Je ne suis de nulle part.

— Quand j'étais petite, vous aviez raconté une histoire se déroulant aux Trois-Rivières et je m'en souviens très bien.

— Alors, je ne suis pas venu ici pour rien. Pourquoi cet empressement ?

— Le catalogue Sears ! Il est arrivé ! La grande nouvelle dans le village ! Mon amie et moi, on a tellement hâte de voir les robes qui se portent dans les capitales ! »

Gros-Nez ricane devant l'enthousiasme de ces jeunesses, devinant que cette publication devient synonyme de la merveille parmi toutes les splendeurs. Elle contient tout ce qui n'existe pas dans leur village.

Celle qui n'a pas encore parlé précise qu'elle verra peut-être certains de ces objets à la grande exposition provinciale de Québec.

L'élite dénonce souvent ce qui provient des États-Unis, mais ces gens doivent démontrer la même excitation juvénile pour ce catalogue. Il imagine un notaire, très sobre, venant chercher la publication au bureau de poste, puis se mettre à le feuilleter comme un gamin incontrôlable une fois rendu dans son bureau. Ce qu'on ne possède pas devient toujours plus grand que nature. Ces filles ignorent qu'elles font l'envie de leurs semblables de la ville, rêvant au bon air, à la simplicité de la vie rurale et à l'extrême liberté de ne pas porter un corset en tout temps.

« Vous regarderez les vêtements.

— Oui, monsieur le quêteux. Puis aussi tout ce qu'il faut pour bien cuisiner et avoir une maison au goût du jour.

— Vous me raconterez tous ces prodiges, mademoiselle.

— Si vous êtes encore ici ce soir, venez à la maison et je vous en parlerai. Ma mère vous donnera à manger, car elle aime les pauvres. Excusez-nous, mais nous devons partir pour dévorer le catalogue. Voilà si longtemps qu'on attend ! »

Après avoir serré la main à la nouvelle postière, Gros-Nez s'installe en face de la maison pour s'amuser à regarder le va-et-vient de la population venant chercher le phénomène Sears. La plupart sont des jeunes ayant terminé l'école et qui font les courses pour leurs parents. Les villageois éloignés des centres urbains ont l'habitude d'idéaliser les villes, n'imaginant pas la misère du travail dans les manufactures, pour un salaire à peine suffisant à payer un logement étroit et malsain.

Depuis le début du nouveau siècle, Gros-Nez entend et voit, plus que jadis, la pétarade du veau d'or urbain, la ville se montrant de plus en plus dans les centres ruraux avec les cartes postales, les illustrations dans les journaux et les catalogues des grands magasins. Des paysans lui parlent du miracle d'avoir l'eau courante dans les maisons et ne le croient pas quand il insiste pour dire qu'elle est imbuvable. Et le téléphone ? Le quêteux rétorque que rien ne vaut la splendeur d'une lettre. « Je deviens vieux », pense-t-il, regardant deux garçons de treize ans déballer nerveusement le paquet afin de feuilleter les premières pages.

« Qu'est-ce que vous avez vu de si beau, mes jeunes amis ?

— Un gramophone ! Venez jeter un coup d'œil, monsieur ! »

Gros-Nez obéit et regarde cet appareil avec un énorme cornet. Comment des hommes peuvent-ils remplacer un véritable orchestre par des sons imprimés sur une plaquette de caoutchouc qui fait couac ! couac ! au lieu de boom ! boom ?

« Qu'est-ce que vous prendriez dans le catalogue, si c'était gratuit ? Un bel habit ? Une chemise neuve ?

— Je prendrais l'amitié, la chaleur humaine de mes frères et sœurs de l'humanité.

— Monsieur Sears en vend aussi ! Regardez la page 32 ! »

Le quêteux sourit à cette réplique aussi inattendue qu'amusante. Pour plaire aux garçons, il se rend à la page désignée. Il ouvre grand les yeux en voyant un gamin portant un magnifique uniforme de baseball, un bâton sur son épaule supportant un gant aussi beau que celui des professionnels de Boston.

« Ça, je le prendrais !

— C'est pour les enfants, monsieur.

— Il doit y en avoir pour les adultes. Vous me verriez, avec ce bel uniforme, comme les grands athlètes des États-Unis ?

— Bien sûr, monsieur. Bon ! C'est bien beau tout ça, mais ma mère doit s'impatienter. Elle veut voir le catalogue à son tour. Bonne journée ! »

Gros-Nez décide de s'attarder dans ce village accueillant. Il se voit étonné de croiser tant de gens se souvenant de lui. À quoi bon penser à Québec pour passer le prochain hiver ? Il furète à gauche et à droite, à la recherche d'un poste pour la saison froide. Le notaire lui indique une scierie de l'arrière-pays, tenue par un cousin et qui a souvent besoin d'hommes forts pour différentes tâches. Gros-Nez promet de s'y rendre dès le lendemain. Le soir venu, il cogne à la porte de la maison de la fille au catalogue où la mère, en effet, lui offre à manger. Voilà la belle lui parlant des miracles de Sears. Pour cette génération, seuls les objets nouveaux ont droit à ses faveurs. S'ils existent depuis longtemps, le modèle le plus récent devient toujours meilleur, suscitant admiration et envie.

En se couchant, Gros-Nez réfléchit à ces questions, ne pouvant s'empêcher de penser à Joseph, véritable prototype de cette tendance et qui ne peut passer une journée sans dire le mot « moderne ». Ne trouvant pas le sommeil, le quêteux tente d'imaginer autre chose, pense aux gens rencontrés jadis, à ceux qui viendront plus tard. Un doux repos, un repas délicieux, des sourires, une main chaleureuse tendue, voilà l'essentiel. Soudain, l'illustration du petit garçon du catalogue, vêtu en joueur de baseball, vient le troubler gentiment.

Le matin venu, après les adieux, Gros-Nez prend la route vers le camp du cousin du notaire, malgré un froid piquant laissant présager l'hiver. Les terres agricoles font vite place à la forêt. Magnifique paysage ! Débarrassée de ses moustiques, la forêt semble dégager une odeur vivifiante de bonheur. Le marcheur presse le pas, meilleure façon de ne pas prendre froid. Il ne croise nulle âme qui vive, bien qu'on l'ait assuré de la présence d'un hameau avant la scierie.

Une heure passe et Gros-Nez sursaute en étant dépassé par un vélocipède. « Qu'est-ce que cet appareil vient faire dans la forêt ? Je vais me poser cette question pendant longtemps ! Peut-être que j'en ferai une histoire. Le vélocipède fantôme ! Les gens aiment beaucoup les esprits. » Le hameau promis ressemble à un poste de traite pour les Indiens. Quelques maisons éparses entourent un très modeste magasin, sans aucun doute le centre de ravitaillement pour le camp de coupe. Il voit le vélocipède stationné près de la porte. En entrant, le quêteux a la surprise d'entendre un tintamarre sortant du cornet d'un gramophone. Un homme danse avec une grosse femme rieuse.

« Le camp ? Dix milles au nord, monsieur. Ici, on n'a pas le choix : il n'existe que le nord et le sud. Comme vous semblez venir du sud, le camp est obligatoirement par en haut. » L'étranger oublie son enquête sur l'usager de l'appareil sur roues, repart aussitôt en se parlant seul, cherchant des mots phares pour sa future histoire. Un peu plus tard, le vélocipède réapparaît, cette fois conduit par le danseur du magasin.

« Moyen de transport de l'avenir ! Rapide ! Le vingtième siècle sera celui de la rapidité et de l'efficacité.

— Sûrement moins rapide en hiver.

— Vous avez malheureusement raison. Vous êtes étranger, n'est-ce pas ?

— Si vous ne m'avez jamais vu, je suis ce que vous dites.

— Si vous allez pour de l'ouvrage à la scierie, vous tombez bien, parce que le patron s'y est rendu à la première heure, ce matin. Il doit être encore là et vous pourrez lui parler. Moi, je suis le réparateur, l'homme à tout faire. Je vous ferais bien monter, mais je manque de place, et comme vous êtes charpenté comme un bûcheron, vous devez très bien connaître la marche. Bonne route, monsieur ! Moi, je dois rouler ! »

Quel drôle d'oiseau ! Gros-Nez salue, puis reprend le cours de l'invention de son histoire. Bientôt, il voit cette grande scierie. Il aurait plutôt cru qu'elle était modeste. En approchant, l'homme a la surprise d'apercevoir l'automobile dépannée à deux occasions. Avec le vélocipède, il s'agit d'une présence plutôt étonnante dans un lieu aussi isolé.

« Belle voiture, n'est-ce pas ? À la fine pointe du progrès américain.

— Le progrès américain a-t-il prévu que la capuche s'envolerait au vent et que les roues s'enfonceraient dans la boue ?

— Je vois ce que vous voulez dire et je vous remercie de l'aide apportée lors de ces moments désagréables. Si ma récompense a été minime, c'est parce que mon épouse a une grande crainte des étrangers qui ressemblent à des vagabonds.

— Quêteux, monsieur. Gros-Nez, pour vous servir.

— Vous venez quêter un emploi ?

— À l'image de votre automobile, je résiste mal au froid.

— Vous avez l'air costaud, pourtant. Pour me faire pardonner, je vous engage. Vous pouvez un peu tout faire, j'imagine ?

— Oui.

— Venez voir mon équipement. Un des meilleurs de la province de Québec. J'ai des scies américaines de la plus grande efficacité. »

Les Américains, même les plus modestes, se sont toujours crus les meilleurs en toute chose. C'est d'ailleurs pourquoi ils traitaient souvent avec mépris tous les immigrants, dont les Canadiens de la Nouvelle-Angleterre. Cette tare cachée sous le clinquant de la réussite, les autres peuples ont fini par croire en la supériorité de ces gens. « Comme les cœurs, les objets finissent toujours par briser », de penser Gros-Nez, écoutant à peine les vantardises du patron, désignant des mains ces scies surhumaines.

« Nous produisons deux fois plus de planches que quiconque grâce à cet équipement moderne.

— Il faut cependant deux fois plus d'arbres.

— Ils arrivent par la petite rivière, à un mille d'ici. Le camp de bûcherons appartient à mon frère, qui paie les hommes plus cher, à condition qu'ils coupent plus d'arbres en moins de temps.

— Je comprends le principe. Tout cela est suffisant pour acheter une automobile?

— Je possède deux autres scieries et un magasin de meubles à Québec.

— Tout pour vous lancer un jour en politique.

— Je voudrais bien, mais mon second frère est déjà député dans la circonscription de Québec. C'est bien joli tout ça, mais il faut travailler. Vous avez le reste de la journée pour aller chercher votre bagage et vous commencerez demain.

— Tout ce que je possède est dans ce sac que je traîne sur mon dos.

— Heu… Sur votre dos?

— Les Indiens m'ont appris ce moyen de transporter les choses. »

Le jeune athlète du vélocipède ne comprend pas pourquoi ce nouvel employé s'enfonce dans la forêt pour perdre son temps au lieu de prendre de l'avance dans son travail. À son retour, l'homme étrange dit qu'il a lu, écrit et parlé aux oiseaux.

« Ils vous ont répondu?

— Bien sûr!

— Qu'ont-ils dit?

— Qu'ils s'apprêtaient à partir aux États-Unis, où la température hivernale se montre plus clémente, sans oublier que les vers sont davantage juteux.

— Vous êtes drôle, Gros-Nez! Ça n'empêche pas que demain matin, dès sept heures, le temps des oiseaux sera terminé. Il y aura du travail pour faire grandir la compagnie et enrichir tout le monde, cela dans des délais records. »

Le quêteux a souvent travaillé dans des chantiers de coupe de bois, ces lieux infects où des hommes mal logés et épouvantablement nourris suaient du matin au soir pour un salaire de crève-la-faim.

Les scieries sont plus acceptables, car situées moins profondément en forêt. Ainsi, le cuisinier peut se ravitailler au village près du fleuve et ainsi varier le menu. Le dimanche, les hommes peuvent assister à la messe dans ce village. Quant aux bûcherons, ils étaient tous confinés à leur campement pendant le long hiver.

Lever à six heures ! Dix minutes pour la toilette et pour remettre les draps du lit en place. Une demi-heure pour le repas. Dix autres minutes pour se préparer à la journée de travail. Le contremaître porte tout le temps son regard vers sa montre, anxieux de mettre la main sur un fautif. Gros-Nez va chercher les bûches à la rivière et les entasse dans la cour. Un autre homme les examine et un second les confie à un compagnon de l'intérieur, jugeant vers quelle rotative elles doivent être dirigées. Ensuite, un autre les classe selon la grosseur, la qualité du bois. Travail fort bien organisé ! Une simple faille d'un des exécutants et la machine s'enraie. Après une semaine à ce rythme, Gros-Nez remarque jusqu'à quel point tout est pris en note et évalué. Ainsi se fait-il reprocher une diminution du nombre d'arbres apportés à mesure que la semaine passait. Il est réprimandé, mais avec le sourire. « À la prochaine faute, une somme sera retirée de ta paie. » Le quêteux assiste aussi au procès d'un homme aux scies, jugé trop lent.

Le second dimanche, on demande à Gros-Nez d'aller au hameau, pour ravitaillement. « Il est neuf heures. Considérant la distance, la bonne santé du cheval, l'état impeccable de la charrette et de l'attelage, tu dois être de retour à dix heures trente. Pas une minute de plus. » Chemin faisant, le quêteux a le goût d'expérimenter cette minute fatidique, mais il change d'idée. Au cours de la troisième semaine, le vagabond se sent très las d'être sans cesse jugé et surveillé. Il enfouit ses effets dans son sac, sous le regard épouvanté du jeune contremaître, lui criant que sa décision gratuite va nuire à la compagnie, aux employés, au patron, à la clientèle.

Quel froid sec ! Voilà que dansent les premiers flocons. Rien n'est plus joli ! Gros-Nez regarde le ciel, tire la langue pour engloutir un peu de cette charmante blancheur. Vingt minutes plus tard, il tombe nez à nez avec le patron et son automobile embourbée. Le quêteux a vite fait de le dépanner.

« La paie est bonne, le travail très bien organisé, pourtant.

— Ma vie m'appartient et ne peut être contrôlée par votre compagnie.

— Je vous comprends.

— Vous me comprenez? Me voilà étonné par un tel aveu, monsieur.

— Je suis un homme de progrès du vingtième siècle et vous, une tradition du dix-neuvième. Allez, brave homme! Soyez heureux! Quant à cette maudite mécanique... »

CHAPITRE 1901 : HOMMES

✦

Quel hiver épouvantable au service d'une entreprise de coupe de bois! Gros-Nez se demande pourquoi il a proposé ses services. Depuis longtemps, le quêteux sent que plusieurs de ces travailleurs forestiers détestent cette activité, qu'ils « montent aux chantiers » parce qu'il n'y a rien d'autre à faire pour un paysan au cours de la saison froide. Pas le cas du vagabond! Peut-être, au fond, aime-t-il quand un gaillard se met à jouer du violon ou que des hommes lui demandent de lire la lettre envoyée par leur épouse. Vivre isolé le rend malheureux, situation lui rappelant les chaînes de sa jeunesse. Gros-Nez se sent souvent lâche d'avoir, un jour, pris cette décision de ne pas quêter pendant l'hiver, de devenir alors un homme parmi tant d'autres. Jeune mendiant, il avait passé près de mourir d'engelures à quelques reprises au cours d'un hiver. « Je suis un demi-quêteux, peut-être un trois-quarts-quêteux, à bien y penser… Pas complet, en somme! »

Le voilà regardant le spectacle des jeunes draveurs, bravant le grondement de la rivière, dansant sur les billes de bois pour délivrer celles qui ne veulent pas suivre le courant. Gros-Nez n'a jamais imaginé tâche plus dangereuse, qui trouve pourtant toujours preneurs, comme si les hommes avaient besoin de se mesurer à tous les dangers pour devenir des héros.

Joseph lui a suggéré de venir habiter aux Trois-Rivières à chaque hiver. Gros-Nez lui a répondu que ce n'était pas encore le bon moment, mais qu'il se souviendra de son aimable suggestion. Si le quêteux passe son année à lui écrire des lettres, il n'y a qu'au cours de l'hiver que l'ami a une adresse fixe pour répondre. Gros-Nez sait surtout que l'épouse du Trifluvien ne l'aime guère et que, père de jeunes enfants, Joseph doit avant tout se consacrer à eux.

Le vagabond prend place avec les autres hommes dans les barques menant jusqu'au plus proche village, cependant situé à des milles et des milles du campement. Quand tout le monde s'installe dans le train, Gros-Nez a l'impression de faire partie d'un bétail en route vers l'abattoir. Les hommes, fous de joie, passent leur temps à se raconter des blagues et à se remémorer les moments les plus cocasses des derniers mois.

« Tu t'en vas où, Gros-Nez ?

— Là où le vent me poussera.

— Vers le nord, donc.

— Ah non ! Pas le nord !

— Ça fait drôle de penser que tu te proclames quêteux, alors que tu viens de toucher cinq mois de salaire. »

Le vagabond ricane brièvement, avant de sortir les billets de ses poches et de les distribuer aux hommes du wagon. Ils protestent, refusent avec violence, jusqu'à ce que Gros-Nez leur cloue le bec en déchirant un billet sous leurs yeux. Tout le monde se précipite immédiatement vers les deux moitiés. « Je vais en garder un peu pour changer mes chaussures, puis pour donner à mon ami Joseph. Ma vraie paie, c'était vous. Même ceux qui puaient des pieds ! Salut, mes bons amis ! »

Aussitôt descendu du train, Gros-Nez marche vers l'est en se tenant en équilibre sur les rails. Les travailleurs le regardent s'éloigner, murmurant entre eux une séquence de vie de cet être étonnant. Dix minutes plus tard, le chemineau s'est déjà accroché à un wagon de train de marchandises. Il ne savait pas qu'il allait entrer dans un wagon plein de bœufs. « Je dois dire, messieurs, que vos épouses ont meilleure odeur. En toute franchise, plus je vous regarde, plus j'ai faim. » Quand le train ralentit, signe de l'approche d'une gare villageoise, Gros-Nez regarde à l'extérieur afin de juger s'il doit descendre ou non. Voilà l'homme accroché à son wagon, une jambe déjà dans le vide, attendant le lieu propice pour sauter. L'exploit accompli, le vagabond se frotte les mains sur ses culottes, avant de saluer brièvement le train fonçant dans l'horizon.

Destination village ! Il a trop l'air d'un bûcheron pour paraître un quêteux crédible. Il se rend tout de suite au magasin général pour acheter des chaussures solides. Assis à une table du restaurant d'une auberge, Gros-Nez écrit à Joseph, tout en sirotant une tasse de thé, après s'être délecté d'un morceau de gâteau. Les gens tout autour le regardent, s'interrogeant sur son identité. « Gros-Nez. Voilà la façon dont on m'appelle. » D'où arrive-t-il ? « J'ai coupé des arbres tout l'hiver. » Où se rend-il ? « Dans le lointain. » Que fait-il au village ? « Je bois du thé et tente d'écrire une lettre. »

L'étranger passe ensuite au bureau de poste. Dès qu'il entre, le lieu l'étonne, car à la place de l'incontournable veuve ou vieille fille, il y a un homme derrière le comptoir. Sans doute un vieux garçon ou un veuf. L'argent a été déposé dans l'enveloppe et le voilà en route pour les Trois-Rivières. En sortant, Gros-Nez compte sa fortune. « Un dollar et soixante-dix sous. Enfin, me voilà redevenu quêteux ! Il ne me reste plus qu'à ne pas me raser pendant une semaine. »

Ce soir-là, Gros-Nez couche à la belle étoile. La température est encore un peu froide, mais l'homme ne peut se priver de la sensation de retrouver cette liberté. Comme depuis toujours, il dépose sa tasse de fer blanc à ses pieds. Le matin venu, elle sera si froide que la passer sur son visage lui procurera une profonde sensation de bien-être. Les chaussures neuves ne sont pas étrennées tout de suite. Quand celles du présent manifesteront leur fatigue – rapidement, il le sait – Gros-Nez portera les impeccables, tel un prince, pour marcher, marcher, sans cesse marcher au cœur de trois saisons.

« Ah non ! Pas encore toi !

— Eh oui, Gros-Nez !

— Je brûlais de voir un joli visage féminin et me voilà face à ton air de rat que j'ai enduré tout l'hiver.

— Pas gentil ! Je me suis rasé et lavé, pourtant.

—Ne me dis pas que tu cognes à ma porte comme quêteux.

— Je te le dis.

— Et tout ton argent gagné ?

— Il me reste moins de deux piastres, mais tu devrais voir mes belles bottines neuves.

— Tu veux que je te redonne le billet de cinq que tu m'as laissé à la gare ?

— J'aimerais manger un morceau.

— Entre.

— Et ton épouse

— Maîtresse d'école. Elle est partie travailler. T'inquiète pas, je suis capable de te faire cuire un œuf. »

Les humains trouvent rarement une logique à la décision de ne pas avoir de foyer et de parcourir les routes sans savoir de quoi sera fait le lendemain. Quand Gros-Nez va se faire engager pour les mois d'hiver, il ne dit jamais qu'il est quêteux. Il se sert du nom de Joseph et de son adresse aux Trois-Rivières. L'aveu de son état et de son sobriquet est révélé progressivement aux autres. Il y a d'abord une réaction de méfiance, à cause de toutes sortes de légendes entourant ces vagabonds : ils sont paresseux, voleurs, jettent des mauvais sorts. Les hommes finissent par reconnaître que Gros-Nez travaille aussi fort qu'eux et, peu à peu, ils se montrent attentifs aux récits de ses aventures. Ils le croient quand il affirme quêter pour un strict minimum. Un homme se doit de se montrer sérieux, responsable. Le travail représente la plus grande de leurs vertus, assurant le confort pour l'épouse et la joie des enfants. Un emploi mal rémunéré apporte la misère pour tous.

Celui qui ouvre sa porte à Gros-Nez, encore jeune, cultive cette modeste terre pour sa propre consommation. Il confie se sentir agacé que son épouse poursuive sa carrière d'enseignante. « Nous n'avons pas le choix. Sa vraie place, c'est ici et auprès des enfants que nous aurons. La voilà servante de tous les petits, pour un salaire de crève-la-faim. » Le garçon affirme qu'en économisant, il pourra acheter quelques vaches et un bon bœuf, avant de se lancer dans l'industrie laitière.

« Non… pas encore d'enfants… Le bon Dieu ne nous favorise pas et ma femme a raté deux occasions en quatre ans de mariage.

— Au baseball, ça prend trois prises pour être retiré.

— T'es drôle avec ton baseball, Gros-Nez !

— Tout ce qu'il y a de beau et de sage, dans la vie, tu peux le voir dans ce sport. Tu vas devenir père cette année ! Sais-tu pourquoi ? Parce que tu m'as ouvert ta porte pour me donner à manger, même en sachant que je viens d'acheter des chaussures neuves et que j'ai donné mon argent à mon ami des Trois-Rivières. Cependant, si je demande, je ne tends jamais la main gratuitement. Je donne en retour. Puis-je t'aider en quoi que ce soit ?

— Ben… je dois préparer mes outils pour la saison des semences.

— Allons-y ensemble avec la joie au cœur. »

Cet homme n'était pas très bon bûcheron, tâche requérant force et endurance. Cependant, ce jeune ne craignait pas le travail même si, à la fin de chaque journée, il se sentait profondément exténué. Il n'a jamais confié de secrets à Gros-Nez, mais celui-ci les devine : il n'aime pas tellement l'agriculture, car elle ne permet pas de vivre douze mois par année. Le travail dans les camps de coupe ne correspond pas non plus à son idéal. Bref, il devient le parfait candidat pour partir vers la ville et grossir les rangs des employés de manufactures.

Gros-Nez peut se tromper. Le destin des Canadiens français est très étroit, autant chez les plus humbles que chez les fortunés. Les exilés vers les États-Unis arrivaient avec l'espoir ronflant du mythe de partir à zéro et de devenir patron cinq années plus tard. Dans la province de Québec, cette chimère n'existe même pas. La misère demeure la même là-bas, mais le climat social américain semble moins étouffant qu'au Canada français.

Tout le long de l'après-midi, le jeune homme pose à son invité des questions sur les États-Unis. Gros-Nez demeure toujours très discret sur son passé, mais n'a jamais caché qu'il a vécu au New Hampshire pendant quelques étés de sa jeunesse. Lors de ses premières années en tant que mendiant, il était retourné là-bas, apportant avec lui le canadianisme dont les déracinés s'ennuyaient.

Le travail n'était pas très long à accomplir. Dès la fin de l'après-midi, les deux hommes partagent du bon tabac, après que le plus jeune eût pelé les pommes de terre. Ils peuvent ainsi voir revenir l'épouse, frêle roseau au regard voilé. Gros-Nez se délecte d'un bon repas et observe le couple, qui semble si amoureux.

« Tu ne crois pas que les quêteux jettent des sorts ?

— Ce sont des histoires du temps de mon grand-père.

— T'as peut-être raison, mais je vais tout de même essayer. Je dépose une main sur ton front, je récite les paroles magiques, tu embrasses ton épouse avant le coucher et elle enfantera au début de la prochaine année.

— T'es drôle, Gros-Nez ! Note bien que si ça arrive, j'aurai enfin une bonne raison pour ne pas retourner dans ce camp de coupe de bois. »

Le geste posé, le vagabond part, même si le soleil s'apprête à se coucher et que l'homme aurait pu dormir au chaud. Cent fois, sinon plus, Gros-Nez s'est prêté à ce genre de comédie parce qu'elle collait aux croyances de chacun. Quand le hasard faisait en sorte que le souhait se réalisait, ces gens disaient à ceux de leur communauté qu'un quêteux avait jeté un bon sort. La description de l'homme faisait sursauter et quand, deux années plus tard, Gros-Nez revenait dans les parages, il était tout de suite reconnu et recevait d'autres demandes. Les portes s'ouvraient alors sur son passage et il ne manquait surtout pas à manger. « Les gens ont besoin de croire en quelque chose. Moi aussi, j'imagine. Brrrr! 'Commence à faire froid! Mon année 1901 va véritablement débuter. »

Gros-Nez marche deux jours entiers, s'arrêtant peu, afin que ses chaussures neuves prennent le bon pli. Les rencontres n'ont pas été fructueuses, mais le vagabond est habitué. Il croise un confrère qui, tel un vieux chat, se hérisse en voyant un envahisseur sur son territoire. « Tu as choisi la liberté et te voilà maintenant à inventer des frontières? » Gros-Nez n'ajoute rien, hausse les épaules et s'éloigne.

Piquant à travers un boisé pour atteindre un chemin de fer, il croise un jeune homme ivre. Curieux endroit pour se saouler! Sans doute qu'il ne désire pas que ses connaissances le voient dans cet état ni n'entendent ses plaintes d'amoureux meurtri. Tout cela finira par se savoir. Gros-Nez décide de demeurer avec lui, afin de doucement l'inciter à ne pas mettre à trépas cette cruche qu'il tient par le goulot. La meilleure façon consiste à en boire une partie.

Une fois, une seule, le quêteux s'était enivré. Il se souviendra à jamais du mal d'estomac du lendemain. Cependant, il lui arrive d'acheter une flasque de gin afin de se réchauffer. Tant d'hommes se saoulent! Point de jugement de la part de Gros-Nez. C'est ainsi, voilà tout. L'alcool aide à faire tomber le voile des émotions que tant d'hommes cachent. Chez les Indiens, tout devenait souvent incontrôlable. Il se souvient avoir vu un groupe d'hommes qui, insatisfaits d'une chasse, s'étaient réunis au milieu du campement pour se mettre à pleurer sans retenue. Un spectacle étrange qui avait fasciné le jeune homme. Chez les Blancs, au lieu de ce rituel, les hommes s'enivrent et la gorgée de trop fait exploser le bouchon de la sensibilité. Ce qu'ils camouflent s'éparpille dans toutes les directions, éclaboussant la logique et l'intelligence.

Le quêteux ne fait qu'écouter l'amoureux éperdu, sans rien dire. Rapidement, le jeune serre l'étranger contre lui en aboyant : « Toé, tu me comprends ! Toé, tu sais m'écouter ! » Gros-Nez aurait quelques réflexions à apporter sur le jugement fautif porté contre la fille qui l'a abandonné. Il préfère se taire. « Pas de morale, mon vieux ! Je ne suis pas un geôlier des âmes et des sentiments. »

Le mendiant fouille dans son sac. Rien à manger ! Il aurait dû s'en souvenir, pourtant… Un morceau aurait fait le plus grand bien à cet éploré. À la place, Gros-Nez fait tourner la balle de baseball sous ses yeux. Les défis suivent. L'inconnu rit comme un gamin en écoutant les conseils de son aîné pour attraper comme il faut le projectile. Après une demi-heure, le jeune remet la balle à l'étranger, avouant se sentir mieux et prêt à rentrer chez lui.

Gros-Nez abandonne l'idée de rejoindre les rails du chemin de fer. Journée complète et satisfaction d'avoir rendu service à son prochain. Pipe à la bouche, assis contre un arbre, il entend le train passer au loin et lui fait une grimace. « Tu ne perds rien pour attendre ! Je t'aurai demain ! » Il prépare sa couche pour la nuit, puis arrête afin d'écouter le silence. Le mendiant se sent roi. Le matin venu, il ne rate surtout pas le train. Pas de bœufs, cette fois ! La curiosité humaine étant ce qu'elle est, Gros-Nez ne peut s'empêcher de regarder ce que ce wagon transporte. Des caisses de clous et d'outils ! Avec une telle cargaison, le train file sûrement vers Montréal. Pourtant, le convoi arrête quelques minutes plus tard. Il entend des pas venant précisément vers son wagon. Un gaillard portant une casquette de mécanicien lui ordonne de descendre :

« Je ne les volerai pas vos outils, mon bon monsieur.

— Je t'ai dit de descendre ! Ce n'est pas un train de voyageurs, encore moins un de ton genre !

— Quel est votre nom ?

— Là, mon pouilleux, tu me pousses à bout ! »

Le mécanicien se ravise rapidement et oublie son envie de l'agresser quand Gros-Nez se lève. Ces épaules carrées ! Cette stature de bûcheron, de débardeur ! Les mains énormes ! Le quêteux descend. L'autre recule et lui ordonne de déguerpir. Gros-Nez contourne le dernier wagon. Rapidement, le train se remet en marche. Le vagabond court de toutes ses forces et tente de saisir une tige de métal pour retourner d'où il vient. « Et puis zut ! » crie-t-il, en laissant tout tomber, poussé par la force de la chute, avant de se laisser rouler au sol. « Vous avez dû vous faire mal, monsieur. » Gros-Nez regarde du côté de cette voix, tout en se pressant d'ouvrir son sac pour s'assurer que le pot d'encre ne s'est pas cassé.

« Je suis costaud, que l'on dit, mon petit gars. Aussi dur qu'une tête dure et c'est rare que je me fais mal. Cependant, n'imite jamais ce que je viens de faire là.

— Certain que non, monsieur !

— Où vas-tu ?

— À la pêche.

— La belle vie !

— C'est pour apporter à manger à ma mère.

— Tu sais pêcher comme les Sauvages ? Non ? Je vais te montrer ! »

La méthode de capturer manuellement le poisson ne s'avère pas un succès, d'autant plus que l'eau de la rivière est brouillée. Elle permet au garçon de rire à n'en plus finir en regardant cet immense étranger, les pieds dans l'eau, penché, les mains à l'affût d'une prise. Gros-Nez se rend compte qu'il fait perdre du temps à ce garçon de douze ou treize ans. S'allumant une délicieuse pipée, le quêteux l'observe. Habile, le jeune a apprêté l'hameçon comme un expert. Après une demi-heure, il a déjà capturé trois gros poissons. « Mon père est Gaspésien. Alors, il faut qu'il mange du poisson toutes les semaines. C'est lui qui m'a enseigné la bonne façon. Je suis né là-bas, mais mes parents sont déménagés quand j'étais bébé. La Gaspésie est trop pauvre. Ici, c'est pauvre tout court, ce qui permet de la liberté. » Le quêteux relève le sourcil. Liberté? Rare qu'à cet âge ce mot fasse partie du vocabulaire.

« Je veux dire que je peux venir pêcher, tendre des pièges et viser avec ma carabine. Je vais travailler au village quand on a besoin de moi. Les gars de mon âge qui sont en ville ne peuvent rien faire de tout ça. Ils sont dans les usines. Tu peux venir à la maison si tu veux manger, quêteux. Mon père aime les pauvres.

— Ta mère aussi?

— Le bon Dieu le lui a ordonné. »

Gros-Nez sent que ce garçon est très différent, gage de délicieux futurs tourments. Le droit chemin, dans la province de Québec, ne dévie pas d'un cil, alors qu'en d'autres lieux, la marginalité peut aussi s'avérer prospère. Les plus grands génies américains vivaient à l'ombre de la destinée de la majorité. Voilà ce qui manque au Canada français : de la tolérance, de la flexibilité dans les pensées.

Le quêteux se sent charmé par l'accent gaspésien du père. Pêcheur un jour, pêcheur toujours. Lors de son passage dans cette région, il y a quelques années, Gros-Nez s'était cru précipité à l'époque de la Nouvelle-France, avec pourtant les mêmes courants idéologiques que dans les coins plus populeux de la province. L'homme écoute l'étranger raconter la pêche à la main des Indiens, avant de l'inviter à l'aider pour redresser une clôture, en retour d'un repas.

« Vous parlez comme un homme instruit. Pourquoi mener cette vie? Vous pourriez travailler dans un bureau, écrire dans les gazettes.

— Et ne plus avoir les oiseaux comme amis? Ne plus rencontrer un garçon s'en allant à la pêche pieds nus?

— Le monde devient bizarre, quêteux.

— Possible ! Quand je suis passé par la Gaspésie, le temps semblait figé.

— Vous deviez y être très bien. C'est le paradis des gueux, la Gaspésie. Dans quel coin avez-vous séjourné ?

— Je me souviens d'un village du nom de Cap-Chat et d'un médecin à la longue barbe blanche.

— Beau coin ! Nous autres, on pêchait la morue qu'on vendait à des marchands de l'Ouest. Répondez à ma question : pourquoi cette vie ?

— Pour la liberté et l'enrichissement de mes rencontres avec mes semblables.

— Vous parlez vraiment bien. Mieux qu'un curé. »

L'homme, rachitique, pose des gestes nerveux, s'exprime rapidement, contrastant avec l'air stoïque de l'épouse, habitée par son seul devoir féminin : tenir maison et élever des enfants. Il semble y avoir peu à manger, mais cette famille ne refuse rien à un invité de passage, surtout quand il apporte le trésor souhaité par tous les paysans : des nouvelles du lointain. Cependant, Gros-Nez préfère ne pas trop leur en demander et n'accepte que de modestes portions de légumes, sans viande.

Les enfants, réunis au salon sous l'autorité parentale, écoutent sagement tout ce que l'étranger raconte sur Québec, lui qui a pourtant passé les derniers mois loin de la capitale. Il sait que les nouvelles demeurent toujours les mêmes : un politicien s'oppose à un adversaire et le tout se termine en houleux débat public ; il y a eu vol dans une bijouterie et la force policière a de bons indices pour mettre la main au collet du coupable ; la glace du fleuve a fondu plus rapidement que les autres années et les riverains ont été inondés. Une bonne nouvelle, maintenant : des sommes ont été octroyées pour l'avancement de l'industrie laitière et…

« Le lait ! Toujours le lait et le beurre ! Jamais rien pour les poissons et les Gaspésiens !

— Je vous dis ce que je sais, monsieur.

— Excuse-moi, Gros-Nez. Continuez. »

Un voyage est prévu par une princesse d'Europe, désireuse de sceller des ententes amicales avec le Canada et, enfin, il y a eu de grandes fêtes pour saluer l'arrivée du vingtième siècle, avec discours des dignitaires, parade dans les rues, concert d'une fanfare et illuminations.

« Vous avez vu tout ça, quêteux ?

— Non, mais j'en ai entendu parler.

— Et la religion ? Pas de nouvelles de la religion ?

— Honnêtement, madame, je ne sais pas. Mais comme on dit : pas de nouvelles, bonnes nouvelles.

— Je me sens rassurée.

— Ce sont des nouvelles des gazettes ou des nouvelles que le monde raconte ?

— Un peu les deux, monsieur. Cependant, je vais vous raconter quelque chose qui n'a pas été écrit dans les journaux. C'est un bûcheron qui a rencontré le diable dans un buisson. Il me l'a dit et ses yeux lui sortaient du crâne, tant il était encore ébranlé.

— Doux Jésus ! Pas une histoire pour effrayer mes enfants ! »

Ce qui impressionne dans les histoires de Gros-Nez n'est pas tant le contenu que la façon de les raconter, ses gestes expansifs, sa voix qui tonne après avoir murmuré, ses pas nerveux arpentant des cercles devant son auditoire. À l'opposé, dans ses numéros comiques, il ferait l'envie des meilleurs bouffons des cirques américains. Jeune, aux États-Unis, il avait assisté à des spectacles de saltimbanques ambulants, sans oublier les troupes qui se pressaient vers le petit théâtre de Manchester. Gros-Nez avait alors vu un Noir se servant de tous ces trucs pour capter l'attention. Depuis, le quêteux y a ajouté des idées personnelles, si bien que jamais il n'a semé l'ennui chez qui que ce soit.

Les enfants n'ont pas peur, même si une fillette a reculé d'un pas. Gros-Nez remarque surtout que le jeune pêcheur écoute de la même manière que lui-même l'avait fait jadis aux États-Unis. Le matin venu, le vagabond dépose du pain et une boîte de conserves de petits pois dans son sac. Il s'éloigne sans regarder derrière lui, mais en agitant la main droite au-dessus de sa tête.

Pendant quelques minutes, l'homme se dirige vers la voie du chemin de fer, mais change d'idée. La température semble invitante. Une journée idéale pour la marche et d'autres rencontres. Le souvenir de ses récentes aventures lui donne de l'entrain et les distances à franchir paraissent alors moins longues. Voilà une demi-heure que le paysage est devenu forêt. Quand les arbres paraîtront parsemés, ce sera le signe de l'approche d'une zone agricole ou d'un village. Peu de gens sont passés à ses côtés et ses salutations ont été insuffisantes pour attirer l'attention. Soudain, devant lui, Gros-Nez aperçoit une voiture semblant tirée par un poney. Il a la surprise d'y voir un vieillard droit comme un piquet, malgré un âge fort avancé.

« Vous dites que vous vous rendez au village. Pourtant, voilà longtemps que je marche et je n'ai pas croisé de maisons d'où vous pourriez venir.

— Quoi ? Hein ?

— Je dis que… heu… D'où venez-vous ?

— T'as dit ? Parle plus fort.

— Est-ce que je peux monter ? demande-t-il, tout en posant le geste illustrant son intention.

— Monte, étranger, mais il va falloir que tu parles plus fort. »

Rhumatisme, vue qui baisse, perte de mémoire : la fin de la vie semble difficile pour beaucoup d'hommes. Pour leur part, les vieilles femmes paraissent toujours plus solides. Ce vieillard a un langage franc, une voix qui porte, un regard et des gestes précis, mais il est sourd comme une douzaine de pots. Gros-Nez n'a pas à poser de questions, car le vieux lui tartine une autobiographie digne d'un grand orateur.

« Hein ?

— Je n'ai rien dit, monsieur.

— T'as aussi un petit mal d'oreille, étranger ?

— Non.

— Tant mieux ! On va pouvoir s'entendre. Qu'est-ce que je disais ?

— Vous parliez de votre fils.

— Non, je parlais plutôt de mon fils. »

Le vieil homme demeure dans une modeste maison dans la forêt, en compagnie d'un fils veuf âgé de soixante-dix ans, indication très nette que le compagnon de route de Gros-Nez est plus antique qu'il ne l'avait d'abord cru. Ce fils fut maréchal-ferrant au village, mais est parti dans les bois suite au décès de son épouse. Depuis, l'homme vit en reclus. Le vieillard se vante de faire toutes les commissions, de cuisiner, de tenir la cabane propre. « Mon gars souffre des reins. Un vrai vieux ! Tu comprends ça, quêteux ? Un vieux ! »

Quelques fermes plus que modestes annoncent l'approche du village. L'ancêtre arrête pile devant la porte du magasin général, d'où sort un joyeux air de violon. Après avoir attaché le poney, le vagabond entre et a la surprise de voir le vieil homme danser avec une femme, même s'il n'entend sans doute pas la musique. Rapidement, il retrouve son sérieux et annonce avec précision tout ce dont il a besoin. « Lui, c'est un quêteux que j'ai ramassé dans le chemin. 'Faut lui parler fort, parce qu'il est dur d'oreille. » La remarque fait éclater de rire le violoneux, le patron et trois flâneurs. Gros-Nez regarde ce phénomène s'éloigner d'un pas assuré, droit comme un pieu.

« Vous savez l'âge qu'il a ? Devinez !

— Près de quatre-vingt-dix.

— Il a quatre-vingt-dix-neuf ans. Il a un fils qui a l'air plus âgé que lui, qui travaillait comme maréchal-ferrant. Le vieux, lui, était croque-mort à Québec. Il a enterré toute la ville, mais c'est impossible de le mettre en terre.

— Joyeux phénomène, cet homme-là !

— On pourrait vous parler de lui sans fin. Tenez, par exemple, la fois où il a… »

Les anecdotes se succèdent, provoquant à chaque fois l'hilarité. Gros-Nez écoute attentivement, certain de pouvoir transformer ces bavardages villageois en histoires, en fables. La plupart du temps, ce qu'il raconte a une origine semblable. L'homme aime dire qu'il n'invente pas d'histoires, mais que les gens lui en fournissent sans le savoir.

« Ceci dit, quêteux, ici, c'est un commerce. On ne donne rien.

— Je n'ai rien demandé, monsieur.

— Tiens… C'est vrai… Et quel est ton nom ?

— On m'appelle Gros-Nez.

— Gros… ? C'est vrai que t'en as tout un ! Pas juste le nez qui est gros. T'es bâti comme un champion bûcheron.

— J'ai souvent travaillé dans les chantiers de coupe de bois.

— Ah oui ? Viens tirer au poignet avec moi ! Si tu gagnes, je te donne ce que tu veux dans le magasin, à condition que ce soit en bas de vingt-cinq sous. »

Tous les hommes forts aiment faire la démonstration de leurs capacités. Après un triomphe, le vaincu devient alors son serf. Dans les chantiers de coupe, ces jeux sont interdits, car les patrons craignent les blessures. Rien n'y fait ! Les hommes transgressent en tout temps cette loi dans la forêt, derrière la cambuse, le long de la rivière. La force a toujours été utile à Gros-Nez, bien qu'il n'en ait jamais fait étalage, sauf lorsqu'il défie les trains. Laisser gagner cet hercule local lui attirera sa sympathie, les compliments un peu gauches du style : « Je t'ai battu, mais ça n'a pas été facile. C'est rare, ça, mon gars ! » Parfois, au cours de l'épreuve, Gros-Nez laisse filer une grimace si drôle que son adversaire n'a d'autre choix que de lâcher prise, atteint d'un fou rire incontrôlable.

« Vous êtes vraiment très fort, monsieur. Je vous félicite.

— Merci. Puis, à bien y penser, si tu as besoin de quelque chose, prends-le, mais en bas de vingt-cinq sous, hein !

— Vous êtes un bon gagnant. Je fumerais bien quelques cigarettes et me laisserais tenter par ce sac de friandises rouges que je vois sur la deuxième tablette.

— Comme tu voudras, quêteux. Penses-tu demeurer au village longtemps ?

— Ce qu'il me faudra de temps pour le traverser. La route est longue, avant d'atteindre le fond de l'horizon. »

Gros-Nez tourne le dos, salue et sort. Il sait que les hommes le suivent du regard. Les bonbons sont distribués à des enfants. Un court instant, il pense retrouver cet étonnant quasi-centenaire. Deux hommes vivant dans la forêt ont sûrement beaucoup de choses à raconter. Le mendiant change d'idée, jugeant avoir vu trop d'hommes depuis son départ du chantier.

Marche, marche, toujours et sans cesse, pour atteindre le prochain village. À son approche, il demeure stupéfait en voyant une vingtaine d'hommes sur la route, avec des balles et des bâtons. À Montréal, Sherbrooke ou Québec, d'accord ! En plein cœur de la campagne, la pratique de baseball lui semble davantage étonnante.

« Je peux jouer ? Ou arbitrer ? Je connais toutes les règles par cœur. J'ai souvent arbitré quand j'habitais aux États-Unis.

— Joue avec notre équipe, étranger. Les adversaires ont plus de gars que nous.

— Merci ! Vous ne le regretterez pas ! »

Au fond du champ, Gros-Nez a comme compagnon une vieille vache étonnée, surtout quand il saute par-dessus l'animal pour capter une balle, provoquant un éclat de rire incessant chez ceux demeurés près du centre du jeu. Le quêteux agite la balle, pour leur montrer qu'il ne l'a pas échappée, avant de la leur retourner d'une force prodigieuse. À son tour au bâton, Gros-Nez catapulte la balle dans l'auge à cochons, à près de quatre cents pieds. Ce soir-là, à la belle étoile, le vagabond garde les yeux fixés sur l'immense voûte, serrant fort sa précieuse balle, se répétant pour la millième fois : « Et dire que j'aurais pu… Et dire que j'aurais pu… »

CHAPITRE 1894 : VILLE

❦ ❦

Les douaniers sont des gens dont le métier consiste à se montrer trop curieux. Ils veulent savoir ce que les sacs et les valises contiennent, pourquoi leurs semblables désirent se rendre dans le pays voisin. Une réponse vague et le douanier devient intransigeant. Depuis longtemps, Gros-Nez a appris à vivre sans eux, tout en reconnaissant que la vie est faite de frontières de toutes sortes. Passant d'un canton à l'autre, aux délimitations invisibles, il se voit souvent appelé « l'étranger », même s'il est autant Canadien français que ses interlocuteurs.

« Pas possible ! Quelqu'un est venu planter cet écriteau en pleine forêt ! Pauvre arbre ! Ton tronc est canadien et ton feuillage américain ? Et toi, oiseau ? Qu'as-tu dans ton bec ? Tu transportes des vers interdits jusqu'aux États-Unis ? Combien de temps comptes-tu y voler ? Tu rigoles, l'arbre ? Tragique, pourtant. Tu dis ? Que je pisse sur deux pays en même temps ? Odieux, arbre ! Voilà ma nature ! »

Jeune, Gros-Nez croyait que les Américains jouissaient de plus de liberté que les Canadiens. Il a vite constaté que cela était tout à fait vrai, à condition que l'Américain ne fût pas Noir, Indien, immigrant ou ouvrier. À ces catégories s'ajoutaient ceux que les bons Blancs surnommaient les Chinois de l'Est : les Canadiens français exilés en nombre imposant et qui acceptaient de travailler pour les pires salaires. Ils étaient légion ! Parfois, une troisième génération. Si tous ces gens étaient demeurés dans la province de Québec, la démographie serait totalement différente aujourd'hui. Au fond, peut-on leur reprocher cette fuite ? Les terres canadiennes étaient usées, le paysan n'avait droit à aucune aide pour s'établir et les manufactures urbaines étaient entre les mains d'Anglais. Les États-Unis leur offraient ce qui leur paraissait impensable au Canada : un salaire toutes les semaines.

Lors des vacances estivales de la jeunesse de Gros-Nez, cela au cours de quatre années consécutives, son père l'envoyait chez son oncle à Manchester, au New Hampshire, pour qu'il apprenne la « vie dure ». De retour en septembre, le futur quêteux, les yeux mi-clos, confiait à son paternel qu'il avait retenu beaucoup de leçons en vivant parmi les exilés. En réalité, il avait eu un plaisir fou avec tout ce que Manchester offrait à ceux de sa génération : une salle de vaudeville, des flirts sans chaperons et des parties de baseball, découverte précieuse où le garçon costaud a tout de suite excellé. Voilà une quinzaine d'années de tout cela et en ce jour de 1894, la nostalgie le pousse à désirer revoir les Petits Canadas des villes de la Nouvelle-Angleterre, bien qu'il ait décidé de ne pas s'attarder à Manchester, craintif d'être reconnu.

Après trente autres minutes de conversation avec la forêt, l'homme voit se dessiner quelques humbles maisonnettes. Il marche toute la journée, se reposant parfois contre un arbre. La route est beaucoup plus achalandée qu'au Canada, mais Gros-Nez n'a fait signe à personne. Le voilà aux États-Unis, mais son seul but consiste à apporter un peu de la province de Québec aux Chinois de l'Est. Il sait que la nostalgie est un sentiment puissant et que les nouvelles qu'il relatera feront ouvrir toutes les portes.

Le quêteux atteint un village dès le coucher du soleil. Il cherche un coin de verdure, une cour de maison afin de s'y installer pour la nuit. Une pomme défraîchie lui suffira comme repas. Le matin venu, Gros-Nez est décidé à atteindre une ville et fera tout pour qu'une bonne âme le fasse monter dans sa voiture. Le premier volontaire conduit une charrette de livraison, exhibant un nom tout à fait français affiché sur ses flancs.

« Vous êtes Canadien ?

— *What ?*

— *I'm sorry.*

— *Come on up, stranger!* »

La nature de la Nouvelle-Angleterre est un prolongement de celle des Cantons de l'Est : superbes montagnes, arbres touffus, air pur et, parfois, le clapotis d'un ruisseau, d'une modeste rivière. Il apparaît incroyable à Gros-Nez qu'on ait pu établir des villes si laides dans ce magnifique décor. Décidément, l'ère industrielle défigure tout sur son passage.

Au Canada français, les patrons anglais habitent les coteaux, là où ont survécu les arbres et la verdure. De ce promontoire, ils jettent un œil distrait vers le bas, vers la crasse des habitations ouvrières, qui leur appartiennent aussi. Tout semble absent de ces quartiers : pas d'hygiène, de lieux agréables. La situation est la même aux États-Unis, sauf que la crasse a sa hiérarchie avec, tout en bas, les hommes de race noire.

Les villes américaines sont cependant plus généreuses en distractions. Théâtres à cinq sous, beaux parcs, musées hétéroclites, beuglants d'où émane une musique criarde et joyeuse, puis des terrains pour les sports. Rien ici ne sent le catholicisme ultramontain et Gros-Nez se souvient que les prêtres d'office à Manchester se montraient familiers avec leurs brebis, ne gardaient pas cette distance comme au Canada français.

Les Irlandais habitent avec d'autres Irlandais, les Juifs ont leurs quartiers, tout comme les nègres et les Canadiens. Les frontières ne sont pas établies, mais il semble rare de voir un Irlandais dans le coin des Canadiens. Cependant, sur la rue commerciale, tous ces gens se mêlent en harmonie polie, question de gaspiller de belle façon quelques sous rudement gagnés.

Parfois, la marque d'un Canadien français plus prospère se fait voir sur les devantures d'un restaurant, la boutique d'un tailleur, de tout homme de métier. Plus que souvent, le prénom est anglicisé. Gros-Nez demeure étonné de voir la raison sociale d'un commerce :

« Mode de Paris. » Curieux, il pousse la porte, demande en français de voir quelques chapeaux en vue de l'anniversaire de sa sœur. Le vagabond a vite fait de constater que cette reine de la mode parisienne habitait la Beauce, il y a trente ans.

« Vous n'avez pas de sœur, n'est-ce pas ?

— Non, madame. M'auriez-vous laissé entrer dans votre antre de féminité avec ma barbe mal rasée et mes vieilles hardes ?

— Vous parlez bien le français. Vous êtes un homme très instruit.

— Je suis quêteux, madame.

— Un… quoi donc ?

— Un vagabond, madame.

— Vous mendiez votre nourriture, le coucher.

— Partout dans la province de Québec et même en Beauce. »

Voilà la bonne chose à dire ! La modiste profite d'une petite aisance, dans une maisonnette entourée de pommiers. Le mari, un Américain, travaille comme mécanicien pour une compagnie de chemin de fer. Elle raconte au passant ses pleurs d'enfants en quittant sa Beauce natale. À la fin du récit, la femme avoue qu'elle n'aurait jamais pu tenir commerce au Canada. « Mes clientes aiment quand je les remercie en français. Elles pensent que je suis une vraie femme de Paris. »

Le récit de la Beauce, où Gros-Nez a séjourné il y a deux ans, enchante la femme, car il nomme des villages, des cours d'eau, décrit les paysages comme elle s'en souvient. Quand le vagabond part, le lendemain matin, son ventre est aussi rempli que son sac. Il a aussi l'adresse d'une cousine qui l'accueillera avec joie, si le vent le pousse jusqu'à Providence.

Gros-Nez choisit plutôt de s'attarder au Petit Canada de cette ville. Ces coins ressemblent à des villages insérés dans le territoire urbain. Le clocher de l'église domine les alentours. Chacun se connaît, travaillant pour les mêmes employeurs. L'homme se souvient du cas de rues habitées entièrement par des familles de provenance de régions précises de la province de Québec. Les élites, modestes marchands et ecclésiastiques dynamiques, font tout en leur pouvoir pour que soient protégées les traditions du peuple déraciné. Il y a, certes, une influence de la société américaine sur les cœurs, mais le quêteux ne croit pas qu'il y ait menace d'assimilation. Il sait que lui-même, en qualité de quêteux, fait partie d'une tradition canadienne-française. S'il s'avisait de cogner à la porte d'un Américain pour demander à manger, la ménagère l'insulterait et menacerait de faire appel à la force policière. Il serait cependant odieux de manger après le riche déjeuner de la modiste.

« Un quêteux ? Un quêteux du Canada ?

— Un brave vagabond, madame, rien dans les goussets et des trésors dans le cœur.

— Entrez ! Entrez ! Je vais vous donner à manger ! Est-ce que par hasard vous seriez passé par les Trois-Rivières, dernièrement ?

— J'y ai longtemps séjourné, puisque mon meilleur ami y habite. J'ai aussi travaillé dans les chantiers de coupe de bois du Haut Saint-Maurice.

— C'est le bon Dieu qui vous envoie ! Mon mari va être fou de joie d'entendre parler de sa ville natale ! Entrez ! »

Voilà ce que Gros-Nez désirait : la chaleur humaine des siens, sans aucune méfiance ni jugement, comme cela se produit souvent lors de ses aventures au Canada. Les déracinés ne le sont pas entièrement, puisque les souvenirs demeurent comme des îlots de mémoire du lieu de l'enfance. Tous se disent unanimes à admettre que là où le Canada leur disait non, les États-Unis leur répondaient oui ou peut-être. Le soir venu, les voisins se réunissent dans la maison de cet ancien Trifluvien pour entendre parler de ce qui se passe « là-haut ». Le quêteux leur sert aussi une histoire de feux follets et de géants invincibles, sans oublier la femme courageuse, touchant ainsi les enfants, les hommes et leur dame.

Les plus jeunes, nés en terre yankee, écoutent distraitement les nouvelles, mais se montrent très attentifs aux légendes, comme si elles rejoignaient profondément leur âme. Ils paraissent fascinés par les gestes et les mimiques de ce gaillard mal rasé et vêtu misérablement, mais qui semble aussi fort que les athlètes de New York ou de Boston.

« Est-ce que les villes sont pareilles de comme ici dans Canada ?

— Pareilles, mais plus grises.

— Moi, je ne veux pas aller dans Canada. Les *States*, c'est là que je suis venu dans le monde.

— Es-tu content de parler français ?

— Je parle le français dans la maison, mais avec les amis, je parle le vrai langage des *States*. C'était quand même *fun* ce que tu as dit du Canada, *mister Big-Nose*. Grand *daddy* était content de l'entendre. Où tu vas, dans le maintenant ?

— Là où le vent poussera *Big-Nose*, mon jeune ! Tu salueras tes bons parents de ma part. »

Deux jours de marche, dix heures de faim. Gros-Nez a tenté de mendier quelque nourriture chez les fermiers, mais on l'a très mal accueilli. Il a rencontré un vieux Noir, qui lui a donné la moitié de sa banane parce qu'il a su l'entretenir de baseball avec intérêt. Avant d'atteindre une plus grande ville, le quêteux séjourne dans un village, où il arbitre une rencontre de balle en retour d'un sandwich. Rassasié, il s'est installé contre un arbre, dans la forêt, empreint de la saine autorité qu'il a pu avoir sur ces jeunes américains fort habiles avec un bâton et une balle.

La pluie le surprend au milieu de la nuit. Gros-Nez dépose sa tasse à quelques pieds et se recroqueville plus près de l'arbre. Cette averse n'a pas duré longtemps, pas même ce qu'il faut pour remplir son gobelet. Le matin venu, la rosée lui chatouille les pieds et les oiseaux offrent un concert incomparable, vêtus de leurs habits de plumes colorées. « Que c'est beau ! Malheureux les hommes qui ne peuvent vivre cette splendeur ! » Il étire les bras, passe des feuilles humides sur son visage, ouvre son sac et hésite entre un biscuit et une galette très dure. Après ce repas frugal, mais suffisant, il bourre sa pipe d'un doux tabac pour écouter les propos des oiseaux. « T'as raison, p'tite tête ! Mais n'en abuse surtout pas. » Peut-être devrait-il écrire à Joseph. Il serait content, le jeune homme des Trois-Rivières, de savoir que son ami, le sans-foyer, parcourt les routes américaines, ce pays de la modernité. Peut-être vaut-il mieux attendre la fin du voyage.

Après cette flânerie, le quêteux retourne sur la route où, stupéfait, il aperçoit un éléphant. « C'est vrai qu'ils voient toujours tout en gros, ces Américains. » L'explication à cette apparition mystérieuse se trouve derrière l'animal : un dresseur retardataire tentant de rejoindre le reste de la troupe de son cirque. Seconde surprise : cet homme est un Canadien français.

« Vous n'auriez pas pu exercer ce métier dans la province de Québec, n'est-ce pas ?

— Les éléphants sont rares, le long du fleuve Saint-Laurent. Quand j'étais petit, je voyais d'année en année les cirques qui visitaient Montréal. À treize ans, j'ai suivi l'un d'eux jusqu'à ce que les employés, fatigués de me voir collé à leurs flancs, m'engagent. J'ai ramassé les crottes des animaux, monté les chapiteaux, collé les affiches et, trente ans plus tard, je suis le dresseur de ce Jumbo, un paisible retraité qui n'a pas besoin de dressage. Ce n'est pas demain la veille que je vais être sollicité par les grands cirques, mais ça ne fait rien, car j'ai du plaisir avec cette bande-là. Jumbo, c'est mon meilleur ami.

— Pourquoi tous les éléphants s'appellent Jumbo ?

— Parce que le public ne voudrait pas les voir porter un autre nom.

— Je peux partager un peu de route avec vous deux ?

— Certain, étranger! Dans vingt minutes, nous aurons dépassé les autres.

— Et quel est le tour que réussit à faire Jumbo?

— Il fait la belle et rapporte la balle que je lui lance. »

Les forains et les gens des cirques sont les personnes les plus aimées et les plus détestées de la société. Chacun applaudit leur habileté, mais personne ne voudrait les accueillir sous leur toit. Gros-Nez se souvient avoir vu cette note, à l'entrée d'un hôtel de Montréal : « Interdit aux chiens et aux acteurs. » Conséquemment, le quêteux les aime. Ne sont-ils pas comme lui : sans maison, voyageant sans cesse pour rencontrer leurs semblables, leur apporter du bonheur?

Rejoignant enfin la troupe, Gros-Nez voit ce qu'il avait deviné : des Noirs, des Jaunes et des personnes aux noms incroyablement longs, arrivant avec peine à parler anglais. Le cirque réunit toujours les déracinés. Le quêteux s'amuse comme un gamin en écoutant un nain jacasser à une vitesse prodigieuse. En approchant la ville de leur destination, ils retrouvent deux grands Noirs qui ont posé des affiches dans les lieux permis. Ils pointent du doigt le terrain qui leur a été désigné pour planter leur tente.

« Si tu veux aider, Gros-Nez, tu es le bienvenu, mais je ne pense pas que le patron te paie très cher.

— Si vous me donnez à manger, cela suffira amplement.

— Costaud comme t'es, enfoncer des pieux ne devrait pas te causer de problème. »

Quel travail! Bien avant l'apparition des affiches, la population était au courant de la date d'arrivée de ces guignols. Une vingtaine d'enfants regardent les hommes suer, leur mailloche vissée entre les mains. Une trapéziste au regard de glace surveille pour qu'ils n'approchent pas des roulottes des animaux : un léopard fatigué, deux chiens savants endormis, Jumbo et trois superbes poneys. Gros-Nez apprend de son nouvel ami que le léopard est à demi aveugle, doux comme un minet, mais connaissant parfaitement son rôle devant le public : rugir et avoir l'air très méchant. « On l'a acheté d'un zoo du Vermont, où il n'intéressait plus personne depuis dix ans. »

Après la besogne, Gros-Nez se permet d'amuser les enfants avec ses grimaces farfelues, spectacle vite noté par le patron. « Un de nos bouffons a souvent des indigestions, ce qui ne le fait pas rire du tout. S'il a de la concurrence, peut-être va-t-il retrouver immédiatement la santé. Je te donne un dollar par soir, étranger. »

Pourquoi refuser ? D'autant plus que la prochaine étape est Manchester, ville que l'homme brûle de revoir, tout en la craignant à la fois. Personne ne le reconnaîtra s'il se balade dans les rues avec un costume de clown. Le soir venu, Gros-Nez s'endort au son des cigales, dans une roulotte inconfortable qui n'a pas connu la joie d'un coup de pinceau depuis des décennies.

Voilà le grand jour ! Gros-Nez se sent nerveux en entendant la foule se masser sous le modeste chapiteau. La trapéziste lui applique un maquillage blanc sur le visage, spécifiant qu'il n'a pas besoin de faux nez rouge pour faire rire qui que ce soit. Son ami le dresseur lui dit qu'il n'a qu'à répéter ses grimaces de la veille, de courir et de tomber sur son postérieur quelques fois et cela suffira.

Quand le quêteux entre sur la piste, les rires fusent aussitôt. Il n'a pourtant encore posé aucun geste ! Un bouffon est nécessairement drôle. Le voilà exécutant ce qui a été recommandé, mais il se demande pourquoi le partenaire lui a donné un coup de pied au derrière avec tant de vigueur. Sans doute qu'il n'a plus d'indigestion. Le patron calme les esprits et propose même à Gros-Nez de demeurer le reste de la saison avec la troupe. Le mendiant ne répond pas, sachant que le bon temps n'est pas venu pour dire que son but consiste à apporter un peu de Canada aux exilés de ce coin de pays.

« Quelle ville horrible ! Pourtant, je l'aime, car elle a planté dans mon cœur la graine de la liberté, alors que je vivais prisonnier au Canada. La fleur a mis quelques années à germer, mais son odeur m'enivre avec joie depuis 1890. » Son oncle est décédé depuis longtemps. Ce joyeux drille, qui devait « faire un homme de lui », avait un regard de fer, avant de laisser épanouir un sourire surprise et de dire : « Vas-y, mon neveu ! Les États, c'est le pays de la liberté. » La route fend Manchester en deux parties : manufactures grises d'un côté et usines aux briques rouges de l'autre. Derrière leur ombre : des mansardes ouvrières pleines de crasse. Dans un coin, le Petit Canada local, avec de la verdure dans les cœurs. Ces gens passaient des soirées entières à jouer aux cartes dans les cuisines, comme des paysans de la Beauce ou des Cantons de l'Est.

L'oncle de Gros-Nez tenait une épicerie et refusait rigoureusement tout crédit. Quand une femme en réclamait pour un pain, avec l'assurance de le payer dans six jours, l'homme répondait : « Non ! Pas de crédit ici ! » Penaude, la femme sortait et, aussitôt, l'oncle disait à son neveu : « Va lui porter ce pain que je lui donne. Rappelle-lui que je ne fais pas de crédit sous mon toit, mais que je peux me montrer généreux hors de ma boutique. »

De retour dans l'austérité close de son univers de la province de Québec, le jeune homme ne pouvait s'empêcher de penser à la solidarité villageoise du Petit Canada de Manchester, aux échanges avec les Noirs, aux marchands de bonheur de la salle de vaudeville, aux soirées passées dans les champs de fortune à lancer et à frapper des balles, jusqu'à ce que la noirceur tape dans le dos de tout le monde pour les inviter à retourner dans leur maison, car le lendemain, il y aura encore une dizaine d'heures dans le climat étouffant d'une manufacture.

« Ça devient pire… Qu'est-ce que ce sera, si j'attends dix années pour revenir ? » Gros-Nez regarde, ne voit pas tous ces yeux tournés vers lui parce qu'il marche sur le trottoir avec son costume. Des petites mains battent ses fesses pour attirer son attention. « *I'm a clown* ! Je suis un bouffon ! » Le bilinguisme de mise ne trouve pas l'écho francophone désiré : cette fillette et son frère veulent des friandises.

Ils ont plutôt droit à la panoplie de grimaces, faisant même arrêter les adultes. Quelques paroles françaises font sourciller le vagabond.

« Vous viendrez voir le spectacle du petit cirque installé aux limites de la ville. Du plaisir pour tous !

— Un bouffon canadien-français !

— Vous savez, monsieur, il y a beaucoup de bouffons dans la province de Québec, même s'ils portent un uniforme différent.

— Les politiciens du parlement de Québec ?

— Les moins drôles de ma profession, monsieur ! Ne ratez pas le spectacle de ce soir ! »

Gros-Nez se sent remué en constatant que le théâtre de vaudeville de sa jeunesse abrite maintenant un magasin vendant des harnais, des selles, tout ce dont les chevaux ont besoin. « Ils m'ont tant appris, ces comédiens. » Sans doute qu'il existe une autre salle un peu plus loin. Afin de mieux se perdre dans ses souvenirs, le quêteux pousse la porte d'un restaurant de fortune et commande une tasse de thé et une pointe de tarte. La jeune serveuse se sent amusée par le costume inhabituel de ce client. Peu après, il poursuit sa route d'exploration, dressant une liste instinctive de lieux à revoir, même s'il évite le Petit Canada. Le temps passe rapidement et il retrouve ses amis du cirque et son dresseur, s'occupant de la toilette de Jumbo.

« Je lui dirais bien de gambader vers une rivière, mais elles sont si sales, près des villes.

— Il est rarement dans sa cage.

— Jumbo déteste ça, mais pas autant que le cheval devant tirer le véhicule.

— En effet ! Laisser marcher l'éléphant sur les routes, ça peut causer des problèmes, non ?

— Il a déjà récolté trois contraventions, mais avait refusé de se présenter en cour sans la présence de Coco le Gorille, son avocat. »

Belle foule, ce soir. Gros-Nez ajoute quelques culbutes à ses grimaces, lançant les blagues autant en français qu'en anglais. Joie, au cœur de la grisaille! Les gens en parleront pendant des semaines, jusqu'à la visite inévitable des baraquements forains, d'une troupe de musiciens blancs maquillés en Noirs, des gentils fous du vaudeville. Après la flatterie des applaudissements, il y a du travail pour l'équipe : tout démonter, travailler sans cesse dans une demi-obscurité. Il n'y a pas de temps à perdre, car demain une autre ville les attend sur la route estivale de leur gagne-pain.

« Je te salue, mon ami. Je dois poursuivre sur le chemin de ma destinée.

— Quoi? Abandonner une carrière naissante?

— J'ai déjà goûté une carrière et lui ai tourné le dos pour le plus grand bien de tout mon être.

— Ne pars pas en pleine nuit, Gros-Nez.

— Regarde les étoiles dans ce beau ciel. Je vais me coucher dans un boisé et cette voûte scintillante me bercera jusqu'au chant du matin. Je marcherai le cœur gai, cognerai à la porte d'un inconnu, qui m'accueillera ou me rejettera. J'aurai à manger en retour d'une histoire, d'une fantaisie, puis je recommencerai.

— Je comprends. C'est mieux que le travail en manufacture au Canada.

— Mieux que tout. Mes salutations à Jumbo! C'est un bon petit.

— Il va pleurer. T'as déjà vu des larmes d'éléphant? Un vrai fleuve! »

Traversant Manchester, le quêteux sent son cœur battre. Il arrête, demeure immobile, les yeux rivés aux poussières de la rue. Puis, d'un pas ferme, il se dirige vers le Petit Canada, l'âme de sa jeunesse. Au milieu de la nuit, il y a peu de chances que des gens le reconnaissent.

La noirceur ne règne pas dans ce coin de la ville, comme dans tous les quartiers ouvriers. Les hommes travaillant à chaque heure du jour, il ne faut pas se surprendre de voir une fenêtre éclairée par la lueur faible d'un fanal. Il regarde avec soin, puis tourne le dos, envoie la main, tout en marchant vers les limites de la ville, là où il y avait un champ pour jouer au baseball. Le lieu a survécu! Des estrades de fortune ont été posées de chaque côté. L'homme marche vers le monticule, prend la pose d'un lanceur, avant de se coucher sous une estrade, ayant le goût de sucer son pouce.

Au lever, il étire les bras, se gratte le dos. « Belle température pour le train », se dit-il, en sentant une pluie fine le chatouiller. En zone industrielle, les voies ferrées abondent et les mécaniques roulent doucement. Rien de plus facile que de trouver un wagon pour voyager sans se fatiguer. La pluie peut cependant rendre l'opération dangereuse. Gros-Nez enduit ses mains de sable, s'assure que ses chaussures sont encrassées. « Je t'ai eu, hein! » Le train ne roule pas longtemps. Un arrêt? Déjà pas agréable de se faire surprendre au Canada, il imagine que les Américains entendront beaucoup moins à rire en se rendant compte de sa clandestinité. Le quêteux saute du wagon et court à perdre souffle pendant cinq minutes. Échappé belle!

Le voilà dans une autre ville. À proximité de la voie ferrée niche toujours un quartier ouvrier. Gros-Nez marche dans les rues, à la recherche d'une affiche en français. Voilà un groupe d'enfants s'amusant avec les mêmes interjections qu'aux Trois-Rivières, à Sherbrooke ou à Montréal, répétant les traditionnels « Niaiseux! » et les « M'en vas le dire à mon père! » La seule différence est que dans la province de Québec, ces gamins l'auraient immédiatement identifié à un quêteux. Cette tradition du mendiant n'existe pas de la même façon aux États-Unis. L'étranger, désireux de se mêler au jeu, se heurte d'abord à la méfiance généralisée. Gros-Nez sait que dans chaque groupe, il y a toujours un meneur, un courageux, un guerrier qui, inévitablement, parlera au nom des autres.

« Le Canada ? C'est par en haut, *isn't it* ? 'Connais pas. C'est le pays de mon grand 'Pa.

— Déjà un grand-père… Une troisième génération.

— Je ne comprends pas ce que toi veux dire, mais je n'ai pas peur, monsieur.

— Il n'y a pas de raison de me craindre. Je m'appelle Gros-Nez.

— *What* ? Mais ce n'est pas un nom !

— Regarde ce que je porte au milieu du visage et dis-moi s'il y a une bonne raison pour que mon nom soit Grandes-Oreilles. »

L'armistice est ainsi signé et le vagabond reprend ses récentes habitudes de bouffon. Au cours de l'heure suivante, il devient le cheval d'une fillette et un chien pour un rousselé. Par la suite, les enfants le laissent devant la maison du grand-père du porte-parole. « Un quêteux du Canada ? Qu'est-ce qu'il fait dans le coin ? » Quand le vieillard annonce son lieu d'origine, Gros-Nez sait tout de suite quelle histoire raconter. Souvent, il se réfère aux points communs de toutes les paroisses de la province de Québec : l'église au centre du village, le presbytère ceinturé d'une longue galerie, la maîtresse d'école dévouée, la vieille fille du bureau de poste et la bonhomie du marchand général, plus que souvent ventru.

« J'étais parti pour un seul été et ça fait cinquante ans que j'habite ici. C'est ma femme qui n'a pas voulu retourner là-bas. Quand je vais mourir, le Canada va mourir aux États-Unis. C'est ce qu'ils veulent, les Américains : qu'on soit comme eux et pas une nouvelle race de Sauvages ou de nègres.

— Ne dites pas ça, brave homme. Votre petit-fils, qui m'a dirigé vers votre maison, s'exprime avec un beau français.

— Vous repasserez quand il sera grand et on en parlera. En tout cas, ça fait plaisir de voir un vrai quêteux, comme lorsque j'étais jeune. Je vais vous donner à manger.

— Si on prenait une marche, à la place ? »

De la colère, le vieil homme passe à la paix. S'il habite cette ville depuis si longtemps, un certain amour pour des lieux s'est sans doute développé. Il pointe les maisons du doigt et nomme tous les gens y habitant, sans oublier les détails croustillants sur chacun. Il peut aussi dire les lieux d'origine de tous les exilés. Les gens, depuis toujours, désirent savoir d'où viennent leurs semblables. Quand on pose la question à Gros-Nez et qu'il affirme « Je viens d'ailleurs », neuf fois sur dix, on lui rétorque que ce n'est pas une réponse. Seul Joseph adore ces phrases vagues. « Je m'en vais loin, à la poursuite du fond de l'horizon, mon Jos. » Le jeune homme hoche la tête, sourit et lui souhaite un bel horizon.

Quel voyage satisfaisant ! Pourtant, le mendiant se sent tout autant exilé, s'ennuyant des humeurs parfois pointilleuses des Canadiens français. Ceux des États-Unis lui déroulent tous le tapis rouge. Il sent aussi que la campagne américaine doit être exclue, les Franco-américains formant presque entièrement une main d'œuvre urbaine. En se couchant, l'errant pense qu'en ce moment, en étant demeuré dans la province de Québec, il serait peut-être dans une grange, avec les vaches et les chevaux, qu'un coq le réveillerait afin de regarder la splendeur du jour étirant les bras vers des champs dorés.

C'est un voyage urbain, avec les enfants qui jouent dans des rues poussiéreuses, étroites et mal éclairées par des réverbères usés. Un périple bercé par le grondement impoli des usines, le piaillement de la jeunesse le long d'un trottoir du centre-ville, les regards amusés observant, dans les vitrines, la plus récente mode de New York.

Les plus âgés ont la nostalgie de leur pays d'origine, mais toujours finissent-ils par admettre que leur départ a été une bonne chose, que la vie était devenue trop difficile là-haut. Voilà des gens que le Canada ne reverra jamais. Après quelques séjours dans d'autres petits centres, Gros-Nez atteint Boston, la plus ancienne ville américaine et qui possède, à certains points de vue, le charme de Québec. Il y a peu de Canadiens français dans cette grande capitale, comme si ce peuple avait choisi les agglomérations plus petites pour reproduire leur village natal.

Gros-Nez poursuivait un but en se dirigeant vers Boston. Voilà pourquoi il a quêté plus d'argent que de nourriture. Il décide de devenir roi, le temps d'une journée. Le barbier à qui il confie sa tignasse doit se sentir découragé, mais le vagabond, satisfait, le récompense par un franc pourboire. Une chemise neuve, peut-être? Bien sûr! Par contre, le pantalon ne pourra être changé. Au fond, il lui paraît toujours adéquat, d'autant plus qu'une femme l'a lavé il y a à peine deux jours.

Les hommes distingués portent leur haut-de-forme et ceux du petit peuple leur casquette du dimanche. Les chapeaux des femmes ressemblent à des cathédrales et la plupart n'ont surtout pas oublié leur ombrelle. Les spectateurs plus riches auront réservé des sièges sous l'ombre du toit, lieu royal pour voir comme il faut tous les aspects du jeu. Gros-Nez ne craint pas la chaleur cuisante sur sa tête; le voilà dans les estrades des fauchés, parmi le peuple plein de joie.

Les joueurs des Beaneaters de Boston portent des uniformes d'un blanc impeccable alors que ceux des adversaires, les Orioles de Baltimore, semblent défraîchis. Tous des gaillards! La foule accueille les bostonnais avec chaleur, alors que les adversaires sautent sur le terrain dans l'indifférence totale. La partie se met en branle dès le signal de l'arbitre. « C'est beau! Comme c'est beau! » de crier le Canadien, sans se soucier de ses voisins. Il ne peut s'empêcher de faire signe d'approcher au jeune vendeur de cacahuètes. Pendant la transaction, une balle hors-jeu arrive à une vitesse folle dans la direction du gaillard, qui tend la main, la saisit, alors que tout le monde autour s'est envolé, craignant une blessure. Immédiatement, le vagabond glisse la balle dans la poche de son pantalon, avant qu'un joueur ou un arbitre ne la lui réclame. En effet, peu après, un réserviste regarde du côté des estrades, avant d'abandonner, lançant un sourire gentil, signifiant : « Ça va, ça va, vous pouvez la garder. » Les Beaneaters perdent d'une façon non équivoque. Rudes, ces Orioles!

De retour dans la rue, Gros-Nez se presse de sortir la balle de sa poche, de la regarder en souriant généreusement, comme s'il venait de mettre la main sur un trésor inestimable. « Une vraie balle utilisée par les professionnels! Celle que j'ai dans mon sac est tant usée… Celle-là sera intacte pendant dix, quinze ans! Elle sera ma meilleure amie au cours de mes moments difficiles, me rappellera la chaleur de mes amis des Petits Canadas des États-Unis et ce magnifique moment dans ces estrades! Je suis un homme comblé! »

CHAPITRE 1904 : ENFANTS

꙳ ꙳

Gros-Nez se promène de long en large, dans la cuisine, tenant entre ses bras le bébé le plus braillard que l'on puisse imaginer. Le voilà bien piégé dans sa façon de vouloir rendre service en retour d'un peu de nourriture! Il ne s'attendait certes pas à ce que la jeune mère pointe la table de cuisine où était couché son poupon, tout en larmes et hurlements. « Faites-le taire et je vous donnerai à manger! » Elle est partie sur-le-champ, sans regarder derrière.

« Tu veux que je te dise quelque chose, bébé? Vous êtes tous pareils, à votre âge! Impossible de savoir si vous êtes un garçon ou une fille. Vous n'avez aucune personnalité et ne souriez même pas à mes grimaces. Vous ne servez qu'à manger, pisser et pleurer. Tous pareils! Ça ne t'impressionne pas que je te fasse un procès? Alors, je vais continuer : les bébés, ce n'est même pas beau! Un poulain a du charme, un veau aussi, tout comme un chaton ou un chiot, mais pas chez les êtres humains! Vas-tu te taire, à la fin? Non, je ne te chanterai pas de berceuse! »

Gros-Nez s'attarde aux vieilles photographies de zinc accrochées au mur du salon. « Quand je pense que c'est pour en arriver à toi que ces ancêtres ont lutté et peiné toute leur vie! » La jeune maman tarde à revenir. À bien y penser, le quêteux trouve la situation fantastique, car c'est la première fois qu'il rencontre une mère qui s'en lave les mains. Celle-là ne doit pas croire l'adage qui affirme que les femmes sont nées pour souffrir et se sacrifier.

« Il s'est calmé?

— Je le crois.

— Vous avez un don, quêteux.

— C'est votre premier, n'est-ce pas ?

— Oui, mais ne croyez pas que je ne suis pas habituée. J'ai six frères et cinq sœurs, tous plus jeunes que moi. Cependant, il vient un temps où une femme n'en peut plus ! C'est l'enfant le plus braillard que j'ai entendu dans ma vie.

— Vous voilà reposée.

— Je me suis rendue prendre un café au casse-croûte de la gare. Je vous ai acheté un morceau de gâteau. Je vais vous faire chauffer un thé. Peut-être croyez-vous que je suis une mauvaise mère parce que j'ai laissé mon enfant au premier étranger cognant à ma porte, mais quand vous avez dit être quêteux, j'ai su que je pouvais vous faire confiance. Les quêteux ont plus d'humanité que beaucoup de gens de profession. »

Gros-Nez sourit à la sucrerie. Voilà près de deux jours qu'il jeûne. Voyant qu'il dévore, elle tartine un bout de pain avec de la confiture aux bleuets. Il s'était endormi dans un wagon de marchandises en destination d'une quelconque zone agricole, mais s'est réveillé à Montréal, ville qu'il désire éviter à cause de l'intolérance des policiers. Après les adieux, l'homme entend immédiatement le bébé recommencer à pleurer dès qu'il foule le trottoir. Il arrête, puis poursuit sa route. « Pourquoi je remonterais là-dedans ? De toute façon, elle doit se sentir prête à accomplir son devoir. »

En cette fin d'été, les soirées commencent à devenir plus fraîches. Gros-Nez vient de passer dix jours chez un laboureur pour préparer les récoltes. Son salaire : une couche chaude dans la grange et trois repas par jour. Un roi ! Il n'a pas beaucoup d'argent et rage encore en pensant que les dix dollars qu'il avait réussi à économiser pour donner à Joseph lui ont été dérobés.

Quand Gros-Nez touche un salaire fixe au cours de l'hiver, il communique son adresse à Joseph, qui ne se prive pas pour lui écrire. Le vagabond garde ces lettres longtemps, trouvant plaisir à les relire. Il vient un temps où l'humidité de son sac, qui lui sert aussi d'oreiller, abîme ces missives et l'homme doit se résoudre à les jeter. Joseph lui parle de son magasin, inauguré au cours du dernier quart du dix-neuvième siècle, résultat de quelques économies et de la participation importante de Gros-Nez. Malgré ses largesses, le quêteux sait que l'épouse de son ami ne l'aime pas. Voilà pourquoi il ne s'est jamais trop attardé aux Trois-Rivières. Il y a déjà quelques années que le vagabond ne s'y est pas présenté. Gros-Nez sait qu'un jour, Joseph lui ouvrira sa porte, malgré sa femme. Ce temps n'est pas venu, de croire le mendiant.

Joseph louange ses enfants, ne voyant en eux que des qualités. L'aîné est débrouillard et habile avec des outils, la grande fille excellente à l'école et la nouvelle petite vraiment jolie. Quant au plus jeune des garçons, son père le vante avec générosité. Quand cet enfant était bébé, il souffrait de nombreuses afflictions et lors d'une occasion, même un réputé médecin le considérait condamné, recommandant à ses parents plus de prières que de remèdes. Gros-Nez était arrivé aux Trois-Rivières au cours de ces moments douloureux et avait exigé de prendre le bébé afin de le guérir. Joseph avait trouvé cette suggestion ridicule, mais accepté pour ne pas insulter son ami. Quelques jours plus tard, le garçon se portait mieux. Voilà sans doute pourquoi le quêteux aime cet enfant, qu'il relit sans cesse les passages des lettres où Joseph en parle. Gros-Nez ne l'a jamais revu et cette visite, déjà lointaine, était sa dernière aux Trois-Rivières.

Il semble qu'il existe un guérisseur dans chaque région de la province de Québec. Le grand-père de Gros-Nez possédait ce don et les gens venaient parfois de très loin pour qu'il soulage leurs enfants. Pendant longtemps, le vieil homme n'a jamais raconté quoi que ce soit à son petit-fils. Le garçon l'a simplement très souvent regardé à l'œuvre, posant les mêmes gestes dans l'intimité. Alors, un jour, le patriarche a consenti à lui prodiguer des conseils. Depuis le fils de Joseph, le quêteux a guéri sept enfants. Quand il évoque aux parents ce don, les mères craignent de la sorcellerie, la présence du démon. Les pères répondent qu'ils ont entendu parler de ce phénomène. Ce sont les hommes qui arrivent à convaincre les femmes de laisser l'étranger tenter l'expérience. Plus que souvent, ils croient à un gentil mensonge. Les quêteux ont souvent des histoires sens dessus dessous à raconter. L'enfant guéri, Gros-Nez est déjà disparu depuis longtemps et il sait que les villageois parlent de ce qui s'est passé. Le vagabond a des échos de cette guérison un peu plus tard et voilà pourquoi il peut compter ces sept guérisons, alors qu'en réalité, il a posé les gestes une douzaine de fois.

Le voilà marchant dans ce quartier ouvrier, désireux de ne surtout pas se rendre dans une grande artère commerciale remplie de policiers et de gens bien-pensants qui le dirigeraient vers un refuge, ces « entrepôts de pauvres, pleins d'hypocrisie et de règles sans humanité ». De toute façon, c'est chez les fauchés qu'il trouvera gîte et nourriture, comme depuis toujours. L'homme arrête devant une cour d'école, où un groupe d'enfants s'exercent déjà pour le moment de la récréation, deux semaines avant la rentrée scolaire. Une religieuse sort de l'école pour lancer un ballon, ravissant les petits.

Gros-Nez sait qu'il perdrait du temps à tenter de jouer avec ces enfants, pour les faire rire, leur raconter des histoires. La religieuse gronderait en leur ordonnant de ne pas approcher des étrangers, surtout ceux portant des vieilles culottes et qui ne sont pas rasés de près. Il se contente de regarder. Deux fillettes approchent de la sœur, qui surprend Gros-Nez en se penchant vers elles, geste peut-être pas très sobre pour une épouse de Dieu. Ces petites, il le devine, doivent dire qu'elles désirent devenir religieuses, qu'elles récitent leurs prières chaque soir. Le quêteux a déjà rencontré une fillette qui savait le catéchisme par cœur, incluant les virgules. Les garçons, pour leur part, parlent de leur avenir comme policier, pompier, soldat, mais rarement il est question de devenir prêtre. Soudain, le vagabond voit approcher la sœur.

« Qui êtes-vous, monsieur ? Pourquoi regardez-vous ces enfants avec tant d'attention ?

— Je les regarde, car ils ont l'air radieux. Je suis quêteux et je m'appelle Gros-Nez.

— Gros-Nez ?

— Regardez ce que je porte au milieu du visage et vous comprendrez le sens profond de ce sobriquet. »

À la surprise du mendiant, la religieuse éclate d'un rire très franc, ne pensant même pas à se cacher la bouche ou à s'excuser. Les gamins, curieux, approchent sur le bout des orteils.

« Ce sont mes enfants, monsieur le quêteux. Je suis le complément de leurs parents.

— Vous leur enseignez l'arithmétique, le catéchisme, la grammaire, la bienséance, la géographie et l'histoire.

— Et le solfège ! Do ! Ré ! Mi ! Fa ! Sol ! La ! Si ! Do ! »

Quelle cantatrice ! Cette jeune religieuse, Gros-Nez le sait trop bien, désire réussir dans cette profession d'enseignante en ne suivant pas les chemins battus. Elle sera respectée de tous, à cause de son uniforme, alors que les maîtresses laïques du même âge travaillent dans des conditions pénibles, pour un salaire microscopique, surveillées sans cesse par chacun et réprimandées pour le premier timide faux pas. La fougue de cette jeune sœur et son idéal l'autorisent à s'adresser à un inconnu, à cette démonstration de chanteuse et à se pencher vers ses élèves. Le temps qui passe fera taire tous ces beaux projets et la routine s'installera. Cependant, le quêteux sait que les frères et sœurs enseignants aiment sincèrement leurs élèves.

« Vous connaissez des histoires ? Tous les quêteux peuvent en raconter plusieurs.

— J'ai ai un plein sac, de toutes espèces.

— Venez raconter aux enfants, mais seulement une histoire à la morale irréprochable. J'ai des biscuits dans l'école. Ce sera votre salaire.

— Voilà une proposition honnête. »

La séance est suivie par une heure de jeux impromptus, alors que les jeunes tentent d'atteindre avec leur ballon un Gros-Nez en mouvement. Quand un des petits y arrive, la victime lance un cri d'animal : canard, chien, cheval, chat, vache, oiseau. La religieuse rit autant que les enfants. Le quêteux part rassasié de joie, une dizaine de biscuits dans son sac.

Le soir venu, Gros-Nez se sent honteux d'avoir virevolté dans les rues, sans pouvoir se décider à s'accrocher à un wagon de train ou à prendre la route vers la campagne. Avec quelques sous au creux des poches, il entre dans un restaurant de coin de rue où le patron lui fait le mauvais œil, à cause de son apparence. Cependant, tous les commerçants adorent le tintement de l'argent et comprennent ce langage.

Le vagabond part à la recherche d'un coin discret où il pourra se coucher. Voilà un parc dans un quartier où il n'a pas trop vu de policiers. Le lieu paraît fort sombre et la nuit fraîche. Le début de son sommeil est perturbé par les cris aigus d'un bébé. Un certain temps, l'homme se demande s'il ne s'agit pas plutôt d'une chatte à la recherche d'un mâle. Une lueur dans une fenêtre de la rue d'en face lui laisse deviner qu'une mère doit faire les cent pas, avec ce poupon entre les bras, afin de l'endormir. « Les mères sont admirables. Toutes ! Même chez les animaux. Ce sont des personnes respectables et qui effacent leur propre vie devant la descendance et… peut-être pas celle de cet après-midi. Quand j'y pense ! Je suis demeuré bouche bée en la voyant immédiatement s'en aller après m'avoir placé cette sirène d'alarme entre les bras. Quelle histoire pourrais-je en tirer ? Il y a autant d'histoires que de gens. Quand des paysans m'en réclament une, ils ne pensent pas que je raconte ce peuple, que je leur offre un miroir d'eux-mêmes. Suffit, mon vieux! Il faut m'endormir en suçant mon pouce. »

Le matin venu, Gros-Nez n'est pas réveillé par un agent de la loi, mais par un essaim d'enfants regardant avec prudence dans sa direction. Le mendiant se rend vite compte que leur ballon a roulé près de lui et que, craintifs, ils n'osent pas approcher. L'homme prend l'objet, qu'il fait rebondir dans ses mains. Pour une rare fois, ses grimaces ne font pas rire. Il hausse les épaules et lance le jouet. Aussitôt attrapé, ils s'envolent comme une famille de moineaux.

« Je dois sortir de Montréal, avant qu'un malheur ne me saute dessus. » Gros-Nez mouille le bout de son doigt pour savoir où le vent souffle afin de prendre cette direction. « Au nord? Tu dis le nord, doigt? Mais je n'ai pas le goût de ce point cardinal, cher compagnon! Je ne devrais pas protester, car un doigt a toujours raison. » Pour atteindre le Nord, le vagabond devra traverser la moitié de l'île montréalaise.

Chemin faisant, il croise un constable au regard inquisiteur. Il vaut mieux saluer poliment et laisser croire que ce citoyen respectable a oublié de se raser avant son départ. Et les trois autres matinées précédentes, peut-être… Un peu plus loin, Gros-Nez est poursuivi par six représentants de la loi. Comme ils ont huit ou neuf ans, il devient impératif de se rendre. L'homme envie la liberté de ces jeunes de la classe populaire, prenant chaque parcelle de la grande ville comme leur terrain de jeu exclusif, sans oublier ce droit de se salir, n'ayant à craindre qu'un « Fais attention, la prochaine fois! » de leur maman. Tant de garçons et de filles de la classe bourgeoise sont déguisés en bibelots fragiles pour pavaner auprès de leurs parents, alors qu'ils doivent jouer avec prudence sous le regard d'une bonne et ignorant même que leurs chevaux de bois peuvent galoper dans une prairie sans fin.

Quand la ville devient peu à peu campagne, le quêteux marche plus rapidement, souriant au soleil radieux. Il n'a maintenant qu'une chose à craindre : des garçons jouant au baseball dans un champ.

« J'y résisterai ! Le doigt a dit de marcher vers le nord. » Quand Gros-Nez atteint les limites de l'île, il prend le temps de se reposer à l'ombre d'un arbre. Il se déchausse et masse ses pieds. L'homme ferme les yeux pour mieux laisser le silence de la nature l'embrasser. Le vagabond désire alors se rendre jusqu'aux Pays-d'en-Haut, région en développement aux paysages extraordinaires. Quelle belle idée de se délecter de coloris si riches avant de penser à se trouver un emploi en vue de l'hiver !

Il joue de chance et traverse l'Île Jésus à bord d'une voiture remplie d'enfants et conduite par un père fort joyeux. Les petits viennent de passer une semaine à la campagne chez leurs grands-parents et reviennent à la maison pour le début de l'année scolaire, rejoignant ainsi leurs frères et sœurs.

« Heu… Et vous en avez combien ?

— Vingt-trois.

— Quelle famille typiquement canadienne, monsieur !

— Je vais vous dire la vérité, quêteux. J'étais veuf, père de onze enfants et je me suis marié à une veuve qui en avait douze. Venez voir ça ! Vous avez du temps.

— Avec plaisir, monsieur.

— Ma maison n'en est pas une. C'est un village. »

Gros-Nez devient le témoin d'une organisation familiale aussi rigoureuse que l'existence d'un régiment militaire. Il y a même, dans la cuisine, un tableau noir où les parents, chaque soir, écrivent les tâches des enfants pour le lendemain. Les plus âgés ont de treize à seize ans et travaillent à l'extérieur pour rapporter de l'argent. Le père est copropriétaire d'une fromagerie, industrie prospère par excellence de la province de Québec. L'épouse semble être le portrait parfait de la femme traditionnelle, sévère et économe. Son mari la surnomme « présidente de la banque du village ». En écoutant le langage et l'accent de cette femme, Gros-Nez peut dire avec précision son lieu d'origine.

« Des nouvelles d'ailleurs ? J'en ai tant, madame, que je pourrais doubler les pages des journaux de Montréal, s'ils s'avisaient de m'écouter. Cependant, nous savons tous que ces braves messieurs ne s'intéressent guère à ces histoires du peuple. Les gens que je rencontre vivent avec courage, le cœur aussi riche qu'une île aux trésors. Je parle aux ouvriers, aux fermiers, aux… » Gros-Nez est interrompu par la voix d'une fillette : « Et les enfants ? » La mère, sur le point de réprimander cette impolitesse, est retenue par le visiteur désireux de s'excuser d'avoir omis les plus jeunes. « Sur mon honneur, je t'assure avoir rencontré des enfants merveilleux. » Il poursuit son introduction devant un public très attentif, quand il est de nouveau interrompu par la même voix : « Qu'est-ce que c'est, honneur ? » Gros-Nez se retient pour ne pas rire.

« L'honneur, c'est lorsqu'on dit quelque chose nous tenant à cœur et que rien ni personne ne peut nous faire changer d'avis.

— Comme lorsque maman nous interdit sévèrement quelque chose ?

— Exact, belle demoiselle ! Je vais t'offrir une histoire d'honneur qui s'est déroulée avec des enfants, dans les Cantons de l'Est, le pays de ta maman. »

Gros-Nez se demande ce qu'il pourrait raconter pour tenir sa promesse. Des bribes d'une fable servent de préambule, ajoutant garçons et filles, une maîtresse d'école qui – tiens ! tiens ! – a une puissante voix de soprano et… heu… heu… Ah ! Il a oublié de nommer un cours d'eau des Cantons de l'Est, afin de satisfaire la mère. La maîtresse d'école est si bonne que tous les enfants se jurent de devenir les meilleurs élèves de tous les temps, faisant preuve d'une ardeur incomparable à l'étude. La fin de l'année scolaire enfin arrivée, tous les élèves ont la même note. Une classe de trente premiers ! Une fillette rentre chez elle, prise de remords, car très discrètement, elle avait vu une réponse sur la feuille de sa voisine. L'honneur la presse d'avouer sa faute. La voilà donc deuxième derrière vingt-neuf premiers, mais sur la photo officielle, elle est la seule à sourire véritablement, se sentant grandie d'avoir dit la vérité.

« Pas mauvaise ton histoire, quêteux. Les enfants vont en tirer une leçon. Si tu veux coucher dans la grange, il y a de la place.

— Avec plaisir.

— Demain, tu prendras le déjeuner avec nous. »

Au cours de ce repas, la fillette questionneuse ne cesse de dévisager Gros-Nez. «Celle-là, pense-t-il, sera différente des autres.» Le vagabond se penche vers elle, pose sa grosse main sur sa tête, puis sort un sou noir derrière son oreille droite. Les autres enfants font « Oooooh! » mais la petite fille le regarde d'un air signifiant que ce tour de magie n'est pas très original. Au moment du départ, elle lui lance une grimace, suivie d'un rire fort amusant.

Deux heures plus tard, Gros-Nez est surpris par la pluie et regrette de ne pas s'être accroché à un wagon du petit train du Nord qui a passé près de lui un peu plus tôt. Il trouve refuge sous un arbre immense, devenant son parapluie. L'eau se déverse tout autour et il ne reçoit pas une seule goutte. « Grand merci, l'arbre! Beau travail! » Les oiseaux ont compris l'astuce et produisent une cacophonie obligeant le vagabond à les regarder.

Gros-Nez sort de son sac le pot de marinades donné par la mère de cette vingtaine d'enfants. Il pense alors à l'hospitalité de ces braves gens, à celle de tant d'autres ayant enrichi sa vie depuis bientôt quinze années. Peut-être devrait-il écrire ses souvenirs, idée lui ayant déjà effleuré l'esprit jadis. De toute façon, chez ce peuple analphabète, ce qui se dit demeure plus longtemps dans les mémoires que ce qu'ils pourraient lire.

« Joseph, je t'écris sous un arbre, assis sur la terre sèche, alors qu'un déluge de pluie s'abat tout autour. Tu devrais voir ça! Il n'y a rien au monde de plus étrange ni de plus pacifique. J'ai songé me rendre aux Trois-Rivières au cours des récentes semaines, mais j'ai changé d'idée. Ne

m'en veux pas trop. Je pense beaucoup à ton petit garçon que j'ai guéri quand il était bébé. Ce que tu m'en dis, dans tes lettres, me ravit, me rend curieux. Je… »

Il arrête d'écrire, serre les lèvres, chiffonne le papier. « Non, ce n'est pas ce qu'il attend de moi. On aurait dit que j'écrivais une carte postale. Quand je travaillerai, je vais lui écrire une belle lettre à laquelle il pourra répondre. » Gros-Nez s'assure que le pot d'encre est solidement fermé avant de l'enfouir dans son sac, d'où il sort sa pipe, la culotte soigneusement de bon tabac et s'apprête à l'allumer quand, soudain, un oiselet zigzague maladroitement à deux pas de lui, avant de s'écraser au sol. Le vagabond recule immédiatement afin de mieux espionner le spectacle prodigieux de la mère venant chercher cet écervelé. L'oiselet se plaint maladroitement. La mère ne tarde pas. Elle débute par des remontrances. « Je t'avais dit de ne pas sortir du nid ! Te voilà puni ! Obéis, à l'avenir ! » Un autre oiseau se joint à elle et Gros-Nez, émerveillé, les voit hisser le fautif en le tenant par le bout du bec. Il avait déjà vu un tel manège avec des canards.

« Les animaux sont si humains ! » pense-t-il, en reprenant sa place, après avoir allumé la pipe. « Impitoyables, parfois ! Leur supériorité vient de l'absence de jugement sur leurs semblables, du moins jusqu'au jour où je verrai le contraire. » Reprenant la route après l'averse, des images de son enfance lui reviennent en mémoire. Il arrête, ferme les yeux, pense qu'il ne faut pas songer à ces souvenirs. Il prend sa balle de baseball et la lance au loin, avant de la poursuivre.

« Ma balle ! Où est ma balle ? Je l'ai pourtant vue atterrir près d'ici ! » Affolé, il regarde autour de lui et voit soudain, tout devant, un garçon qui lance l'objet dans les airs. Le quêteux presse le pas pour le rejoindre, mais sa présence gigantesque fait peur à l'enfant. « Bonjour. Tu vas bien ? Je vais te dire : cet objet m'appartient. Je le lançais pour m'amuser et… » Le regard du petit demeure épouvantablement effrayé. Il se sauve tel un lièvre, ne laissant surtout pas tomber l'objet convoité par ce géant hirsute. Gros-Nez se met immédiatement à sa poursuite. Une vraie gazelle, ce jeune ! Pire que tout : le mendiant trébuche et fait quelques tonneaux au milieu de la route, si bien qu'il perd de vue le voleur. Oubliant son mal, il cherche, trouve un chemin secondaire. Logiquement, cet enfant est parti de ce côté. Pardi! En moins de deux, l'homme voit une cabane, trois fillettes, une femme nourrissant des poules et le garçon accroché à sa robe, la balle entre les mains. « Madame, n'ayez aucune crainte. Je suis quêteux. Votre fils, sans vouloir mal faire, s'est emparé de cette balle. Or, c'est un précieux souvenir d'un séjour à Boston et je… heu… je… Vous m'écoutez, madame? »

Elle écoute, mais ne comprend pas. La femme sait très bien que son garçon a peur de cet étranger. La réplique devient vive, dans un langage incompréhensible. Gros-Nez essaie en anglais. Peine perdue! Aucune des petites filles ne peut parler français. Le vagabond tente l'approche amusante, mais la première de ses grimaces provoque des hurlements terribles et une fuite instantanée à l'intérieur de la cabane. Gros-Nez demeure au milieu des poules, se grattant le cuir chevelu. Il voit sortir du coin d'une fenêtre ce qui semble être une carabine. Un coup est tiré, maladroit, mais suffisant pour que l'homme disparaisse, dans une tempête de plumes. En moins de deux, le voilà au milieu de la route, le cœur battant.

« Soyons logique, mon vieux! Le père de famille est absent et doit travailler comme journalier dans les alentours. Souvent, chez les immigrants, c'est celui qui connaît un peu la langue d'usage du pays d'accueil. S'il y a une maison ici, les autres ne doivent pas nicher loin. » La réponse obtenue à la première porte, quinze minutes plus tard, est typique des Canadiens français : « Ce sont des étrangers qui viennent dans la province de Québec pour enlever les emplois de nos hommes! Pas de quêteux chez nous! Va travailler, pouilleux! » À la seconde habitation, la remarque se présente plus nuancée : « C'est du monde comme nous autres, sauf que je ne parle pas aux étrangers qui sont tous des voleurs pleins de microbes. » Inutile de s'attarder au troisième commentaire.

Gros-Nez obtient enfin une réponse satisfaisante vingt minutes plus tard, dans un modeste village, d'une fillette de dix ans : « Une fois, j'ai joué avec une des petites, même si elle ne parle pas français. Le garçon est sourd. Oui, monsieur, leur père parle français, mais il n'est pas souvent ici, car il travaille comme arpenteur. Je pense qu'ils sont de Hongrie, monsieur. » Arpenteur ? Pourquoi un homme de métier demeure-t-il dans une cabane cachée dans une forêt ? Vrai que beaucoup d'immigrants ont tout perdu pour la seule traversée jusqu'en Amérique. La fillette suit Gros-Nez, intriguée.

« Pourquoi faire tant d'histoires pour une balle, monsieur ? Laissez-là au petit sourd et achetez-en une nouvelle, si vous tenez tellement à jouer avec une balle à votre âge.

— J'y tiens beaucoup, curieuse demoiselle, car c'est une balle magique.

— Ah ! Ah ! Une balle magique ! Une vraie histoire de quêteux !

— Tu veux savoir ce qu'elle a de magique, ma balle ? Elle me sourit, me parle, me console quand tout va mal, me donne du courage. Je t'assure ! C'est la fée de la liberté qui me l'a donnée. Je vais te raconter.

— Une fée ? Et pourquoi pas un lutin ? »

Il y a un enfant de cette sorte dans chaque famille : celui destiné à ne pas suivre la route tracée. Gros-Nez en était peut-être un, à cet âge… Après la gestuelle ample, les mots doux susurrés et les inquiétants grondés, cette princesse rajeunit de cinq années, prête à mettre son pouce dans sa bouche en écoutant, les yeux exorbités. Le spectacle attire d'autres gamins et quelques adultes intrigués par ce rassemblement.

« T'as aimé ça ?

— Oui, monsieur, mais cette balle n'est pas plus magique que cette roche à mes pieds.

— Bon ! Je vais te dire la vérité : c'est une balle de baseball frappée par un professionnel de l'équipe de Boston, il y a une dizaine d'années, et que j'avais attrapée pour la garder en souvenir de ce sport que j'admire beaucoup. Cette balle est mon porte-bonheur. Le souvenir d'un homme de mon âge ne peut demeurer entre les mains d'un petit garçon inconnu et que je ne reverrai plus jamais de ma vie.

— Vous pouvez l'échanger. Ils sont pauvres, ces Hongrie. Un jouet neuf sera plus intéressant pour ce garçon que votre balle.

— Voilà une bonne idée.

— Venez chez nous ! Maman va vous donner à manger et vous pourrez raconter votre histoire à mes frères et sœurs.

— Je te suis, demoiselle. Puis, on dit Hongrois, et non Hongrie. »

Gros-Nez l'aurait juré : une famille traditionnelle, la religion présente dans tous les coins de la vieille maison, sans oublier les croyances folkloriques à propos des quêteux. Craignant que l'étranger ne jette un sort en cas de refus, la mère prépare un repas, tout en regardant sa fille rebelle d'un mauvais œil. Offrant ses services en retour de cette nourriture, la femme ne répond pas au gaillard, mais le père profite certes de la situation et demande au vagabond d'enlever les cailloux traînant le long de sa clôture. L'histoire de fin de soirée ravit chacun, tout comme les nouvelles d'un lointain canton. L'inconnu couche dans l'étable, ayant du mal à dormir en sachant que sa balle ne se trouve plus dans son sac.

Il n'y a rien dans ce minuscule village pouvant servir de monnaie d'échange. Le quêteux décide de se rendre à la prochaine localité. Le grand garçon de treize ans l'accompagne, conduisant une voiture avec la dextérité d'un vieux cocher. Sa mère lui a donné une liste d'objets à acheter là-bas.

« C'est vrai que des quêteux sont très riches ?

— Ceux qui gardent tout doivent avoir les goussets pleins. Ce n'est pas mon cas. Quand on me refile de l'argent alors que je demande à manger, je redonne les sous à quelqu'un d'autre. Je garde de l'argent pour changer mes chaussures une fois par année. J'ai autour de quatre dollars dans mon sac, somme sans doute suffisante pour acheter un jouet neuf.

— J'ai déjà entendu parler de ce sport, le baseball. On le pratique dans les grandes villes, je crois. C'est beau, Boston ?

— Très joli. Ça ressemble à Québec.

— Racontez-moi ça, quêteux. Ça va faire passer le temps. »

Le garçon se laisse emporter par l'enthousiasme du vagabond, décrivant en détail les règles du sport. Il a l'impression que cet homme a le même âge que lui. Soudain, Gros-Nez se trouve ridicule. « Continuez, monsieur ! Vous êtes intéressant ! » Le temps, en effet, a passé plus rapidement. Au magasin général, le mendiant voit un beau petit bateau de bois, sans l'ombre d'un doute une œuvre d'un artisan local. Gros-Nez se souvient que Joseph en sculpte des semblables. Comment un jeune sourd pourrait-il résister à un tel présent ?

La délégation est composée de la curieuse et de son frère, le cocher. En guise d'accueil, la mère immigrante et ses enfants se retirent immédiatement à l'intérieur de l'habitation. Son exclamation est facile à traduire : « Déguerpissez ! » Gros-Nez parade devant la porte, le bateau entre les mains, ignorant la carabine qui pointe le bout de son nez par le bas de la fenêtre. Le mendiant sait que si cette femme tire à nouveau, ce sera dans le but de l'effrayer. Pourquoi une mère de famille voudrait-elle tuer un habitant de son pays d'accueil, être condamnée et jeter ses petits dans la honte et l'indigence ? Le vagabond se met à chanter *Il était un petit navire*… La grande fille décide de l'accompagner. Ce manège dure une heure, avant que la femme n'ouvre la porte, entourée de ses enfants. Le jeune sourd lui tient la main, regardant avec envie le jouet. Gros-Nez s'agenouille, dépose le bateau, fait signe au garçon d'approcher, comme s'il tentait d'attirer un oiseau avec une miche de pain. L'échange se fait quelques minutes plus tard.

Ému, le quêteux regarde sa balle, l'embrasse, avant de la ranger précieusement dans son sac. La mère laisse tomber son arme, alors que les fillettes admirent le navire. La femme lance des excuses dans sa langue, tend la main vers sa porte. Gros-Nez et ses deux jeunes amis voient des images de la Hongrie accrochées sur les murs, des dessins de la nature. Rien n'est disposé comme dans une maison canadienne. Par contre, le pain partagé symbolise l'amitié, le pardon, comme dans tous les pays de la Terre. La curieuse désire jouer immédiatement avec celle de son âge, alors que son frère amuse le petit sourd en mimant avec ses mains les flots de l'océan.

« Tout ça pour une vieille balle.

— Tu as tort, demoiselle, de penser ainsi. Imagine tout ce que tu viens de vivre de merveilleux à cause de cette balle : tu as connu l'amitié d'enfants du bout du monde, vu un geste de pardon, un autre de générosité.

— De ce côté, vous avez raison, monsieur. Vous êtes capable de la lancer loin, cette balle ?

— J'aurais pu être un professionnel, moi aussi ! Au cours de ma jeunesse, j'étais supérieur à tous les Américains de mon âge, puis je connaissais tant les règles que je devenais le meilleur arbitre imaginable. Regarde bien si je suis capable de la lancer loin ! »

Très loin ! Au fond du chemin. Elle a sans doute traversé la route. Le garçon part à la course, désireux de la rattraper, alors que sa sœur ricane en voyant la joie enfantine de cet homme étrange. Le jeune accourt avec la balle, tente maladroitement d'imiter Gros-Nez, qui se presse de lui enseigner la bonne façon de la tenir afin de la projeter avec force et précision. De retour à la ferme, le vagabond fouille dans la grange, à la recherche d'un bout de bois ayant un peu la forme d'un bâton de baseball. Au début de la soirée, une partie est improvisée dans le champ, en compagnie des jeunes voisins. Les filles s'éloignent, jugent qu'elles seraient des vilaines de courir ainsi.

Le père, amusé, fume sa pipe, assis sur la galerie, regardant le spectacle, alors que son épouse tricote. « C'est un drôle de quêteux », fait-elle, sans emphase. Le mari donne suite une minute plus tard : « Il est encore un enfant, cet homme. » La pénombre met fin aux activités, alors que Gros-Nez trépigne : « Attendez ! Attendez ! Il fait encore un peu clair ! » La curieuse, bras croisés, tape du pied, maugréant : « Incorrigibles, ces garçons ! Tous pareils ! »

Le lendemain, après s'être rempli le ventre, Gros-Nez marche d'un pas rapide sur la route, sifflant un air. Il ignore que loin derrière lui, le frère et sa sœur, puis un petit sourd hongrois, pensent à son visage, sachant qu'ils s'en souviendront quand ils seront tous devenus vieillards.

CHAPITRE 1908-1909 : HIVER

꙳ ꙳

Quelle idée saugrenue ! Gros-Nez avait su garder sa part de mystère concernant Joseph, tout en entretenant une précieuse correspondance amicale. Longtemps, il a hésité avant de le revoir, jugeant que le moment n'était pas venu. L'annonce de l'immense incendie qui a détruit le cœur des Trois-Rivières en juin de cette année a marqué le déclic des retrouvailles, car cette ville était remplie de quêteux, s'inquiétant pour la température, la nourriture, le lendemain.

Avec Joseph, son épouse et leurs enfants, le vagabond a aidé des inconnus sans rien demander en retour. Au fil de cet été de travail constant, Gros-Nez a ressenti un profond attachement à ce lieu, à son ami et pour ce jeune garçon qu'il avait sauvé au cours de sa prime enfance. « Attachement ? Attacher… Tenir en laisse, tout ce qui contredit mon idéal de vie, et pourtant… » Les gens, au cœur d'un si grand malheur, se sont montrés aussi humbles qu'aimables. L'incendie a sans doute purifié les cœurs, faisant renaître les plus profonds sentiments d'humanité.

Le jeune fils de Joseph s'est montré très curieux à l'égard de Gros-Nez, lui posant mille questions. Le mendiant a vite remarqué que ce garçon était fort intelligent et observateur. Les vantardises épistolaires de son père le décrivaient ainsi. Heureux Gros-Nez aux Trois-Rivières, mais paradoxalement, il est reparti sur les routes dès le début de l'automne, pour revenir en octobre. Le garçon l'attendait avec d'autres questions, comme s'il les avait prises en note sur un bout de papier plié dans sa poche. Il cherchait beaucoup à savoir ce qu'il y avait ailleurs et le mendiant avait le sentiment qu'il ne devait pas lui répondre que tous les lieux de la province montrent énormément de points communs. Joseph, sans poser de questions, a ouvert sa porte à son ami. Le vagabond a même un peu travaillé au restaurant familial et passait ses soirées à visiter les sinistrés du dernier été, encore prêt à donner un coup de main.

Joseph habitant face à la gare, Gros-Nez, chaque jour, observait les départs et les arrivées, si bien que c'était devenu facile de déjouer les gardiens, de grimper par-dessus les clôtures et de s'accrocher à un wagon sans trop de risques. Ailleurs, il y a toutes sortes de gens, de l'imprévu, tout ce que la stabilité de Joseph ne pourra lui offrir. « Je suis devenu quêteux pour ne plus vivre ça. Tu te souviens, mon Jos ? » L'ami hoche la tête, le regard franc, avant de lui tendre la main et de lui dire qu'à chacun de ses retours, peu importe le jour, la semaine, le mois ou l'année, il aura aux Trois-Rivières une place pour coucher et manger.

« Froid, mon Gros-Nez ?

— Oui, plutôt glacial.

— Je dois accomplir mon devoir.

— Je vous écoute.

— Le Canadien Pacifique ne saurait tolérer des passagers clandestins, pas même dans les wagons de marchandises. Tout usager doit payer un billet. Une infraction à cette règle entraîne une arrestation par les forces de l'ordre et un emprisonnement.

— J'ai compris.

— Alors, bonne route et qu'on ne t'y reprenne plus. N'oublie pas de déguerpir avant l'arrivée dans une gare.

— Promis. Dites… Vous n'auriez pas un peu de tabac ? Ça me réchaufferait.

— Ça dépend de ce qu'il y a dans le wagon.

— Des boîtes.

— Tiens-toi éloigné et attention aux étincelles. Je vais t'en donner pour trois pipées. »

Gros-Nez n'a jamais rencontré de problème majeur avec les responsables des trains, sauf dans le cas de quelques zélés. Cet homme a été le pire de tous, croisé jadis dans un train en route pour la Gaspésie. Il avait attaché le quêteux, désirait le livrer aux autorités policières et témoigner pour sa mise au cachot, jusqu'à ce que le vagabond se serve de sa force prodigieuse pour dégager les lourdes pierres encombrant la voie ferrée, suite à un éboulis. Depuis, leurs rencontres ont été épicées de gentils sourires narquois.

Quand, plus tard, Gros-Nez ouvre la porte de son wagon, il a la surprise de voir une douce neige tomber. « Toujours la plus belle, cette première », dit-il tout haut. Il regarde le paysage défiler, à la recherche d'un coin propice pour sauter. Mauvais jugement : il perd pied, fait quelques tonneaux et tombe dans un ruisseau. « Qu'est-ce que tu fais là, ruisseau ? » La belle neige est en réalité de la gadoue, fondant aussitôt le sol touché. Voilà le vagabond transi, marchant il ne sait où, devinant qu'il y a nécessairement un village en prenant le chemin du sud.

Gros-Nez se rend à Donnacona où il pourra manger et se sécher, avant de repartir vers le nord. La récolte étant maintenant chose du passé et les appareils rangés dans les granges, les paysans ont beaucoup de temps pour ouvrir leur porte et leur cœur. Sans oublier qu'il y a tant d'épouses seules avec leurs enfants, le mari étant parti couper des arbres pour des entrepreneurs forestiers. Il y a alors souvent des réparations à effectuer dans les maisons et la venue d'un mendiant peut servir à ces travaux.

Le vent se mêle de la partie, au moment même où il pense avoir trouvé la maison idéale, car elle a toujours ses moustiquaires aux fenêtres. Gros-Nez a la surprise de se faire ouvrir la porte par des jumelles d'une soixantaine d'années, vêtues de noir jusqu'au menton et lui portant un regard si glacial que la gadoue se décide enfin à devenir de la véritable neige.

« Nous sommes des demoiselles. Il serait inconvenant de vous laisser entrer dans notre demeure.

— Je comprends votre bon sens moral, mesdemoiselles.

— Cependant, il serait tout autant inconvenant de laisser un mendiant dans le froid. Aux yeux de Dieu, qui aime ceux de votre condition, notre attitude deviendrait alors condamnable. Votre offre, pauvre hère, nous paraît acceptable. Un homme a l'habitude d'accomplir ces travaux, mais il a été retardé par la maladie.

— Je le ferai de bon cœur, mesdemoiselles.

— Nous en avions trouvé un autre, mais la veille, nous l'avons aperçu ivre sur la place publique. Nous aurions eu tort de donner du travail à un serviteur de Lucifer. Accomplissez cette tâche et nous vous permettrons de demeurer sur le perron. Nous vous donnerons du thé et des biscuits. »

Jeune quêteux, Gros-Nez ne se serait pas privé pour dire qu'il veut avant tout sécher et qu'il n'a pas faim, mais le temps qui passe lui a appris que l'être humain recèle des surprises. L'homme travaille tant bien que mal dans ce vent sournois, alors que ses pieds pataugent dans des chaussettes imbibées d'eau froide. « Prochain objectif : des bottes d'hiver très étanches. » Il sent constamment le regard des vieilles filles posé sur lui et voilà pourquoi le quêteux évite de siffler un air, comme il aime tant faire.

Alors qu'il enlève la quatrième moustiquaire, une des jumelles, au fond de la pièce, lui lit des passages du catéchisme. « Celle-là, se dit-il, doit sûrement être la plus frivole des deux. L'autre n'oserait pas parler à un inconnu dans une chambre, même si le mâle était grimpé à une échelle. » Le travail accompli, Gros-Nez se présente sur la galerie. En peu de temps, une tasse de thé est poussée à l'extérieur, suivie du plat de biscuits secs. S'il osait… Doit-il oser ? Tant pis : il a trop froid aux pieds et décide de se déchausser. Erreur fatale! Voilà l'homme congédié d'une main autoritaire, alors qu'il n'avait pas goûté à un premier biscuit. « Il n'était même pas chaud, leur thé… Je saurai rire de cette mésaventure plus tard et m'en inspirer pour une histoire. »

Gros-Nez trouve un autre retardataire dans le village, mais n'a pas le goût d'escalader à nouveau une échelle. Il erre un peu sur la rue principale, cherchant à marcher dans de rares endroits secs. Il aurait préféré de la vraie neige. L'homme pense alors à ses débuts comme vagabond, douze mois par année. Il n'avait pas tardé à se rendre compte que l'hiver n'était pas une banalité quand on n'a pas de toit au-dessus de sa tête. Il avait alors couché dans des accumulations de neige et vécu des froids épouvantables. Sa décision de se trouver des emplois hivernaux avait donné lieu à un tiraillement moral. Était-il honnête de se proclamer quêteux et de vivre comme tel seulement huit ou neuf mois par année? Il était alors dans la vingtaine. Il n'ose pas imaginer comment il pourrait quêter en hiver, maintenant qu'il vit sa quarantaine.

« Salut, Gros-Nez! Tu te souviens de moi? On avait travaillé ensemble dans un camp de bûcherons, il y a quelques années.

— Oui, je me souviens. Tu habites ici, maintenant?

— Je me suis marié avec la plus belle fille du village. Je répare des bicyclettes et j'ai la pompe à gaz. Viens voir ma boutique!

— Avec plaisir. »

Le quêteux se demande comment un jeune homme peut réussir à faire vivre sa famille en réparant ces objets déjà peu courants dans les villes et en servant de l'essence, alors qu'il doit passer trois automobiles par semaine. Au fond, les Canadiens français ont toujours su se débrouiller. Être propriétaire de la seule pompe du village doit lui donner un certain prestige et il a ainsi pu poser sa candidature comme commissaire d'école, même si Gros-Nez note treize fautes d'orthographe sur son affiche de prix.

Le local est chaud; voilà ce qui importe le plus au quêteux. Personne ne hurle à l'indécence quand il se déchausse et dépose ses chaussettes près du poêle. « Pas fameux, tes pneus, mon Gros-Nez. Usés jusqu'à la corde. J'en ai une paire encore bonne à la maison. Ils sont trop serrés à mon goût. Je vais te les donner. » Le vagabond se garde de lui dire que ce présent risque d'être encore plus serré dans ses grosses pattes. Il ne faut jamais refuser la générosité, car cela deviendrait une insulte pour le donateur.

Belle rencontre! Les souvenirs échangés par les deux hommes les ont fait rire pour la peine. Aux bottes se sont ajoutés des bas, un gilet et deux pots de marinades. Quand le mendiant reprend la route, la neige se manifeste à nouveau, cette fois sous la forme de gros flocons, décidés à demeurer au sol pour l'éternité.

Rapidement, les arbres, aux branches squelettiques, adoptent un coloris plus chatoyant. Quelques oiseaux retardataires rechignent un peu en voyant cette blancheur envahir leur nid. La carte de la route qui les mènera vers la chaleur des États-Unis est incrustée dans leurs gênes. Gros-Nez se sent enchanté par ce spectacle unique, d'autant plus qu'à son grand étonnement, les bottes données par l'homme de Donnacona ne lui arrachent pas la peau des pieds. Après deux heures de marche, il trouve un coin encore sec pour se reposer, manger un peu et fumer. Une voiture passe, mais le vagabond demeure sous son arbre. Il sait qu'un prochain village est toujours précédé de modestes maisons pour des familles s'adonnant à l'agriculture de survivance. Il vient à peine d'en croiser deux. Rapidement, Gros-Nez trouvera gîte et hospitalité chaleureuse.

« Dehors! Vaurien! Paresseux!

— Monsieur, je ne tends pas la main, je…

— J'ai dit de sacrer ton camp, pouilleux! »

Le quêteux s'éloigne et se demande s'il ne devrait pas compter ce type de refus afin de calculer une moyenne hebdomadaire ou mensuelle. Il reprend la route jusqu'à la maison suivante. Autre affront! Puis des insultes! Encore! Une cinquième fois de suite? Ils se sont donné le mot? Voilà que la température se fait plus mordante et que la noirceur pointe son nez. Enfin, un village! Il était plus loin que prévu, ce coquin.

Il fut un temps où ils se ressemblaient tous : l'église au milieu, sur un promontoire, son voisin le riche presbytère, le bureau de poste dans le salon de la maison d'une veuve, le magasin général sur la rue principale, dont le propriétaire était souvent le maire de la communauté. Ces particularités existent toujours, mais l'ajout de dizaines de poteaux, pour l'électricité ou le téléphone, a gâché le paysage.

« Vous cherchez à coucher?

— Oui. Je n'ai pas d'argent. J'ai marché toute la journée, en provenance de Donnacona. J'ai froid. Je ne quête rien, monsieur. Si vous me laissez un coin pour dormir, je travaillerai pour vous, sans demander un sou. Je peux brosser votre cheval, je peux laver…

— Pas de quêteux ici! Passez votre chemin!

— Je peux astiquer votre poteau de téléphone.

— Quoi?

— Je vous remercie tout de même, monsieur. »

Gros-Nez agit comme d'habitude, ignore l'insulte et cogne à la cinquième maison voisine. Même résultat. Puis il voit l'église, arrête… « Ah non… Il vaut mieux ne pas y penser… » Les limites du village franchies, il se souvient soudainement d'un fermier très aimable vivant non loin de là. Mais! Plus de maison…

Le mendiant sait ce qu'il lui reste à faire : l'Hôtel de la Nature. Les arbres protègent du vent, du froid. La neige, fraîche d'une seule journée, est encore fragile et en grattant un peu, Gros-Nez trouvera un peu de chaleur. La couverture dans son sac fera le reste. Cependant, deux heures plus tard, il se redresse, après avoir été incapable de

s'endormir : « Je vais cesser de me raconter des fables : j'ai froid ! »
Le voilà décidé : demain, il retourne chez Joseph. Une promesse
ferme qui fond le temps d'un bref sommeil, mais d'un réveil dans
un décor extraordinaire. Droit devant la nature, le vagabond respire
profondément et dit merci à sa jolie maîtresse : la liberté.

L'homme cherche quelques branches sèches pour un feu. Il dépose
de la neige dans sa tasse, la fait fondre, ajoute des confitures et voilà une
boisson princière. Après une heure, le clochard reprend la route. Un
enfant, au loin, agite les mains en criant : « Un quêteux ! Un quêteux !
Maman ! » Les mères, pour tranquilliser leurs plus turbulents, ont le
choix entre le Bonhomme Sept-Heures et un quêteux, qui mange,
bat ou vend les enfants.

« Il y a des bons et des mauvais quêteux, n'est-ce pas, madame ?

— Ça arrive. D'où venez-vous ?

— Des Trois-Rivières.

— Doux cœur de Jésus ! Les pauvres gens ! Ne me dites pas que
vous étiez là quand le feu a brûlé la ville !

— J'étais présent le jour même.

— Entrez et venez me raconter ça ! »

Beaucoup de campagnards se méfient du contenu des journaux,
produits de la ville et rédigés par des notaires, des avocats ou des
commerçants prospères, mais surtout pas par des « vraies personnes ».
Gros-Nez a souvent noté cette réalité, bien que depuis quelques
années, les jeunes paysans lisent les journaux populaires de Montréal,
de préférence aux papiers identifiés aux partis politiques. Pour les
paysans et villageois, les véritables nouvelles deviennent celles évoquées
par des gens semblables à eux. Ils se pressent de s'assurer de leur
véracité en demandant au curé et à la maîtresse d'école, possesseurs
de l'écriture et de la lecture.

Une nouvelle importante comme l'incendie de la ville des Trois-Rivières représente en soi un mélodrame, où de pauvres gens ont souffert et pleuré. Voilà ce que cette femme désire entendre. Le mari, de retour des champs, intervient immédiatement en affirmant que les journaux ont menti en disant qu'il n'y a pas eu de morts.

« Une femme est décédée d'un arrêt cardiaque au début de l'incendie.

— Ça, ce n'est pas une vraie mort de feu.

— Monsieur, j'étais là et je vous assure que personne n'est disparu dans le brasier d'une maison et… »

Pas le temps de terminer sa phrase que la femme crie : « Brûlé dans sa maison ! C'est épouvantable ! » Elle veut avoir peur. Cela semble soudainement évident aux yeux du quêteux, alors que l'époux, terre à terre, désire une nouvelle grave qui aurait été cachée. Alors, Gros-Nez raconte l'histoire d'un mur calciné en chute libre, passant près de tuer un homme.

« Pas pire ton histoire, quêteux. Couche-toi là. Tu vas voir que ma grange tient au chaud.

— J'en suis certain, monsieur.

— Bon… Maintenant qu'on est seuls… Honnêtement… Pas le moindre petit brûlé dans sa maison ? »

Ce bel accueil, à la limite du comique, fait oublier au mendiant les échecs précédents. Quand il reprend la route, une réserve alimentaire importante dans son sac, Gros-Nez ne pense plus au froid et à ses ampoules aux pieds. Au cours de la semaine suivante, la neige insiste pour signaler sa présence. À deux occasions, il doit coucher à l'extérieur. Entre-temps, le mendiant a décidé de se diriger vers la ville de Québec, où le vent est souvent atténué à cause de la présence de tant d'habitations.

L'homme trouve un peu de travail chez un libraire, soucieux que les patins de sa voiture soient très solides en vue de l'hiver. Gros-Nez est alors payé avec un livre. La première fois qu'une telle chose lui arrive! Jeune homme, il adorait se libérer pour lire sous un arbre ou dans un parc, se laissant transporter par un beau récit bien ficelé d'une plume de maître. C'est à ce moment qu'il avait découvert Jules Verne. Au cours de ses années de mendicité, il a surtout mis la main sur des journaux puisés dans une corbeille publique. Leur lecture lui faisait oublier le froid et la faim. Le lendemain, après avoir attrapé un train au passage, Gros-Nez est de retour aux Trois-Rivières pour donner le livre au fils de Joseph.

L'ami demande des nouvelles. Gros-Nez l'assure qu'il n'a manqué de rien, qu'on l'a chaleureusement accueilli partout. Une heure plus tard, il a honte du mensonge, véritable vantardise. Pour l'effacer, le mendiant décide de repartir, cette fois vers les banlieues agricoles entourant l'île de Montréal. Les maisons y sont plus nombreuses et il aura ainsi davantage de chances de trouver un toit pour la nuit, un bon repas. L'idée de toujours dire qu'il était aux Trois-Rivières cet été lui permettra d'attirer l'attention plus facilement. De plus, l'approche des célébrations de Noël et du jour de l'An incite les gens à se montrer plus généreux. D'ailleurs, le tout débute très bien, alors qu'une femme s'affaire déjà à préparer des tourtières. Prévoyante! Dans ces immenses familles, il y a parfois des réunions festives où le nombre d'invités dépasse facilement la cinquantaine.

« Vous pouvez m'aider à la cuisine?

— Oui, madame.

— Vous allez laver les pots comme il faut. Ils étaient dans le grenier et ont peut-être pris de la poussière.

— Avec joie, madame. Vous n'avez pas de fille, pour vous assister?

— Neuf garçons et aucune fille.

— Neuf: le nombre qu'il faut pour une équipe de baseball.

— Quoi ?

— Oh !… Rien… Rien… »

Bonne destination, le temps de quelques jours. Quand ce séjour se termine par deux nuits à l'extérieur, Gros-Nez surveille avec impatience l'approche d'un train en direction des Trois-Rivières. Voilà le monstre ! « Celui-là, je le connais très bien ! Il ne m'échappera pas ! » Mauvaise promesse… Sa main gelée glisse sur une tige de wagon et l'homme tombe avec fracas, roulant violemment vers le fossé, arrêté par une accumulation de neige.

Le mendiant demeure abasourdi quelques secondes. Sa jambe droite le fait terriblement souffrir. Il retire sa botte pour frotter son pied. Gros-Nez n'en est pas à ses premières blessures qui, sans l'aide d'un médecin, ont toujours fini par guérir. Sans oublier qu'il a eu souvent recours à la nature et à ses herbes magiques. L'homme soupire, cherchant à se rappeler la dernière fois où il a « raté un train ». Voilà donc le quêteux loin de tout village, ayant du mal à marcher. Il ne reste qu'à suivre les rails en direction inverse pour arriver dans une gare. Il trouvera alors une grange, une maison pour se reposer. « Ça fait vraiment mal ! Je me demande si je ne commence pas à accuser un certain âge. Il vaut mieux me trouver un coin confortable pour laisser ce pied se reposer. »

De retour aux Trois-Rivières, cinq jours plus tard, Gros-Nez boite encore. Joseph lui demande ce qui s'est passé. L'explication n'est pas suivie d'un jugement, d'un conseil, comme si pour le jeune homme, tout cela était normal pour quelqu'un ayant choisi librement de vivre de cette façon. Gros-Nez se repose dans l'écurie, donne un coup de main au restaurant, sans jamais oublier de rendre visite aux incendiés de l'été dernier. Ils pensent surtout aux festivités de Noël. Le jeune fils de Joseph lui pose des questions impromptues sur les lieux visités lors des dernières semaines. Il parle au quêteux du roman reçu en cadeau, avant de l'entretenir de Jules Verne, puis de lui montrer ses histoires qu'il écrit en secret dans sa chambre.

Le garçon tente de retenir Gros-Nez aux Trois-Rivières, mais Joseph a vite compris que des attachements trop intenses tueraient le cœur du vagabond. Le jeune homme sait que son aîné peut partir pour trois semaines ou cinq années. Cette fois, le prétexte devient la fête de Noël, décrite comme idéale pour quêter. Il a trouvé un chandail chaud et Joseph a eu la bonté d'envoyer ses bottes chez le cordonnier pour faire disparaître les marques du temps.

Gros-Nez triomphe du train qui l'avait blessé. Rendu à Montréal, il marche vers le pont Victoria pour s'accrocher au cheval de fer qui le mènera vers le sud. Les montagnes des Cantons de l'Est bloquent le grand vent et cette partie de la province est purement merveilleuse à voir au cours de l'hiver. Cette nuit-là, l'homme couche contre une grange, se croyant à l'abri du vent, jusqu'à ce qu'une bourrasque fasse tomber à ses pieds une appréciable quantité de neige provenant du toit.

Le lendemain, transi, Gros-Nez cogne à la porte de la troisième maison voisine. L'odeur de cuisson le ravive. Le quêteux demande à manger, en retour de tout service qu'il pourra rendre. « Va creuser un passage entre la maison et la grange, puis mon épouse te préparera un repas. » Fallait-il passer deux jours à l'extérieur pour y retourner travailler ? Gros-Nez se sent fier d'avoir choisi cette région, car pendant trois semaines, il a mangé à sa faim, dormi tel un prince et rencontré quantité de personnes merveilleuses. Il ne s'attardait cependant jamais trop longtemps dans une maison, sachant qu'il en trouverait une autre tout aussi accueillante un peu plus loin.

Au début de la nouvelle année, il était de retour aux Trois-Rivières. « T'as remarqué, mon Jos ? J'ai engraissé ! La tourtière, le ragoût, le pâté, la sauce blanche, ça fait grossir ! Noël et les Fêtes, c'est l'été en hiver. J'ai des cadeaux pour tes enfants dans mon sac. Ils vont être contents. » Cette halte à l'embouchure de la rivière Saint-Maurice se prolonge pendant cinq jours. Quand le mendiant reprend la route, sans avoir averti, la température est glaciale. L'homme marche avec vigueur, se moquant de toutes les âneries qu'il a commises dans les chantiers de coupe de bois et les manufactures au cours des hivers précédents. « À mon âge, la marche athlétique et le froid revigorant me feront le plus grand bien. Je devenais pantouflard, avec ces emplois hivernaux. »

Cette pensée s'effrite à une vitesse inouïe quand, le lendemain, une monstrueuse tempête de neige se transforme en pluie torrentielle, invitant un fort vent dans sa valse. Les gouttes de pluie glacée picotent sans relâche la peau du visage du malheureux. Aucune maison dans les alentours, ni de lieu pour s'abriter. Sous un arbre ? Trop dangereux de recevoir sur le crâne une lourde branche glacée. Marcher ! Poursuivre ! Gros-Nez ressemble à un glaçon. Enfin, une maison ! Une femme entrouvre la porte, le temps de refermer avec violence, criant que son mari est dans un camp de bûcherons et qu'il ne serait pas convenable de faire entrer un homme. « J'ai froid, madame ! Je suis transi ! Ayez bon cœur et permettez à un mendiant de se réchauffer quelques minutes ! » Verrou !

Qu'à cela ne tienne. Gros-Nez décide de s'abriter sous la galerie, où subsiste miraculeusement une parcelle de terre, mais dure comme le métal. Le vilain sort le poursuit, alors que le vent décide de changer de cap et pousse le verglas dans sa direction. Il allume sa pipe pour se réchauffer un peu. Soudain, une horrible pétarade se fait entendre. Gros-Nez avance un peu et voit un arbre couché au sol, à l'apparence sinistre, et des branches qui craquent sans cesse.

La noirceur arrive plus tôt et le quêteux se rend compte que la pluie a cessé, remplacée par les flocons. Par contre, le vent poursuit ses ravages. Il ose de nouveau cogner à la porte, assurant la femme qu'il enlèvera l'arbre, le coupera en morceaux, qu'il grimpera sur le toit pour casser la glace. Verrou ! Verrou ! Verrou !

Exaspéré, le pauvre homme retrouve la route, persuadé que s'il y a eu des dégâts sur cette ferme, il y en a sûrement autour d'autres habitations. Il trouvera sans doute du travail en retour du gîte. Pressant le pas, il glisse et tombe violemment sur son postérieur. Surpris, il demeure sur place une longue minute, avant de se décider à se relever.

Il ouvre son sac, sort sa balle de baseball et la fait bondir d'une main à l'autre en imaginant qu'il fait partie d'une grande équipe américaine. Vingt minutes plus tard, le mendiant entend une voiture approcher.

« Mon cheval connaît la route, mais ne se sent pas trop en sécurité, même s'il a des fers neufs. J'ai perdu mon fanal. Quand je suis parti ce matin, il faisait belle température. Qui es-tu pour marcher dans le froid et la noirceur ?

— Je suis quêteux et je m'appelle Gros-Nez.

— J'en ai connu un qui se faisait surnommer Pattes-Croches, même s'il marchait droit. Monte, quêteux. Tu dois avoir très froid.

— Je vous remercie, monsieur. Vous avez une bonne âme. »

Écoutant l'homme, Gros-Nez reconnaît vite le prototype du riche fermier, nécessairement commissaire d'école, marguillier, maire ou échevin. Ils veulent sans cesse apporter le progrès à leur localité, mais proclament la tradition comme seul *credo* capable de garder le peuple canadien-français en paix. Le quêteux goûte enfin un peu de chaleur au cours de cette affreuse journée. Ses bottes et ses chaussettes sèchent près du poêle, alors que l'épouse fait tremper le reste des vêtements dans un baquet d'eau savonneuse. Gros-Nez se sent un peu ridicule avec des pantoufles et une robe de chambre. « Je viens des Trois-Rivières », dit-il. Aucun doute : l'histoire de l'incendie impressionne ! Le vagabond imagine que dans vingt ans, cette catastrophe aura pris de l'ampleur dans l'imagination populaire.

« Il n'y a rien de plus noble que l'entraide pour garder ce peuple uni et vivant. Cette exécrable température a dû faire cent gâchis sur les propriétés avoisinantes. Demain, si tu le veux, nous irons donner un coup de main à nos semblables.

— Avec plaisir, monsieur. Je ne crains pas le travail difficile et la meilleure paie demeure la reconnaissance de mes frères et sœurs de l'humanité.

— Voilà une pensée qui te grandit aux yeux de Dieu, quêteux. »

Gros-Nez ne répond pas, porte son regard vers une peinture décorant le mur de la pièce. Promesse tenue. Le travail a duré quatre jours entiers et le vagabond a l'impression d'avoir de nouveau vécu ces moments inoubliables d'humanité lors de l'incendie de la ville natale de Joseph.

Quand Gros-Nez retourne aux Trois-Rivières, plusieurs semaines plus tard, sa barbe est longue et ses chaussures boueuses. Il a pataugé plus qu'il ne faut dans la fonte des neiges, pas toujours un phénomène agréable quand on marche tant. Son sac déborde de petits jouets pour les enfants de Joseph et pour ceux des familles des sinistrés. Quand le vagabond entre dans le restaurant, Joseph se redresse, mais ne quitte pas son siège. Il lui tend la main. Gros-Nez fouille dans son sac, à la recherche de sa pipe, alors que l'ami offre une cigarette. « Je prendrais bien une tasse de thé, mon Jos, mais je pense que nous serons plus tranquilles pour parler dans ta maison. Je crois que je ne suis pas très propre et je ne voudrais pas effrayer ta clientèle. » Les confidences n'ont pas le temps de se faire, car le fils revient à ce moment précis, avec mille questions à poser. Gros-Nez sort de son sac une tablette de feuilles. « Les feuilles sont blanches. Il ne te reste qu'à les noircir avec tes idées et tu auras un roman unique qui deviendra ton ami et que tu présenteras fièrement aux gens que tu aimes. »

Le jeune homme remercie, mais recommence immédiatement sa canonnade de questions, s'inquiétant du froid de l'hiver. « J'ai rencontré des gens. Ordinaires, extraordinaires, grands cœurs, radins, hypocrites et sincères. Voilà ce qu'il y a ailleurs. L'humanité est une palette de peintre d'une infinité de couleurs. À propos de la neige, du vent et du froid, j'ai eu ma part. Une certaine tempête de verglas, entre autres… Quelle importance, au fond ? Chaque saison offre ses splendeurs et… Tu veux que je te raconte cette tempête de verglas ? Va chercher ta petite sœur et ta mère. Je vais donner mon spectacle. »

La tempête de Gros-Nez gronde autant que sa voix de canon. Le vent souffle dans tous les sens, avec la même furie que ses gestes. Le pas nerveux de l'homme sur le plancher résonne comme des grincements de bottes dans la neige. Le garçon écoute, les yeux exorbités, tenant précieusement la main de sa jeune sœur, alors que l'épouse de Joseph tremble de froid. « Belle histoire, n'est-ce pas ? La vérité, maintenant ? J'ai passé les deux derniers mois de l'hiver au chaud dans une écurie, travaillant pour un village comme homme à tout faire, surtout pour enlever la neige des trottoirs. J'ai aussi mangé trois fois par jour, mes bons amis. Comment ? Moi, menteur ? La tempête de verglas, c'était vrai, mais elle a été bonne à mon endroit en me donnant ce travail qui m'a enrichi des belles relations avec des hommes et des femmes. L'hiver est la plus belle invention pour renforcer les liens entre les gens et cette fois, je ne mens pas. »

CHAPITRE 1912 : PRINTEMPS

※ ⚜ ※

« Bonjour, étranger ! » Gros-Nez se retourne et voit approcher une voiture conduite par un homme à la forte moustache. À ses côtés : l'épouse à l'allure très sage et, derrière, quatre enfants bien vêtus. Ils reviennent assurément de la messe dominicale. Le quêteux sourit, envoie la main, mais le véhicule ne s'arrête pas. Les gamins, discrètement, tirent la langue. À cette sérénité succède, cinq minutes plus tard, une mélopée d'interjections de mots innocents, substituts à ceux que l'on hurle surtout les six autres jours de la semaine.

« Chemins d'enfer !

— Ils sont souvent ainsi le printemps, monsieur.

— Mon essieu est sans doute cassé !

— Je vais vous aider.

— Très aimable, étranger. Je m'excuse si je ne vous ai pas fait monter tantôt. Il n'y a plus de place, avec mes enfants derrière.

— Aucune insulte, monsieur. Je suis libre, je marche où bon me semble et cette agréable température devient une invitation à prendre mon temps.

— Vous êtes artiste ? Poète ? Peintre ?

— Je suis quêteux.

— Voilà longtemps qu'on n'en a vu, dans le canton.

— Descendez, madame, et vous aussi, les petits. Je vais donner un coup de main à votre papa. »

Scène vécue si souvent! L'aide au prochain représente l'amour. Tant de gens le font sans y mettre du cœur. Gros-Nez a rencontré peu de personnes sans reconnaissance. Ce matin, il n'a pas faim, n'a point d'ampoules aux pieds et ses vêtements n'ont pas besoin de reprisage ou d'un coup de savon. Refuser quoi que ce soit serait pourtant un affront à cette famille. Après avoir été le sujet d'une douzaine de curiosités impromptues, le vagabond repart avec un bon pain frais dans son sac.

Décidé à trouver un train pour se rendre saluer Joseph et les siens aux Trois-Rivières, Gros-Nez est arrêté, trois maisons plus loin, par un paysan maussade qui enlève de la boue le long de sa clôture. L'épouse lui a ordonné de ne pas travailler le dimanche et l'homme a fait fi de son opinion, provoquant ainsi une scène de ménage. Gros-Nez écoute ces jérémiades incessantes, avant de tendre la main vers la pelle, conseillant au furieux de rentrer pour donner un petit baiser dans le cou de sa femme. L'homme, radieux, revient près du vagabond, lui offre un sac plein de bon tabac. « Si ça n'arrête pas, je n'aurai plus de place dans mon sac », se dit-il, reprenant la route.

Journée splendide, malgré un petit froid gentil. Le long de la voie ferrée, la neige restante a été poussée des deux côtés par le passage des trains. Cette blancheur ignoble a été salie par la suie de l'engin mécanique. Gros-Nez s'assoit sur le sable durci et remplit sa pipe. Il cesse, se redresse en entendant la locomotive siffler sa présence dans le lointain. L'homme se frotte les mains sur son pantalon, fait quelques pas de gymnastique, mais ne sait pourquoi il ne se met pas à courir à la vue du convoi. Le quêteux regarde s'enfuir les wagons, se gratte la tête. « Peut-être parce que j'approche de la cinquantaine… »

Penaud, l'homme marche en équilibre sur un rail, tel un funambule de cirque. À la fin de ce jeu, il presse le pas, une chanson sur les lèvres, se disant que voilà une superbe journée pour prendre l'air. Après quelques milles, il cherche un sentier pour bifurquer vers les terres agricoles, persuadé d'y rencontrer un fermier se préparant pour la saison des semences. Dans les villages, il y aura beaucoup de travail dans les cours, les jardins, sur les devantures des maisons. Soudain, de loin, il voit l'étrange tableau d'une fillette d'une dizaine d'années, assise sur le rail, avec un petit garçon face à elle. En approchant, Gros-Nez se rend compte qu'ils répètent les formules du catéchisme.

« Il m'a promis que si je l'emmenais voir le train, il allait étudier sérieusement.

— Il est passé voilà plusieurs minutes. Vous venez de loin ? La maison de vos parents est dans quelle direction ?

— Papa est chez les bûcherons depuis l'automne passé. Il va revenir ces jours-ci. Maman est à la maison avec mon frère, très grand et fort.

— Sept fois sept, mademoiselle ?

— Quarante-neuf, monsieur. La maison est par là, mais je vous avertis, mon frère est grand comme une montagne et fort comme le torrent. »

Le vagabond a vite compris le sens de cette mise en garde : la mère de famille ne désire pas se faire importuner par un homme. Le prétendu hercule ne pèse pas cent livres, mais se montre autoritaire comme une horde de policiers. Gros-Nez se demande ce qu'il fait là, son sac trop plein. La curiosité, sans doute. Voilà la mère, charpentée comme un débardeur. Elle fait voler des questions à la mitraille, mais le quêteux la cloue au silence en disant qu'il connaît le camp de bûcherons où le mari est employé. Elle veut tout savoir de ce lieu, mais ne laisse pas l'inconnu approcher de sa porte.

Que peut-il se passer de répréhensible dans un tel lieu de travail ? Gros-Nez se montrerait fort maladroit en révélant que les hommes blasphèment à l'emporte-pièce, jouent aux cartes en pariant, se racontent des blagues osées. La femme s'en doute certainement. Dire que tout y est propre et hautement moral paraîtrait ridicule. Il ne reste qu'à raconter que le nouveau contremaître de la compagnie s'est montré moins intransigeant et qu'aucun homme ne s'est blessé gravement au cours de l'hiver.

« Je n'ai rien à vous donner, quêteux. Ni argent ni mangeaille.

— Vous m'avez déjà offert votre présence et celle de vos trois enfants.

— Mes trois enfants? Où avez-vous vu les deux autres?

— Sur le bord de la voie ferrée.

— Les chenapans! Je leur ai interdit d'approcher de ces engins! Allez les chercher et je vous donnerai du pain.

— Ils étaient sages, madame, étudiant le catéchisme.

— Le catéchisme dit de ne pas désobéir à leur mère. Ils vont en entendre parler! Allez les cueillir! »

Gros-Nez se sent responsable d'un futur drame. Pour que l'étranger ne se soustraie pas à l'ordre, le grand frère l'accompagne. Chemin faisant, le vagabond cherche une solution. Tiens… tiens… ne dit-on pas que le silence s'achète? Rendu près des rails, l'homme laisse tomber sa monnaie. « Regardez, les enfants : des sous! » La spécialiste du catéchisme répond que cet argent appartient à lui-même et ne comprend pas pourquoi il l'a laissé choir volontairement. Depuis toutes ces années d'aventures, Gros-Nez a vu maintes bêtises et ne compte plus les injustices. Il aurait mieux valu saluer gentiment les deux écoliers et passer outre. « Votre mère ne se sent pas contente parce que vous êtes venus ici. » La petite fille se redresse, demande en quoi cela peut le concerner. Le trio s'éloigne et le quêteux demeure sur les rails, se grattant le cuir chevelu.

Une heure plus tard, il triomphe encore d'un train. Sautant à pieds joints dans le wagon, Gros-Nez se demande quelle est cette odeur abominable. Il craque une allumette, voit des caisses entreposées, tout au fond. Plus il approche, plus il se rend compte qu'il s'agit de parfum. Des bouteilles d'une caisse se sont sans doute cassées. Trop près de la source, le voilà douché de parfum. « Si je reste ici, non seulement je vais étouffer, mais je risque de me faire accuser d'un méfait. Je dois retourner dans la nature ! Je reprendrai le même train dans le sens inverse. »

Les quêteux sont parfois cités comme porteurs de toutes les odeurs désagréables de l'Univers. Gros-Nez a toujours un morceau de savon dans son sac, profitant de la présence d'un cours d'eau pour se laver comme il faut. Ses vêtements subissent aussi l'épreuve du savon et sèchent au bon vent, accrochés à une branche. Rien de plus sain ! Quêter un baquet lui semble gênant, d'autant plus qu'il sait que les gens de la campagne l'utilisent aussi peu que lui. Gros-Nez s'est frotté un jour ou l'autre aux odeurs de l'huile, du charbon, du fumier, sans oublier un certain putois rencontré au Nouveau-Brunswick, en 1891. Mais jamais il n'avait…

« Tu sens la parfumerie, étranger. Un quêteux qui sent la fille légère de ville, ça cache quelques secrets, hein…

— C'étaient des bouteilles cassées dans un wagon de train.

— On dit ça, on dit ça…

— Vous avez un baquet à me prêter, oui ou non ? Je suis même prêt à vous le louer.

— Ce sera ma façon de faire la charité. Va près du puits et je te l'apporte. »

Gros-Nez boude dans un coin de la grange, nu comme au jour de sa naissance, alors que ses vêtements lui ont succédé dans le baquet. Sortant du lieu, deux heures plus tard, il est stupéfait de voir les femmes et filles de la maisonnée le regarder fixement. Par gentille dérision, Gros-Nez les salue en faisant valser sa casquette sur son bras, tel un noble se perdant en courbettes devant des courtisanes. Trois des femmes s'en vont, alors que les autres demeurent sur place. L'une prend son courage à deux mains et avance pour demander la marque du parfum.

« Rosée du matin, madame.

— C'est un bon nom.

— Une goutte suffit, mais j'ai eu droit à une caisse complète.

— Est-ce vrai que les femmes de la ville se parfument souvent ?

— Parfois, madame. J'en ai connu une qui… Non ! Je ne peux le dire…

— Quoi ? Quoi ? Je veux savoir !

— Il ne faut pas.

— Vous avez connu beaucoup de femmes de la ville ?

— Je ne suis pas un aventurier. Croyez-vous que je puisse plaire aux dames, avec la patate qui me sert de nez ?

— Vous avez des épaules larges et puissantes. Jeune, vous deviez être débardeur, bûcheron, sinon draveur. Racontez ce que vous alliez dire. Installez-vous dans la balançoire et je vais vous donner une tasse de thé. »

En franchissant la trop courte distance entre la grange et la balançoire, Gros-Nez se demande deux fois ce qu'il pourra leur narrer. En s'assoyant, l'homme pense : « Imbécile que je suis ! Je vais leur raconter ce qu'elles désirent entendre, comme depuis toujours. » Pendant longtemps, les femmes de la ville n'enviaient pas celles de la campagne, alors que ces dernières se moquaient sans retenue des urbaines. Lors de ses séjours aux Trois-Rivières, Gros-Nez a remarqué que cette réalité commence à se nuancer.

Les jeunes filles des usines, qui vont perdre leur temps au restaurant de Joseph, se sont mille fois plaintes de la chaleur de leur lieu de travail, de l'air étouffant et des salaires pitoyables. Elles clamaient que la vie à la campagne était beaucoup plus saine, même si elles aimaient les distractions offertes par la ville, comme une soirée de vues animées au théâtre. Inversement, pour celles de la campagne, la ville représente des mondanités délicieuses et beaucoup de beaux vêtements, comme ceux illustrés dans les catalogues des grands magasins. Que l'interlocutrice du mendiant ait cherché le nom du parfum indique qu'elle doit connaître par cœur l'œuvre de Eaton ou de Sears. L'étranger met en scène une héroïne de France, fort distinguée, portant bijoux et dernières créations de Paris, et utilisant les parfums les plus enivrants afin que tous les messieurs soient à ses pieds. Un jour, à l'opéra, un homme de la haute s'est plaint de la légèreté des femmes d'aujourd'hui, osant se parfumer, signe de la déchéance des mœurs. « Alors, la Parisienne s'est retournée pour lui répondre… » Gros-Nez cesse son discours, écarquille les yeux. « Quoi ? Qu'est-ce qu'elle lui a répondu ? » Le quêteux aimerait le savoir… Oh ! Les tirades de Joseph sur la modernité, sur le nouveau siècle ! « Elle a bien fait de lui répondre ça ! Les hommes sont si anciens ! » Parfum égale bon goût : c'est ainsi que se présente la femme du vingtième siècle. Public ravi, qui applaudit.

« Et mon bœuf ? Tu sais ce qu'il sent, mon bœuf ? » tonne le fermier, d'un air amusé, sous les protestations des belles. Gros-Nez salue avec distinction, avance vers son hôte, qui a eu la bonté de lui prêter ce baquet pour le débarrasser de l'odeur diabolique de ce parfum. « On va enlever les grosses roches dans mon champ. Un gaillard de ton genre ne doit pas avoir peur de suer. Si tu travailles comme il faut, je te donnerai une chemise. »

Gros-Nez s'amuse avec le laboureur, un joyeux pince-sans-rire, mêlant l'ironie à un solide sens du réalisme. Pendant ce temps, les femmes se demandent si un tel vagabond, avec ce nez monstrueux, n'a pas été, un jour, un jeune homme romantique. Elles se perdent dans toutes les théories imaginables sur les raisons ayant poussé des hommes à tout laisser pour vivre de mendicité. L'une des plus populaires consiste à croire que la mort d'un grand amour aurait mené à cette décision.

« Le printemps, les vaches deviennent folles et les bœufs, habituellement si calmes, perdent toute contenance en voyant l'attitude de ces jolies. En fin de compte, je sors gagnant avec des veaux et du bon lait. Les femmes sont comme les fleurs. Belles et envoûtante au printemps, mais fanées à la fin de l'automne.

— Quand je travaillais pour les chantiers de coupe de bois, les gars, chaque printemps, ressemblaient à vos bœufs en pensant à leurs vaches… heu… je veux dire, en pensant à leurs épouses qui les attendaient.

— T'as travaillé longtemps, dans les chantiers?

— Près d'une dizaine de fois.

— Moi aussi. C'est vrai, ce que tu dis là, quêteux. Le printemps, là-haut, c'est merveilleux à voir.

— Une blancheur inouïe! »

Quelle agréable halte de deux jours! Gros-Nez a aidé l'homme, fait rêver les femmes et amusé les enfants. Il se retire, son sac aussi plein qu'à son arrivée. « Ça n'a pas de sens comme il devient lourd. Je vais être obligé de troquer au prochain village. Ce serait une bonne idée d'acheter un autre livre au garçon de Joseph. Quand je pense qu'il a une petite amoureuse! Elle doit être radieuse, en ce printemps. Elles le sont toutes à ce moment de l'année. » Après la socialisation, le vagabond a le goût d'un peu de solitude. Il aime tant s'asseoir contre un arbre afin de penser, rêvasser et jeter dans son carnet quelques phrases idéales comme maximes de ses histoires.

Aux abords de la forêt, les traces de l'hiver survivent avec plus d'éclat. Gros-Nez sait qu'en s'enfonçant un peu, il trouverait des monticules de neige aussi blanche qu'en janvier. Ayant déniché un coin confortable, l'homme s'assoit, bourre sa pipe et se laisse caresser par le silence. Il voit quelques oiseaux, sans doute à la recherche de brindilles pour construire un nid solide. Gros-Nez met la main sur un biscuit qu'il égraine en leur direction. « Partageons. J'en ai trop! Curieux, non? Un quêteux qui a trop à manger! » Les volatiles prennent rapidement note, mais ne s'attardent pas trop près de cet humain. Il se souvient qu'un goéland venait chercher des miches de pain sur sa jambe, qu'il les mangeait en ne s'éloignant presque pas, sachant qu'il en aurait ainsi davantage.

« Vous êtes le symbole du renouveau. Le saviez-vous, cervelles d'oiseaux ? Vous et les fleurs. Quand vous partez, les gens disent que l'hiver approche. Quand vous régnez, ils disent que c'est un bel été parce que les oiseaux chantent et que les fleurs sentent bon. Quand vous revenez, plus d'un s'exclame que le printemps arrive. Je me demande ce que les gens du Sud disent quand vous arrivez du Canada en caravane volante. Au fait, n'avez-vous pas une partie de baseball à me raconter ? Comment ? Encore un biscuit ? D'accord. »

Après cette heureuse pause, Gros-Nez reprend la route pour une autre journée. Quand le soleil tire doucement les couvertures, la température de la terre devient plus froide. Le quêteux sent qu'il faut songer à trouver un autre coin pour la nuit. Voici quelques maisons. « Dehors, chenapan ! Pas de va-nu-pieds sur mes terres ! » Le rejeté aimerait lever le petit doigt et préciser qu'il est déjà dehors, mais le vagabond croit qu'il vaut mieux se taire. Quatre échecs consécutifs ! Il poursuit sa route, sachant qu'elle mène vers un village ou une petite ville. Le froid semble toujours moins tranchant dans les agglomérations.

Soudain, il entend une automobile approcher. Le quêteux hausse les épaules. Les voitures à traction animale, oui ! Mais aucun bourgeois conducteur d'automobile ne fait monter des inconnus. Gros-Nez soupire en se rappelant qu'aux premiers jours de sa saga, ces monstres mécaniques n'existaient pas et que, conséquemment, il trouvait très souvent preneur en agitant la main. « Quand je pense à Joseph et à sa Ford ! Il a fière allure ! Quel éternel gamin ! »

La ville dort, même s'il est encore tôt. Aux frontières du lieu, Gros-Nez a croisé une manufacture très éclairée. Quand il voit des maisons et une lueur aux fenêtres, l'homme se dit certain qu'elles sont habitées par les ouvriers de cette usine. Trouver un coin pour coucher devient de plus en plus difficile, dans les villes, alors que la tradition d'accueil survit à la campagne. L'espace manque dans ces maisons insalubres, qui ressemblent à toutes les horreurs du monde, sauf à des foyers. Par contre, les centres urbains regorgent de parcs confortables et de ruelles nauséabondes, mais ayant l'avantage de protéger du vent.

Gros-Nez perd un peu de temps le long de la rue commerciale. Il juge que ses efforts de la journée méritent une gâterie : thé chaud et pointe de tarte ! À cette heure, les petits restaurants deviennent des havres pour les flâneurs, éternels habitués à l'affût de nouvelles, d'anecdotes à transformer, de commérages à répandre. L'arrivée d'un gaillard inhabituel, portant une barbe grisonnante et des cheveux en broussaille, représente une occasion rare.

« Je suis voyageur de passage et je cherche un endroit pour coucher.

— Il y a une auberge à trois rues d'ici.

— Je n'ai pas d'argent pour payer une chambre. Je compte sur la générosité de mes frères et de mes sœurs de…

— On n'est plus à l'époque des quêteux, étranger ! »

Gros-Nez force un sourire. On lui sert de plus en plus souvent de tels propos. À ses débuts, les villes, surtout les plus modestes, étaient un prolongement de la campagne. Maintenant, elles semblent se donner une identité en s'inspirant de ce que les élus lisent dans les journaux de Montréal ou de Québec. Un homme se mêle à la conversation, affirmant que le vieux gardien de nuit d'une manufacture, située à quelques rues, accepterait sans doute d'offrir un coin pour dormir.

La solitude de la nuit ! Le quêteux l'a souvent vécue, cherchant à la comprendre. À une occasion, il avait rencontré un homme vantant la splendeur de la nuit, la douceur du silence, si bien qu'il se sentait incapable de vivre à la clarté. Ce discours faisait écho à celui d'un Indien connu au temps de la jeunesse du mendiant.

Le gardien de nuit n'est sans doute pas un nocturne. La visite d'un étranger le ravive. « Mon patron est un peureux. Personne ne viendra voler ici, mais il lui fallait un gardien. Ça fait plus prospère. » Gros-Nez se sent heureux d'être au chaud pour une nuit, si le gardien daigne cesser de parler pour le laisser dormir… L'homme fait tourner son bâton, puis part faire une ronde, en sifflant très fort. Il réveille son invité à sept heures. Les ouvriers arrivent une heure plus tard et le patron n'aimerait sûrement pas appendre que le gardien héberge des inconnus. « Tu viendras me rejoindre à la maison. Pendant que je vais dormir, tu conteras fleurette à ma femme. Elle te préparera un bon déjeuner. »

Gros-Nez sort, étire les bras, se voit étonné par le silence entourant ce lieu grisâtre. La température matinale semble prometteuse pour le reste de la journée. L'air légèrement frais chatouille les sens du quêteux. Il flâne autour en attendant la sortie du gardien. À la maison, Gros-Nez sursaute en constatant que l'épouse de cet homme dans la cinquantaine a à peine vingt ans. Elle lui demande immédiatement des nouvelles du lointain. « Vous êtes de la campagne, n'est-ce pas ? » Elle répond affirmativement d'un coup de tête. Les racontars de l'étranger donnent satisfaction à la belle. « Vous voulez savoir pourquoi je me suis mariée avec un homme beaucoup plus vieux que moi ? » Le quêteux assure que non, mais elle se dit certaine du contraire.

« Je suis de passage. Je vais continuer mon chemin aujourd'hui. Il fait si beau ! Je vous remercie pour le repas et vous saluerez votre époux de ma part. Il m'a ouvert sa porte avec générosité, sans poser de questions, signe d'un grand cœur.

— Voulez-vous me rendre service, avant votre départ ?

— Avec plaisir.

— J'ai une commande pour l'épicier. Je vous donne ma liste. Transporter deux sacs est souvent lourd pour une femme aussi petite que moi.

— Avec joie. »

Gros-Nez se laisse enivrer par les bonnes odeurs de l'épicerie, tenue par un père et ses deux enfants. Le garçon semble expert en fruits. Portant ses deux sacs dans les bras, le quêteux analyse les vitrines et sent dans son dos les regards de tous. Heureuse d'avoir fait ses emplettes sans se déplacer, la jeune épouse laisse tomber une pomme dans les mains de l'invité. « Il y a une histoire ancienne qui a débuté ainsi : une femme donne une pomme à un homme… » Le vagabond sourit, quitte sans regarder derrière lui, se laissant porter par la charmante température. La campagne retrouvée, il marche avec plus de vigueur, saluant les hommes aux champs qui donnent des coups de hache dans les monticules de neige durcie résistant au soleil. Une femme doit se sentir fière de pouvoir étendre sa lessive à l'extérieur pour la première fois, sur une corde reliant sa maison à un arbre. Les plus jeunes enfants courent partout, ignorant les recommandations de la grande sœur.

Au cours des deux jours suivants, des périodes de fine pluie se chamaillent avec des moments ensoleillés. Gros-Nez n'a pas manqué de travail aux champs et a pu dormir dans les granges. À l'entrée d'une petite agglomération, il croise une serre. D'accord pour garder les légumes et les fruits au chaud, mais le vagabond a toujours trouvé étrange qu'on y fasse pousser des fleurs. Curieux, il approche afin d'examiner tout ça de plus près. À sa grande surprise, le jardinier se présente sous la forme de trois femmes, aussi magnifiques que leurs fleurs. Voilà la femme du vingtième siècle : elle mène une entreprise comme un homme.

« Pourquoi ça vous surprend, monsieur ? Nos mères et nos grand-mères, à la campagne, n'ont-elles pas toujours été jardinières ? Maîtresses d'imposants potagers ?

— Certes, mais elles ne disposaient pas d'une aussi belle serre avec un écriteau indiquant leur nom, suivi de « inc. » au bout.

— Je vois ! Que désirez-vous ? Nous avons les plus belles espèces, aussi attrayantes qu'en juillet. Voilà l'avantage des serres : c'est l'été toute l'année.

— Je ne désire rien, madame. Je suis quêteux et…

— Un quêteux ? Ça existe encore ?

— Suis-je le survivant d'une espèce en voie d'extinction ?

— Quel est votre nom ?

— Gros-Nez.

— Ah ! Ah ! Ah ! Gros-Nez !

— Si on m'avait appelé Petit-Nez, il n'y aurait eu aucune logique.

— Vous êtes drôle ! »

L'offre habituelle du vagabond plaît à ces femmes d'affaires. Le voilà transportant des poches de terre d'une extrémité de la serre à l'autre. En retour, il a droit à la traditionnelle tasse de thé et aux petits gâteaux. Sans qu'aucune ne le sonne, il raconte une légende indienne, récit interrompu par le chant des oiseaux. Le lendemain, Gros-Nez accompagnera la plus jeune, qui a loué un espace au marché public de Québec. En attendant le départ, il peut coucher dans la serre.

L'homme a du mal à fermer l'œil, craignant qu'une abeille gourmande ait hiverné, saoulée de nectars et fonçant vers un dodu dessert humain. Soudain, le tonnerre gronde. Debout au milieu des plantes, le quêteux assiste au spectacle étrange des éclairs au-dessus de sa tête, sans qu'il ne sente la pluie et le vent. Le lendemain, il place les fleurs et les semences dans une voiture accrochée à l'arrière d'une automobile.

Voilà la femme moderne au volant, portant un énorme chapeau où niche un serin de chiffon. Ce couvre-chef est attaché à son cou à l'aide de rubans orangés. Quelle fière allure ! Le vagabond l'examine tant qu'elle lui fait remarquer qu'elle pourrait se mettre à rougir.

« Cela irait à ravir avec votre volatile. » L'homme s'excuse et porte son regard vers le fond de l'horizon.

« Vous ne songez pas à vous marier ?

— Je le suis depuis déjà deux années.

— Des enfants ?

— Malheureusement non.

— Votre mari ne proteste pas de vous voir travailler ainsi ?

— Pourquoi le ferait-il ? Je gagne plus cher que lui ! Je vous étonne, n'est-ce pas ?

— Je suis sans doute un homme du dix-neuvième siècle.

— Vous vous exprimez très bien pour un mendiant. Je crois que vous avez beaucoup d'instruction.

— Des milliers de rencontres, désirées ou inattendues. Des infinités de situations. Me voilà, en effet, fort instruit.

— Êtes-vous marié ?

— Non, mais j'ai une maîtresse.

— Une… ? Monsieur Gros-Nez, tout de même !

— Une maîtresse douce et fidèle : la liberté. »

Agréable voyage en automobile, malgré la boue rendant la route hasardeuse. Le chemineau se plaît à annoncer les trous à la conductrice qui donne des coups de volant habiles pour les éviter. L'entrée dans la ville de Québec met fin aux soubresauts. Ces routes de campagne ont été construites pour les chevaux et non pour les idées géniales de monsieur Ford. Gros-Nez réalise de plus en plus que les chevaux urbains commencent à craindre pour leur règne, alors que les automobiles roulent sans se préoccuper d'eux. La jeune femme va d'abord porter sa valise chez une cousine, l'accueillant pour ce séjour.

Enfin au marché, elle va s'assurer que son coin de location est prêt à la recevoir, pendant que Gros-Nez attend pour transporter le matériel.

« Vous avez été de bon service, monsieur Gros-Nez. Cela vaut bien le dollar que voici.

— Point d'argent, gentille dame. J'ai mangé comme il faut, dormi au sec pendant une tempête, j'ai été ravi par votre conversation et celles de vos associées. Me voilà payé et comblé.

— J'insiste pour vous récompenser.

— Alors, donnez-moi deux fleurs. »

Elle s'attendait à une révérence loufoque pour lui tendre une des fleurs, mais Gros-Nez les dépose dans la poche de son vieux veston, sourit, tend la main, remercie pour les largesses, souhaite le succès à ses deux partenaires et à elle-même, puis s'éloigne en regardant droit devant lui. Cependant, il la déjoue quand, trente minutes plus tard, il cogne à son épaule pour donner une odorante. « Faire ce qu'autrui attend de nous rend la vie grisâtre et moi, je suis l'arc-en-ciel des cœurs. De nouveau, au revoir. »

Le quêteux flâne dans la ville. Les maisons font écran à la brise printanière et la température semble plus chaude qu'elle ne l'est en réalité. Les îlots de neige encore présents à la campagne sont disparus des rues de Québec depuis quelques semaines. À cette image, les gens ont enlevé leurs lourdes pelures. L'attention du mendiant se porte vers les jeunes filles, le plus touchant tableau de cette saison. Soudain, l'homme se demande pourquoi il s'intéresse tant au sexe faible.

Il entre dans une librairie, à la recherche d'un bon livre à donner en cadeau au fils de Joseph. L'achat dans son sac, le mendiant se presse vers le nord de la ville, là où les trains n'ont pas encore atteint leur pleine vitesse. Il fume nerveusement sa pipe le long des rails, vociférant avec amusement contre l'inexactitude du service. Quand le monstre se présente enfin, Gros-Nez se frotte les mains, happe le monstre au passage. « Si Joseph me rappelle mon âge, je vais lui raconter de quelle façon je l'ai eu, celui-là ! Bon ! Qu'est-ce qu'il y a là-dedans ? Pas du parfum, j'espère ! » Il voit des caisses, approche pour en peser une, mais n'insiste pas.

Il s'assoit pour mieux penser aux aventures des derniers jours. Quand le convoi ralentit, le quêteux se cache derrière la montagne de boîtes. Cette marchandise est peut-être destinée aux villages et il n'a pas le goût de se faire insulter par un des employés de la compagnie. Il compte les arrêts le rapprochant des Trois-Rivières. Il saute à quelques milles de la ville, bondit sur ses pattes comme un chat de gouttière. Il s'assure que la fleur de Québec n'a pas trop souffert de tous ces mouvements brusques.

Gros-Nez marche avec empressement, car il a l'impression de retourner chez lui. Le fils de Joseph n'est maintenant plus un enfant, mais un jeune homme curieux qui pose sans cesse des questions sur les allées et venues du vagabond. Il écrit des histoires, tel un romancier en gestation et Gros-Nez ne peut s'empêcher de devenir son critique le plus juste. En approchant du restaurant familial, le mendiant voit ce qu'il désirait : le garçon assis sur un banc posé sur le trottoir, avec sa jeune amoureuse à ses côtés. Gros-Nez s'agenouille, la main sur le cœur, tend la fleur vers la belle en déclarant : « À mon printemps adoré ! » Une heure plus tard, il était dans un autre wagon, vers une destination inconnue.

CHAPITRE 1895 : ÉTÉ

La forêt permet tout ce que la nature conseille. Voilà Gros-Nez en caleçons, torse nu, assis dans un ruisseau. De ses mains, il asperge d'eau son visage. Déjà quinze minutes qu'il se délecte de ce jeu, décidé à ne pas se discipliner. Il y a une semaine, à Montréal, il a vu quatre ouvriers aux visages profondément encrassés, ruisselants de sueur, marcher comme des morts vivants en sortant d'une manufacture, afin de gagner un salaire de misère. Une chaleur intenable régnait dans les rues et il devait faire vingt degrés de plus dans leur lieu de travail.

Après le délassement, le travail suit : Gros-Nez savonne vigoureusement ses vêtements, les rince avec minutie, les étend sur les banches d'un arbre, puis il se fabrique un oreiller de feuilles. Il allume sa pipe et fait l'inventaire de ses biens. « Pas très frais, ce pain de la paysanne qui se voulait si généreuse… Allez, les oiseaux ! Régalez-vous ! Voyons… Il me reste dix-sept sous… Comme je suis pauvre ! Merveilleux ! La bouteille d'encre ? Solidement scellée, mais il n'en reste plus beaucoup… Et si j'écrivais un mot à Joseph ? » Après une superbe nuit, le vagabond se réveille en grande forme, anxieux de reprendre la route.

« Les quêteux ? Pleins de poux ! Sales ! » Gros-Nez pense à son grand ménage de la veille, fixe cet homme dont la chemise porte les marques de transpiration sous les bras, puis décide de ne pas s'attarder. Son physique imposant a souvent représenté un défi pour les vantards, désireux de coucher au sol un plus grand qu'eux. Répondre à cette insulte serait une invitation à cette puérilité inutile. Le mendiant a appris depuis longtemps que tous ceux à qui il demande quoi que ce soit ont toujours raison dans leurs réponses. Dans le cas contraire, Gros-Nez se verrait assuré de ne jamais rien recueillir. Deux heures plus tard, après avoir pelleté de la terre, le vagabond retourne chez ce marchand général retors, qui avait refusé de lui échanger une bouteille d'encre contre un peu de travail.

« Je t'ai dit de ne pas venir dans mon magasin, pouilleux ! » Gros-Nez fait entendre le seul langage compris par les marchands, celui des sous. Tous se prosternent devant le papier et le métal : les Américains millionnaires et les marchands de bric-à-brac de la campagne la plus reculée. Le quêteux s'assure que le pot neuf est solidement fermé, puis part à la recherche d'un bureau de poste. « Joseph aura sa lettre, le marchand a ses sous, le rentier sa terre retournée et moi, j'ai drôlement faim ! »

Le travail a un peu sali les vêtements si soigneusement lessivés la veille. Retourner au ruisseau ? Gros-Nez a sa fierté. Plus que souvent, il a usé des pantalons, des chandails et chemises jusqu'à la corde, mais jamais il ne les a laissés souillés. Un savon fait partie de sa trousse de survie. Souvent, il porte des hardes défraîchies, cadeaux de femmes de ménage lasses de rapiécer.

Dépassé les limites du village, il croise quelques fermes, les examine un peu avant de juger s'il sera bien reçu ou pas. Peut-être qu'avec sa culotte salie, Gros-Nez aurait avantage à s'adresser aux hommes, dans les champs, plutôt qu'à leurs épouses.

« Je viens de retourner la terre d'un rentier du village. C'était un peu marécageux.

— De la pluie est tombée pendant trois jours, au début de la semaine, étranger. Si vous désirez vous salir pour la peine, venez m'aider. Ma femme vous donnera à manger et vous pourrez dormir dans ma grange, pendant que vos vêtements tremperont dans un baquet toute la nuit.

— Merci, monsieur. Votre offre me paraît satisfaisante. »

Il n'y a rien de plus beau que l'été à la campagne. Les villes deviennent alors insupportables, car avec la chaleur, les citadins sont incommodés par les odeurs nauséabondes, alors qu'ils les remarquent à peine le reste de l'année. On y trouve des parcs ou jardins publics, imitations de ce qui paraît si naturel dans le monde rural.

Le paysan travaille à son rythme, tout en sachant que son labeur sera synonyme de bien-être pour les siens. Ainsi, celui-ci décide-t-il d'arrêter après une heure, pour faire goûter son tabac à Gros-Nez. Une telle chose serait impensable dans une manufacture. Voici une fillette approchant avec une cruche d'eau.

« C'est un quêteux et…

— Un quêteux ? Maman ! Maman !

— Hé ! C'est un bon quêteux ! Il s'appelle Gros-Nez et… ces enfants ! Je vais la rattraper ! »

Les grimaces hilarantes du vagabond effacent rapidement toute crainte. La petite rit, tout de même intimidée, et finit par s'envoler comme un charmant papillon.

« Je n'ai que des filles. Elles sont ma fierté mais, comme je suis laboureur, un gars serait utile pour m'aider et pour l'héritage. Parfois, j'engage un journalier, mais pas trop souvent, car je n'ai pas tellement d'argent avant les récoltes.

— Je peux vous donner un coup de main pour les prochains jours, en retour de mes repas.

— Peut-être… Peut-être… Bon ! Au travail ! »

Après quatre jours, Gros-Nez reprend la route, même s'il aurait pu passer une partie de l'été dans ce canton. La rumeur d'un homme fort, travaillant pour de la nourriture, a vite fait le tour des zones agricoles. Un laboureur l'a même assuré d'un dessert à chaque repas. Le quêteux a eu son salaire de relations avec ses semblables, mais le temps de se rendre plus loin semble venu. Une heure après son départ, il pleut. Cependant cette douce pluie, tel un brouillard caressant gentiment le visage, étreint et il sourit. Il ne saurait être question de trouver un abri, du moins jusqu'à ce que la fatalité annuelle se produise : ses chaussures trop usées laissent infiltrer l'eau. « Une tête mouillée, des mains, des vêtements : d'accord ! Mais pas les pieds ! »

À l'abri sous un arbre gigantesque, Gros-Nez rit en recevant quelques gouttelettes que les feuilles laissent échapper. Cependant, l'orage ne dure pas longtemps et le soleil parade, racontant à l'humanité son triomphe dans ce combat. Un arc-en-ciel lui sert de trophée. L'homme regarde, émerveillé, puis salue. Il regrette de ne pas être parmi ses semblables, sachant que tous adorent un arc-en-ciel.

Tel un gamin se rendant à l'école, Gros-Nez marche pieds nus, tout en murmurant des bribes de phrases pour une histoire à peine imaginée. Un peu plus tard, il arrête pour les écrire, afin de ne pas les oublier. Il laisse tremper ses pieds dans un ruisseau pour les débarrasser de la boue. Enfin, il remet ses chaussettes et ses horribles souliers, décidé à régler ce problème à sa prochaine halte.

Voilà l'homme dans une petite localité. Joyeux hasard : la première boutique qu'il voit est une cordonnerie. Dans les villes, le troc ne fonctionne jamais, mais demeure souvent de mise à la campagne. L'artisan propose un fond de cuir, jugeant la semelle encore solide. En retour, le quêteux s'occupe du grand ménage de l'écurie. Après une heure, une poignée de main scelle la fin de la transaction. Le cordonnier a un frère éleveur qui ouvrira sa porte pour quelques menus travaux. Cet homme le recommande au troisième voisin qui adore les histoires de la ville et dont l'épouse prépare le meilleur potage du canton. Après quatre jours, la chaîne des relations s'étant interrompue, Gros-Nez reprend la route au moment où la semelle de cuir miracle est déjà brisée.

Les jours suivants, il rencontre une jeune fille éplorée, un garçon de neuf ans qui lui récite par cœur les dix premières pages du catéchisme, un vieillard assurant que « le monde devient fou », une Indienne révoltée contre le curé du village, sans oublier un marin saoul, enfoncé à trente milles dans les terres, loin du fleuve et des navires, mais portant tout de même son uniforme. De services en services, Gros-Nez compte la somme récoltée afin de se procurer des chaussures neuves qui devront lui demeurer fidèles une année entière.

À Québec, il trouvera un bon marchand. Cependant, l'errant a le malheur de croiser un garçon pieds nus, vêtu misérablement, tendant la main aux passants, assurant que sa famille n'a pas mangé depuis trois jours. Vrai ou faux, une partie de la somme tinte dans les mains du gamin, fou de joie. Le quêteux demeure dans cette famille pendant plusieurs heures, sans rien leur demander, mais il travaille fort pour faire rire tout le monde.

« Peut-être que je devrais arrêter chez Joseph… Quelle bêtise a-t-il encore pu commettre, mon Ti-Jos ? Je verrai… Me voilà dans la bonne direction. Marcher de Québec jusqu'aux Trois-Rivières ? Un beau défi ! Rendu à destination, j'aurai rencontré cent autres personnes et j'aurai autant d'histoires à raconter. »

Le lendemain, au début de la soirée, Gros-Nez voit un mirage : des grands enfants jouant au baseball dans un champ, encouragés par les parents et voisins. Il n'hésite pas à offrir ses services comme arbitre. Sa proposition suscite l'indifférence la plus totale. L'homme s'assoit à l'écart pour regarder la compétition. Parfois, il sursaute en constatant une défaillance technique d'un des exécutants. Il vaut mieux se taire et laisser son cœur retourner vers ses jeunes années à Manchester où la pratique de ce sport n'avait qu'un synonyme : l'été.

La brunante fait des clins d'œil, pressant les perdants à vouloir gagner coûte que coûte. Comme cela ne se produit pas, de bonne grâce, chacun se serre la main et se donne rendez-vous la semaine suivante pour une autre rencontre. C'est alors que des hommes lorgnent du côté du colosse étranger, se baladant sur le terrain, encore chaud des exploits et des bêtises des jeunes.

« Un quêteux ?

— Je connais très bien ce sport. J'en ai joué en Nouvelle-Angleterre, puis j'ai arbitré.

— Vrai ? Très à propos, c'est le fils d'un exilé canadien qui a montré aux jeunes du coin, voilà au moins vingt ans. On m'a dit qu'on y joue à Montréal, dans les Cantons de l'Est.

— J'aurais pu devenir professionnel, mais le destin en a décidé autrement.

— J'ai entendu dire que des hommes sont payés pour pratiquer ce sport, aux États-Unis.

— Les meilleurs ! J'ai déjà vu l'équipe de Boston contre celle de Baltimore ! Étincelant !

— Venez chez nous pour parler de ça aux jeunes. Vous pourrez coucher dans mon étable. »

La semaine passe comme dans un rêve, alors que les adolescents écoutent les conseils de Gros-Nez sur la manière de frapper comme il faut la balle, de l'attraper avec dextérité et de la lancer avec force et précision. Il en met plein la vue à chacun en cognant une balle jusque sur le dos de la vache d'un voisin. L'homme et l'animal n'ont pas tellement apprécié. Dans la foulée, le vagabond intrigue les adultes. Gros-Nez couche dans un lieu différent chaque soir et ne manque pas à manger.

Il aurait pu demeurer là jusqu'à l'automne, mais après la victoire écrasante de son équipe, il a rempli son sac, débordant de victuailles, pour s'enfoncer dans l'horizon. Givré de baseball, il décide d'atteindre une grande ville où il pourra voir d'autres exploits sportifs. Chemin faisant, Gros-Nez rencontre des enfants qui gazouillent et courent dans les champs, d'autres jouent à la cachette, une nymphe marche dans un ruisseau et un laboureur, torse nu, travaille tout en sifflant très fort. Belle journée et doux repos ! Un train ne peut lui résister. Fatigué, le quêteux s'endort rapidement dans un wagon rempli de tonneaux, mais se fait réveiller par des coups de pieds et des insultes d'un employé du chemin de fer. Le vagabond s'enfuit, ne comprenant pas pourquoi il ne s'est pas réveillé quand le convoi ralentissait. Le voyageur clandestin se rend compte rapidement qu'il se trouve à Montréal. « Des problèmes en perspective… Me voilà à Montréal. Quelle déveine ! »

Le mendiant traverse quelques rues, ne trouve personne à qui parler, car tous les gens semblent pressés, occupés à servir quelqu'un d'autre. Il poursuit sa route jusqu'à la vieille partie de la ville afin de se donner l'illusion d'être à Québec. Les quartiers anciens portent les mystères du passé, même si les rues étroites sont enlaidies par des dizaines de poteaux pas toujours droits. Gros-Nez croise des immigrants qui offrent des pommes, sans doute achetées dans une épicerie du nord et revendues à profit dans le sud. Il tente de reconnaître leur langue. Est-ce que ces gens ont goûté à la Méditerranée ou se sont laissé bercer par un magnifique paysage des Alpes ? Il y a toujours des gens désireux d'aller ailleurs. Gros-Nez se souvient de ses compatriotes de l'Est américain, demandant sans cesse des nouvelles du Canada. Croquant sa pomme, il marche doucement et voit, de l'autre côté de la rue, un homme tendant la main aux passants. « Tiens ! Un quêteux ! »

Gros-Nez analyse la méthode de ce confrère, un peu grossière et sans finesse : il interpelle bruyamment les gens, en anglais. Le mendiant ne savait pas qu'il pouvait exister des miséreux dans le clan des dirigeants. Le voilà prêt à faire connaissance quand survient le prévisible : un policier hardi chasse l'inconnu tout en le bousculant. D'autres dirigent les nécessiteux vers les refuges où il y a des couchettes sales et pleines de poux, où les sans-toit sont traités avec mépris.

Gros-Nez a vite fait de rattraper le confrère qui parle rapidement, sans pouvoir s'arrêter. Cet homme-là devait être enfermé dans un asile, il n'y a pas si longtemps. Peut-être s'en est-il évadé. Un fou ! Il y a des mots plus savants, mais c'est plus simple de les traiter de fous. Tout en poursuivant son monologue infini, l'homme tend encore la main en sifflant les passants. Gros-Nez sort de son sac un pain qu'il lui tend. L'autre, immédiatement, en fait des miettes et les jette sur le trottoir en imitant le chant des oiseaux. Le vagabond se joint au fou avec joie, semant l'effroi, la curiosité et l'amusement des badauds, du moins jusqu'au retour du policier, profondément fermé à la discussion. Gros-Nez passe le reste de l'après-midi avec cet homme étrange. Au moment de l'adieu, il serre l'autre par les épaules avec affection et insistance.

Gros-Nez part immédiatement à la recherche de nourriture. Une charrette remplie de lourdes caisses fait l'affaire. En retour de son aide, il obtient cinq sous. Un peu plus tard, il aperçoit une vieille femme sortant d'une épicerie avec deux sacs. L'homme les transporte jusque chez elle. Six sous. Avec une telle fortune, il pourra acheter un fruit ou des biscuits.

Une famille est réunie sur une galerie, avec un pot d'eau pour rafraîchir tout le monde. Gros-Nez monte, se présente, offre son aide. Rien! Rien! Trois fois rien! Le quêteux sait qu'il finira par trouver un groupe de paysans déracinés. Facile! « Nous venons des Bois-Francs. Nous avons toujours de la parenté, là-bas. » Il ne lui reste qu'à mettre le nom d'Arthabaska à la place d'un autre, ajouter des montagnes, insister sur l'air pur et que voilà une belle histoire des Bois-Francs, pimentée de gestes expansifs et de mimiques amusantes. Le vagabond obtient ainsi la permission de coucher sur la galerie. Le matin venu, avec un peu de chance, il aura droit à une rôtie, un peu de bacon.

Le mendiant est réveillé par un lever de soleil si étonnant qu'il ouvre la bouche, ébahi par cette splendeur émanant d'un paysage affreux. L'astre efface les poteaux de téléphone, les fils électriques et le panneau criard d'un marchand. Le phénomène semble signaler aux citadins : « Attention! Je suis plus important que tout! » Les oiseaux, approuvant, chantent ses louanges et un coq perdu dans le lointain se manifeste avec fracas. « Un coq? » se demande Gros-Nez. Il en a croisé dans des villes moyennes, tout comme des poules, des vaches et des porcs. Mais à Montréal? « C'est beau, n'est-ce pas? » Le quêteux sursaute, se retourne pour apercevoir la mère de famille, radieuse. « Je vais vous apporter un bol d'eau pour votre toilette. Après, vous mangerez avec nous. »

La veille, il n'était surtout pas question de le laisser entrer. Gros-Nez est habitué à des situations semblables, tant à la ville qu'à la campagne. Cependant, les granges du monde rural sont plus confortables que les perrons, les hangars, les ruelles. Il ne sait pas trop pourquoi la femme a changé d'avis. Peut-être à cause du lever du soleil ?

Logement ouvrier infect, transformé en palace par la présence joyeuse des membres de cette famille. Voilà quelques années, Gros-Nez avait été reçu dans une maison bourgeoise par un homme désireux de tenir tête à son épouse, qui se prétendait la meilleure catholique de la province et refusait de faire la charité à l'inconnu. Tout était fort propre et brillant, mais le quêteux n'avait vu ni sourires ni bonheur. Mastiquant lentement un biscuit, le quêteux a l'impression de voir plus d'enfants que la veille. L'aînée des filles, près de ses douze ans, se rend à l'usine de textiles, alors que le grand garçon, pas tellement plus vieux, part vers une autre manufacture dans une direction opposée. Le père va tout droit, montrant de la main la fumée d'une entreprise dévorant le ciel du quartier. Les petites filles aident la mère à desservir la table, alors qu'un garçon de huit ans lui promet qu'il rapportera des sous en faisant des commissions. Gros-Nez sort sa balle qu'il fait rouler devant un bambin aux pieds nus.

« La ville est laide. La ville est belle. L'été m'écrase. L'été m'enchante. On dirait que je n'ai plus d'opinion sur rien.

— Ce que vous venez de dire représente la réalité en toute chose. Il y a toujours un bon et un mauvais aspect en quoi que ce soit. Les gens qui ne l'admettent pas finissent par vouloir contrôler leurs semblables et cela devient très malsain.

— Vous n'êtes pas un quêteux ordinaire pour parler comme ça.

— Je dis quêteux, car c'est un beau mot de la tradition canadienne pour désigner ceux qui ont choisi une autre voie que celle destinée à tous les autres.

— Tiens ! Encore !

— Faites garder le bébé et la fillette par une voisine et je vais vous montrer.

— Quoi ?

— Vous avez bien entendu. C'est d'ailleurs pour cette raison que vous me retenez : pour parler.

— Au fond, vous avez raison. Je sais qu'il y a de la sagesse chez ceux qui ne vivent pas comme tout le monde. Quand j'étais enfant, un quêteux passait de temps à autre et il racontait toutes sortes de choses qui me rendaient heureuse. C'était un ancien draveur qui avait eu un accident et il se faisait appeler Patte-Cassée. »

Gros-Nez a souvent noté de la lassitude chez les femmes dans la trentaine. Depuis le temps des fréquentations, leur vie n'a été qu'une succession de grossesses avec leur cortège de pleurs et d'inquiétudes à propos des enfants. Leur univers se limite aux quatre murs de leur cuisine, à la chambre à coucher et à quelques moments sur le trottoir.

Les jeunes gens de milieu agricole disent qu'il y a tant à voir, dans les villes. Gros-Nez n'a jamais osé leur raconter que les urbains pensent la même chose de la campagne. Aux premiers, le mendiant évoque les grands parcs, les fanfares dans les kiosques et les théâtres de vaudeville, gardant pour les seconds la beauté de la nature, le bon air et le temps qui passe avec douceur.

« Quand mon mari va apprendre que je suis sortie avec un quêteux…

— Il ne dira rien. Il a bon cœur, votre époux.

— Comment pouvez-vous le savoir ?

— Parce que j'ai rencontré des milliers de bons cœurs et autant de sans- cœur.

— Où m'emmenez-vous ? J'ai soudain un regret. Que va penser la voisine ? Que je ne m'occupe pas de mes enfants ?

— La voisine sait que vous prenez soin de ces enfants-là et des autres toute l'année, sans arrêt. Alors, qu'est-ce que ça représente rater un après-midi ?

— Où allons-nous ? Je veux le savoir.

— Là où le vent me pousse. »

Suite à cette réponse, la femme arrête immédiatement, se retourne et presse le pas vers sa maison. « L'occasion ne reviendra pas avant longtemps. Ce n'est pas en hiver que vous goûterez une heure de liberté. » Gros-Nez sait où se diriger : vers le fleuve, mais pas du côté du port ni du parc Sohmer. Le fleuve en bordure de Montréal a ses coins secrets, là où il se transforme en cours d'eau de paix, comme s'il coulait à la campagne.

« Je l'ai parcouru de long en large, sur les deux rives. De l'Ontario jusqu'à la Gaspésie. Quand rien ne va, je marche vers le fleuve. Son cœur me rappelle les ancêtres venus de France pour fonder un pays. Il a toutes les beautés de l'Univers. L'été, sur le bord du Saint-Laurent, ne ressemble ni à celui de la ville ni à celui de la campagne. Il réclame nos regards d'amour. Observez-le ainsi et plus rien n'existera que lui et vous. » La femme ne répond pas, respire profondément. Après une hésitation, elle raconte à l'homme des souvenirs d'enfance, quand le marchand ambulant arrivait avec sa charrette pleine d'étoffes et de chapeaux, quand les hommes revenaient des chantiers de coupe de bois, quand sa mère ordonnait un grand ménage de la maison pour les accueillir. Les fleurs, les papillons aux couleurs merveilleuses, le tonnerre dans la nuit qui l'incitait à se cacher sous le lit, un oreiller recouvrant sa tête. Se rendre à l'école des rangs, pieds nus pour ne pas user les chaussures. La beauté de chaque jour ! « Tout se prolonge dans nos vies. Ce que vous me dites existe à jamais. Le fleuve vous le rappellera toujours. »

Un long silence suit, brisé par un soupir de la femme : « Mes enfants sont bons. » Gros-Nez juge que le temps est venu de retourner là-bas. Nul doute qu'elle se sent mieux. Chemin faisant, il la fait rire en jonglant avec sa balle. Puis, il arrête de marcher.

« Vous savez comment retourner chez vous ? Moi, je vais dans l'autre sens.

— Où donc ?

— Là où il y aura d'autres gens pour écrire leur vie dans le grand livre de la sagesse que je porte dans mon âme. Vous êtes une brave personne, comme votre mari et vos enfants.

— Vous reviendrez, Gros-Nez ?

— Au moment où vous ne m'attendrez plus, je serai là. »

Il s'éloigne, ne se retourne pas, fait tourner sa main au-dessus de sa tête en guise de salutations. Trois rues plus loin, l'homme n'a pas arrêté de faire sauter sa balle d'une main à l'autre, attirant l'attention. Les enfants ne se privent pas d'approcher pour observer l'objet. Il ne peut s'empêcher de leur raconter une histoire, ponctuée de mimiques amusantes. Si les gamins ont le droit de toucher à la balle, le mendiant les surveille pour qu'ils ne la lancent pas avec force sur le pavé. « C'est fait pour l'herbe tendre, ce type de balle. »

Gros-Nez perd son temps sur la grande artère commerciale Sainte-Catherine, là où les policiers sont prêts à tout pour que le public ne soit pas importuné par l'apparence hirsute des vagabonds. L'homme croise quelques confrères, ne répondant pas à l'image folklorique de ceux de la campagne. Ce sont des sans-emploi. Souvent, ces gens n'ont pas choisi l'errance, alors que certains ont valsé de malchances en catastrophes.

« Je sors de prison, monsieur. Pouvez-vous m'aider ?

— Oui, je le peux. Marchons ensemble et nous parlerons.

— Je préférerais de l'argent.

— Pour manger ?

— Non, pour boire. Ça fait trois ans que je n'ai pas bu un verre de bière. J'ai plus soif que faim.

— Allons-y. »

Gros-Nez ne trouve aucun tavernier prêt à accepter son troc en retour d'une bière pour cet ancien prisonnier très drôle. Il interpelle les passants pour se moquer gentiment de leurs manières. Le quêteux ne ferait jamais une telle chose et ne peut expliquer pourquoi il rit en douce en voyant les visages se détourner ou les gens froncer les sourcils de façon outrée. Faute de bière, il consent à partager les biscuits et le pain de son sac.

« C'est une vraie valise, ce sac, Gros-Nez.

— Ma tasse de fer blanc, une serviette, mon tabac et ma pipe, une plume et un encrier, un savon, des chaussettes et ma balle de baseball.

— Pourquoi, cette balle ?

— Compagne de ma solitude. Elle m'aide à oublier mes soucis.

— Tu parles à la balle ?

Elle me répond toujours.

— J'étais champion de ce sport quand je demeurais aux États, il y a une dizaine d'années. Je vais te montrer ça ! »

L'homme s'éloigne avec la balle, sous le regard inquiet de Gros-Nez. Il fait signe à son compagnon de se pencher pour attraper l'objet, lancé avec tant de vélocité que le gaillard a senti les os de sa main droite craquer. « Ça te prendrait un gant. Aujourd'hui, ils jouent avec des gants. Des vraies fillettes ! » Les hommes marchent avec enthousiasme, ne cessant de parler de stratégie, d'habileté dans l'art de frapper et de capter. Au nord de la ville, ils trouvent un groupe d'hommes prêts à se lancer dans une rencontre sans fin. Le soleil écrasant étouffe les passants portant des cols et des vestons rigides, alors que tous ces hommes se sentent libres et au frais. « On va leur montrer comment jouer, à ces gars! Avec mon lancer de feu et ta puissance, l'équipe qui va nous accepter sera certaine de la victoire. Peut-être que s'ils sont contents de nous, ils vont me payer une bière et t'auras un repas. »

La demande des deux hommes interpelle les sportifs. « On n'a pas besoin de va-nu-pieds comme vous autres! Passez votre chemin! » En toute logique, Gros-Nez et son ami peuvent s'aligner avec l'équipe adverse. L'ancien prisonnier ne peut officier comme lanceur. Le voilà affecté à l'autre bout du terrain. Quand une balle est frappée dans sa direction, il court tel un lièvre, l'attrape et la retourne aussitôt, marmonnant entre les dents que les joueurs qui utilisent des gants sont des mauviettes. À son tour au bâton, il rate son coup, a l'air d'un pitre, furieux en tendant l'objet à Gros-Nez. Celui-ci empoigne le bâton avec fermeté, regarde son extrémité avec des yeux vifs. Il expédie la balle loin, très loin, là où il n'y a pas l'ombre d'un adversaire. À son deuxième essai, il la frappe entre deux ennemis, fonçant sur les sentiers avec la furia d'une locomotive lancée sur les rails. « Les gars des Orioles de Baltimore couraient comme ça. » L'ami, en défensive, plonge tête première pour faire sienne la balle, qu'il lance à l'avant champ avec une force inouïe. « Ça leur apprendra à dire qu'on est des va-nu-pieds! », fait-il, crachant par terre.

« Vous êtes très forts, quêteux!

— Donnez la balle à mon ami comme lanceur et les adversaires n'y verront que du feu.

— Attendons un peu.

— J'ai déjà vu les professionnels de Boston à l'œuvre, vous savez… »

Enfin sur le monticule, l'ex-prisonnier lance avec force et finesse. Revoilà Gros-Nez frappant encore en lieu sûr. Victoire! Comme prévu : de la bière pour l'un et un sandwich pour l'autre. La joie règne dans la taverne, mais le quêteux ne parle pas, pensant encore et encore qu'il aurait pu briller chez les professionnels américains. Son repas terminé, il quitte le groupe sans les avertir. Au loin, les lumières de Montréal scintillent. Il devine le trot des chevaux sur le bitume, les rires gras des hommes, ceux perçants des femmes et les piaillements des grands enfants, signes de la joie estivale. Demain, chacun retournera dans les infectes manufactures, priant afin que la température demeure agréable pour une autre soirée de délassement.

Gros-Nez prend la direction de l'est. Au début de la nuit, il est assis sur la voie ferrée, attendant le train pour s'accrocher à un wagon et descendre à l'approche d'un village. Il trouvera un coin de forêt pour s'y reposer, avant d'être réveillé par les oiseaux. Cependant, c'est plutôt un souvenir de la partie de la veille qui le tire de son sommeil. Il sourit, étire les bras, regarde autour de lui, puis part vers la première maison, où il se présentera, ravi, comme un quêteux aimant travailler en retour d'un repas.

CHAPITRE 1896 : AUTOMNE

❧ ☙

Nuits fraîches, journées agréables. En octobre, le vent poussera les feuilles multicolores et plus d'une âme de roc s'écriera : « Comme c'est beau ! » Pour Gros-Nez, l'automne représente la source inépuisable de la générosité. Les projets de l'hiver, les espoirs du printemps et le travail de l'été se transforment en feu d'artifice : des blés ! Des pommes de terre ! Des fruits et des légumes ! Tant et tant ! Pour atteindre ce but, il y a du travail rude, mais accompli dans la joie tout au cours du mois de septembre. Les enfants des jeunes fermiers sont trop petits pour ce labeur. Alors, ils engagent des journaliers ou un étranger passant sur leur route.

Un peu plus tard, il y a les instruments aratoires à ranger, la grange à réparer pour que les animaux hivernent confortablement. À ce moment-là, le feu d'artifice règne encore et tout le monde, satisfait, s'exclame : « C'est beau ! » Travail, gîte et repas assurés. Sans oublier qu'il y a toujours des fêtes spontanées entre parents et voisins, où les numéros de Gros-Nez se voient toujours applaudis. De ces relations amicales surgit souvent une adresse d'un employeur pour l'hiver. Balayer ! Transporter ! Réparer ! Le mendiant peut ainsi compter sur un toit, pendant les pires mois, et sur une modeste rémunération dont il se sert pour renouveler sa garde-robe en vue de reprendre la route le printemps venu. Il fait parvenir quelques économies à Joseph ou donne à des infortunés.

« Te donner à manger ? Maudit sale ! Espèce de paresseux ! Va te trouver de l'ouvrage dans les manufactures de la ville et tu pourras t'acheter à manger !

— Je ne tends pas la main, monsieur. J'offre mes…

— Et ma main dans la face, tu veux l'avoir, traîneux des grands chemins ?

— Je vous remercie et passez une belle journée. »

Gros-Nez regarde l'épouse toute menue de cet homme impoli. Elle semble effrayée. Il passe outre et sent des cailloux derrière ses talons. Il arrête cinq secondes, mais décide de ne pas répliquer. Ce n'est pas la première fois qu'un refus aussi violent se produit et cela ne sera sûrement pas la dernière. Il sait que chez le troisième voisin, il sera accueilli avec le sourire. Dix minutes plus tard, il voit arriver l'épouse, à bout de souffle.

« Je vous apporte des biscuits. Il ne faut pas jeter des sorts sur la terre de mon mari parce qu'il vous a mal reçu.

— Je ne jette pas de sorts, madame. Ce sont des superstitions, ce genre d'histoires.

— On dit ça, mais c'est arrivé à mon frère, il y a deux ans. Son champ plein de chenilles, parce qu'il n'avait pas voulu se montrer charitable. Ne faites pas ça, monsieur. Mon mari est grognon, mais pas méchant.

— Je vous remercie pour ces biscuits, madame. Vous êtes généreuse.

— Je me sens mieux… »

Gros-Nez sourit en croquant un biscuit, regardant la femme s'éloigner d'un pas sautillant. Avoir refusé ce présent aurait semé la plus grande peur dans le cœur de cette paysanne, entraînant peut-être un conflit ouvert avec l'époux. À chacun ses superstitions. Elles sont infinies, avec des points communs et des variantes selon certains coins de la province. Le quêteux se souvient d'un village où il n'avait rien récolté le premier jeudi d'un mois, alors que dès le lendemain, il manquait de place pour caser la nourriture dans son sac. Il avait remarqué la même superstition l'année suivante dans une région opposée, mais le lundi était devenue la journée d'interdiction.

« Ah oui, étranger. J'ai toujours besoin d'aide.

— En retour d'un repas, d'un coin de votre grange pour dormir.

— Je vais te dire quoi faire : réparer ma clôture, niveler le chemin, solidifier la porte du poulailler, décrasser la cabane du chien, couper les hautes herbes autour du puits, déboucher le haut de la cheminée. Pendant que tu feras ça, mes gars et moi, on sera aux champs plus longtemps.

— Si cela peut vous rendre service.

— Attention au chien ! Il n'aime pas les inconnus. J'oubliais ! Une couche de peinture à la cabane de Démon, ce ne serait pas de trop.

— Démon, c'est le nom du chien ?

— Tu vas vite comprendre pourquoi. Les bocaux de peinture sont dans la grange. »

Gros-Nez flaire un piège. Bien sûr, il n'aura pas le temps d'accomplir ces multiples tâches au cours d'un seul après-midi. Ce cultivateur a l'air d'un hypocrite. Le mendiant devine que s'il ne termine qu'une partie du travail, il n'aura pas droit à un repas. Cette insistance sur le chien l'invite à se rendre d'abord de ce côté. Quelles dents menaçantes ! Gros-Nez sait que les animaux se calment quand les humains se montrent plus forts qu'eux. Tiens… Tiens… Le principe ne fonctionne pas. Fermement, le quêteux fait deux pas en direction du monstre, pour lui montrer qui est le patron. Ne va pas non plus…

« Monsieur, ne faites pas mal à mon petit chien !

— Petit chien ?

— Démon, c'est mon pitou !

— Ton papa m'a dit de nettoyer la niche et de la peindre. Pendant que je vais le faire, tu vas aller te promener avec Démon et…

— Maman! Le monsieur veut faire mal à mon petit chien! Maman! »

La mère prend rapidement la défense de sa fillette, mais aussi de l'étranger, devinant que son mari vient de faire un coup vicieux en lui demandant de s'attarder à cette niche. Cependant, la femme garde une certaine distance avec cet inconnu, se contentant d'une énigme en lui disant que les chiens, tout comme les humains, aiment retrouver les moments de l'enfance. La paysanne disparue, Gros-Nez se met tout de suite à parler sur un ton enfantin au dévoreur. En guise de réponse, ses crocs paraissent de plus en plus aiguisés. « Pas que ça à faire, hein! »

Gros-Nez se dirige vers le chemin, pour enlever les roches prédominantes et passer un coup de râteau. « Ce chemin n'en a pas besoin », se dit-il, en poursuivant tout de même sa tâche. Le quêteux siffle une mélodie. Il voit, au loin, le cultivateur et ses fils, se demande ce que cet homme cherche à prouver. Revoilà la fillette à la charge. « Il est gentil, mon chien! Toi, t'es pas gentil! » Les mimiques amusantes ne changent rien à l'affaire : cette enfant se montre aussi radicale que son quadrupède.

Du chemin, Gros-Nez passe au puits. De sa position, il voit l'enfant parler au cabot. Démon bouge la queue, prêt à jouer. « Elle est à son niveau. C'est ce que voulait dire la femme. Attends, le chien! Tu vas voir comme le quêteux est intelligent! » Cette pensée triomphante fait rapidement place à un doute : « Elle est à son niveau, mais il la connaît… »

De retour des champs, le laboureur rechigne un peu parce que le vagabond n'a accompli que la moitié des tâches désignées. Conséquemment, il ordonne à son épouse de préparer un demi-repas. Gros-Nez devrait partir immédiatement, mais il se dit qu'avec cette fuite, l'homme triompherait, car il se serait soustrait à des tâches qu'il refuse d'accomplir sans avoir eu à débourser quoi que ce soit. Ce paysan est déjà la source de plusieurs histoires dans l'imagination de Gros-Nez. Des fables avec un démon, évidemment…

Pendant que la famille dort, le quêteux sent son ventre grogner, l'empêchant de trouver le repos. C'est alors qu'il aperçoit de vieux gants, une salopette de travail, une chemise usée. S'il s'imprégnait de l'odeur du maître du chien, pourrait-il maîtriser ces crocs menaçants et cette bave intarissable ?

Au chant du coq, chacun s'active dans la maison. Le mari se vante d'avoir bon cœur en lançant un bout de pain au mendiant. « L'ouvrage va être terminé aujourd'hui, oui ou non ? À ce moment-là, t'auras des patates et du lard. » Gros-Nez bout d'impatience de se présenter devant Démon avec la salopette, la chemise et les gants. La bête rugit. Il se penche et tend les mains. Le chien n'entend pas à négocier, mais le vagabond demeure dans sa position. Peu à peu, le monstre quitte sa position d'attaquant. Alors, l'étranger se lève, approche avec prudence, toujours en tendant les gants et leur odeur. Le voilà trop près de la niche et Démon retrouve ses pires instincts.

« Tu as fait mal à mon petit chien, méchant bonhomme !

— Mais non, belle enfant. Je l'adore, ton pitou. Tu sais à qui il me fait penser ?

— Maman ! Maman !

— Il me fait penser au loup de l'histoire du petit chaperon rouge.

— Le quoi ?

— Tu ne connais pas le petit chaperon rouge ?

— Non. Où il demeure, ce gars ? »

Le chien menace sourdement quand l'ennemi approche de sa jeune maîtresse. D'abord méfiante, l'enfant finit par se laisser emporter par les mots et les mimiques de Gros-Nez, osant même s'asseoir près de lui. Démon penche la tête, s'installe sur son séant à son tour. « Ça devrait être interdit par la loi, des chiens comme ça », se dit-il. Le quêteux sait qu'au moindre geste brusque, il deviendra la proie de cette calamité.

« Tu en connais d'autres histoires, monsieur ?

— Bien sûr ! Je n'ai cependant pas beaucoup de temps, parce que ton papa m'a demandé de nettoyer et de peindre la niche de ton petit chien. Si tu m'aides, ça ira plus rapidement et je pourrai te raconter une autre histoire.

— Oui, je veux bien.

— Va chercher un seau, du savon et un chiffon. »

La jolie envolée, le chien regarde fixement Gros-Nez, qui tend à nouveau l'odeur des gants. L'animal commence à comprendre que cet étranger, doux envers sa maîtresse, fait peut-être partie maintenant de la maisonnée. Vers la fin de l'après-midi, le quêteux va rejoindre le père aux champs, suivi de près par Démon

« J'ai tout fait, monsieur. J'ai maintenant droit à un vrai repas.

— Quoi ? La niche aussi ? Je…

— Vous vous serviez de votre chien pour me faire fuir après avoir terminé l'ouvrage que vous ne désiriez pas accomplir. J'ai fait ce que vous avez demandé et j'exige un repas chaud.

— Ça va, j'ai compris ! »

L'homme, pour ne pas paraître méchant, se montre généreux après le repas, lui offrant du tabac frais et une chemise presque neuve, mais Gros-Nez tourne le dos, part sans remercier. Le vagabond marche, mais pas très longtemps, s'arrête devant la seconde maison voisine. « Il n'y a pas plus extraordinaire invention qu'un voisin pour humilier un autre voisin. » L'homme préfère attendre le lendemain, ayant besoin de solitude afin de réfléchir à ces questions. Il regarde le soleil se coucher, alors que soudain, une feuille tourbillonne sous son nez. « Hé, l'arbre ! T'es pressé ! Nous ne sommes qu'en septembre. La chute des feuilles arrive un peu plus tard. Qu'est-ce que tu dis ? Une feuille rebelle ? Il y en a dans chaque famille, n'est-ce pas ? »

La feuille n'a pas encore rougi. La bordure est cependant sèche. « Malade, peut-être… Pauvre petite ! Existence étrange que celle des feuilles. Une vie si courte, mais avec tant de labeur. » Le soleil ayant donné son spectacle avant de disparaître, Gros-Nez s'assoit contre l'arbre, sort une couverture et sa pipe, fredonne une mélodie de sa jeunesse. Quand il se sent fatigué d'avoir trop pensé, il se tait pour écouter les commérages de la nature. « Non, ce n'est pas une bonne idée, celle du voisin. L'homme au chien s'est servi de moi et j'allais me servir du voisin. »

Après une nuit paisible, le soleil automnal ne sort pas le vagabond de sa position délicieusement paresseuse. Le chant des oiseaux résonne en écho. Gros-Nez cherche à comprendre la signification de cette musique. Il passe sa main sur l'herbe, puis se frotte le visage. Il se lève, étire les bras, bâille et une buée très brève sort de sa bouche. Le vagabond reprend la route, passe devant la maison de l'homme mesquin, entend aboyer Démon. Que faire ? Atteindre le plus proche village ? Défier un convoi ferroviaire ? La route devient presque sentier en rase campagne. Gros-Nez entend une voiture venir de loin. Il agite les mains pour se faire voir. Le véhicule le dépasse, mais l'attend un demi-mille plus loin. Le mendiant devine la conversation entre les deux occupants : « On le fait monter ? – Non ! – Ce n'est pas drôle de marcher par ce froid. – J'ai dit non ! – Un peu de charité, cher mari. – Bon, ça va, qu'il monte. »

L'homme, au regard méfiant, demande à l'étranger où il se rend. « Dans la même direction que vous, monsieur. » Réponse insuffisante, tout comme le sobriquet annoncé à la place de son vrai nom. « Et s'il veut s'appeler Gros-Nez ? Qu'est-ce que ça peut faire, mon mari ? » Le quêteux s'installe tant bien que mal sur une plate-forme mal vissée à l'arrière du véhicule. À la première bosse de chemin, c'est certain, elle va céder et le voyageur tombera. Le couple continue sans fard leur prise de bec, jusqu'à ce que le mendiant décide de chanter à pleins poumons et très mal. Le duo peut alors cesser sa dispute et rire un peu en lui ordonnant sans cesse de se taire. Soudain, le vent se mêle de la partie. Rapidement, la pluie se manifeste. L'homme fouette avec plus de vigueur sa monture, mais Gros-Nez ne s'attendait jamais à ce qu'il lui ordonne de descendre parce qu'ils sont rendus près de leur destination.

« Le village n'est pas très loin.

— Très bien, monsieur. Je vous remercie de m'avoir pris à votre bord.

— Marche un mille tout droit. Je dois tourner ici pour me rendre chez ma maudite belle-mère.

— N'insulte pas maman, époux ingrat ! »

Mains sur les hanches, Gros-Nez rigole en écoutant les réprimandes se poursuivre de plus belle, oubliant que le vent et la pluie s'en donnent à cœur joie. Avec le temps, il a appris que l'hiver est magnifique pour les gens qui possèdent un toit, mais qu'il peut devenir mortel pour ceux qui ont décidé de vivre à sa façon. La pluie ou la grande chaleur ne le font guère sourciller. Par contre, il déteste le vent. Il transporte avec violence les caprices des quatre saisons. De plus, le vent d'automne lui paraît si triste.

Il vaut mieux se mettre à l'abri dans le village. Quatre demandes consécutives ne trouvent pas de réponse satisfaisante. Gros-Nez n'a d'autre choix que d'entrer dans un de ces modestes restaurants, lieux des flâneurs locaux. La patronne, il va de soi, lui demande s'il a de quoi payer, avant même de dire bonjour. Cinquante sous représentent la fortune du quêteux.

« Mauvaise température, hein ? Le vent se lève.

— Oui.

— Il y a deux jours, c'était chaud. Il y a une semaine, c'était plus froid. Le jour est encore beau, mais les soirées plus fraîches. Les corneilles n'ont pas encore chanté.

— Comme vous le dites, monsieur.

— Je peux m'asseoir avec vous, étranger ?

— Au plaisir, monsieur. »

Quand les gens n'ont rien à dire, ils parlent de température. Cent fois, Gros-Nez a rencontré des vieillards qui, regardant le ciel ou les feuillages, assuraient la pluie ou le soleil pour tel moment de la semaine. Le quêteux sait que dans cet art, seuls les Indiens ne se trompent jamais. Ils lisent dans la nature de la même manière qu'un avocat regarde un journal.

L'homme offre au vagabond un résumé des caprices du dernier été, avant de s'attarder au printemps boueux et à un hiver généreux en bourrasques, puis termine avec l'automne de l'an dernier, un incontournable point de référence pour les vingt prochaines années. Gros-Nez lui demande son métier. « J'ai mal aux reins. » Le quêteux a entendu plus d'une fois cette remarque masculine – car les femmes ne semblent jamais souffrir de ce mal – mais c'est bel et bien la première fois qu'on le définit comme un métier. Soudain, cet importun devient intéressant.

« Je suis journalier. Je peux aider aux champs et réparer une mécanique. Je sais prendre soin des chevaux. Mon mal de reins m'empêche de travailler trop longtemps, si bien qu'il devient mon activité principale, mon métier.

— Vous avez mal aux reins même en été ?

— Toutes les saisons. Il annonce la pluie, la neige.

— Et en ce moment ? Je suis voyageur et je ne voudrais pas partir sous la pluie.

— Attendez un peu que les reins me parlent. »

L'homme se lève, marche un peu, fronçant les sourcils. En même temps, Gros-Nez observe la réaction de la serveuse, des autres clients. Aucune exaspération chez ces gens. Le farfelu ne l'est qu'aux yeux des gens de passage et nul doute que ses reins font déjà partie d'une légende locale.

« À votre place, je partirais demain. Mes reins m'ont dit qu'une pluie violente devrait débuter dans deux heures.

— Je vois. Remerciez-les de ma part.

— Vous ne me croyez pas, étranger ?

— Donc, pas de pluie demain.

— Chaud.

— Je vais rester jusqu'à demain, mais je n'ai pas d'argent pour payer une chambre d'auberge. Vous connaissez quelqu'un qui accepterait de m'accueillir, en échange de services ?

— Je connais un tel homme. Suivez-moi.

— Je vais terminer ma tasse de thé. Parlez-moi de vos reins, en attendant. »

Gros-Nez sent que l'homme tente de le convaincre, même si le quêteux l'assure qu'il le croit sur parole. Après tout, quand lui-même jure qu'il a un don de guérisseur pour les enfants, il est accueilli avec des sourires moqueurs. Une seule guérison suffit à faire naître la rumeur et Gros-Nez ne demeure jamais dans le lieu d'une de ses actions, craignant de voir surgir toutes les mères de famille, sans oublier celles qui croient encore à la sorcellerie.

La bonne âme est un vieux garçon rentier. Affable, il déclare passer le temps en écrivant des poèmes. D'ailleurs, à l'arrivée de Gros-Nez, l'homme était attablé, une feuille et un pot d'encre à sa portée. « Je travaille à la création d'un poème honorant la beauté de l'automne. Voulez-vous entendre le début ? » Le quêteux prend la feuille et lit :

« *Les feuilles mortes frappent à notre porte.* » *Le visiteur hoche la tête, montrant sa satisfaction :*

« C'est un bon commencement. Je vous félicite.

— Il y a tant de souffrance à être poète. Voilà trois jours que je réfléchis à ce poème et je n'ai écrit que deux lignes.

— Rien ne vous presse, monsieur.

— Vous avez raison. Ainsi, vous êtes quêteux ?

— Oui.

— Que voilà une noble tradition ! Quand j'étais petit, un quêteux venait souvent à la ferme de mes parents. Il s'appelait Rivière-Chantante.

— Fort joli.

— Racontez-moi tout, quêteux.

— Tout ?

— Commencez par le début. »

Gros-Nez préférerait un peu de calme et coucher à la belle étoile, mais les reins ont eu raison : il pleut généreusement. Le vagabond écoute distraitement, désireux de saisir au passage une phrase drôle qu'il pourrait transformer en histoire, mais ce vieillard n'en finit plus de lancer des banalités. Quand enfin le silence réussit à s'imposer, la pluie tambourine sur le toit de façon peu harmonieuse. Au milieu de la nuit, Gros-Nez entend parler son hôte. Peut-être a-t-il besoin d'aide ? L'invité le cherche partout. Encore au lit ? Serait-ce qu'il parle en dormant ? En approchant de la chambre, le quêteux en a la confirmation.

« Travaillez fort afin d'écrire de précieux poèmes. Je vous remercie pour le gîte et la nourriture. » Gros-Nez oublie son offre habituelle de rendre service, désireux de se soustraire à ce flot de mots. Ce village lui a apporté suffisamment pour qu'il puisse rire seul par les soirs d'ennui. Le voilà reprenant la route, très boueuse après ce torrent d'eau. Dans une telle situation, au cours de l'été, l'homme marche pieds nus. Au cours de l'automne, il risquerait une pneumonie.

Il décide de s'installer près de la voie du chemin de fer pour saisir un wagon et le faire sien. Chanceux, l'attente n'est pas trop longue. À peine vingt minutes. Le monstre hurle son avertissement et l'errant commence sa course à son approche. Il voit le wagon idéal, le prend comme objectif, tendant les mains pour saisir un élément quand, soudain, son pied glisse et le fait trébucher avec violence. Il roule sur lui-même et aboutit dans un petit ravin.

« C'est la première fois que ça m'arrive! Si j'avais glissé dans l'autre sens, j'aurais été broyé! » Le cœur battant, à bout de souffle, le vagabond demeure assis dans la boue. Soudain, il ressent un fort étirement à la jambe. Tentant de se lever, il s'affaisse aussitôt en sentant le mal augmenter. Le second essai mène à une conclusion identique. Gros-Nez soupire, ouvre son sac, trouve rapidement sa balle pour la serrer très fort, tout en fermant les yeux. Après dix minutes de ce rituel, il replace l'objet. Tant bien que mal, il rampe vers le boisé, afin de trouver une branche assez solide pour se fabriquer une canne. Peine perdue! Le soir venu, l'homme demeure toujours sur place. Le temps passé a fait gonfler sa jambe. « Pas cassée. Si elle l'était, je souffrirais davantage. »

Journée perdue! Le soleil s'est couché dans un soupir majestueux. Gros-Nez n'a jamais rien vu de plus beau! Hors le passage d'autres convois ferroviaires, il n'a rien entendu d'autre que les mélodies de la nature. Au cours de la nuit, il est réveillé en sursaut par un mauvais rêve dont il ne se souvient pourtant pas. Il tente de se lever, cette fois avec plus de succès. Il entend alors un autre train. Furieux de son insuccès de l'après-midi, il approche, désireux d'assouvir sa vengeance. Curieusement, le train ralentit, puis arrête. Gros-Nez, embusqué, voit descendre des hommes qui, immédiatement, cherchent quelque chose. Tel un chat, Gros-Nez profite de la noirceur pour se faufiler et monter dans un wagon de marchandises. Il termine sa nuit au son de boîtes légères qui passent leur temps à tomber et s'entrechoquer.

À l'occasion, le quêteux sent que le train arrête dans des gares de villages. Mais il n'a pas le goût d'en profiter pour descendre, car sa jambe s'est remise à gonfler, suite au défi lancé de marcher jusqu'au wagon. La faim commence à se manifester et le goût d'ouvrir une de ces boîtes pour trouver à manger le tenaille. L'homme n'a jamais volé quoi que ce soit, sauf les compagnies de chemin de fer. Il vaut mieux tenter de dormir encore.

À son réveil, le train est immobile. Gros-Nez regarde discrètement à l'extérieur et voit des employés se déplacer avec des paquets entre les mains, d'autres transporter des barils déposés sur des voiturettes. Ils viennent vers lui. Où se cacher ? Derrière les boîtes, bien sûr ! Il écoute les hommes échanger entre eux. C'est ainsi qu'il entend la direction que prend ce convoi : la Gaspésie. « Ah non ! Pas la Gaspésie en automne ! Il y a trop de vent ! »

Le train repart et le quêteux soupire. Il n'en est pas à sa première mésaventure. L'homme est persuadé que sa jambe a subi une importante blessure. Grand, fort et musclé, Gros-Nez ne s'est jamais inquiété pour des étirements, des enflures, des rhumes ou des afflictions passagères, alors que plus d'un se serait précipité vers le bureau d'un médecin. Ah ! Il a trop faim ! Il faut sortir de ce wagon ! Le mendiant trouvera l'endroit propice pour se lancer dans le vide, recroquevillé, afin que ses jambes ne portent pas tout son poids lors du contact violent des chaussures avec la terre ferme. Voilà qu'une boîte lui tombe sur la tête, s'ouvre dans sa chute. C'est ainsi qu'il se rend compte qu'elles contiennent des vêtements féminins, des bas de coton, des corsets. En approchant de la porte, le convoi freine si subitement que le quêteux tombe, s'assomme. Peu après, il reçoit un coup de pied dans les côtes, donné par un contrôleur.

« Passager clandestin ! Vagabondage ! Paresseux ! Voleur ! T'es monté à Québec, hein ?

— Je n'ai rien volé, monsieur.

— Tu voles la compagnie de chemin de fer! Descends tout de suite! Si t'as l'argent pour un billet de passager, je te laisse filer. Sinon, je t'attache comme un saucisson et je te remets à la police de Gaspé.

— Je n'ai rien volé, je n'ai pas d'argent et je suis blessé. »

Quel homme intransigeant, assurément très méchant puisqu'il lui administre deux autres coups. Il le pousse du talon, lui demande où il est blessé. Réponse de trop du quêteux, alors que l'autre en profite pour frapper la jambe meurtrie. Gros-Nez se plaint, jusqu'à ce qu'il soit roulé près de la porte et projeté en bas avec fracas. Le mendiant n'a jamais levé la main sur un de ses semblables, d'autant plus que rares sont ceux lui ayant cherché noise, sans doute à cause de son physique impressionnant. Mais en cet instant, il aurait le goût de répliquer et de coucher au sol cet homme. Les autres contrôleurs rigolent des coups administrés, alors que les passagers des wagons détournent le visage.

Cet abominable tient promesse : Gros-Nez est attaché solidement et jeté dans la réserve à charbon, adjacente au poste du conducteur. Le train roule sans cesse, en omettant de brefs arrêts dans les villages. Au début de la soirée, l'engin arrête promptement. « Un éboulis! J'ai passé près de ne pas le voir! Il y aurait eu un très grave accident! » clame le conducteur, tremblant. Gros-Nez entend le tumulte, alors que quelques voyageurs, ébranlés, pensent à ce qu'il leur serait arrivé en cas de déraillement. Le quêteux réclame qu'on le détache pour qu'il descende à son tour.

« Je ne sais pas si je peux faire ça, étranger.

— Cessez ces enfantillages! Vous ne croyez pas que vous m'avez assez humilié? Vous avez besoin d'hommes valides pour dégager la voie? Alors, détachez-moi! »

Le contrôleur n'apprécie pas de voir le prisonnier libre. Boitant, Gros-Nez se rend près de l'éboulis. Des énormes pierres se sont détachées du flanc de la montagne pour tomber sur les rails. Le vagabond n'attend aucun ordre et se met à l'œuvre immédiatement.

Quand il tire de terre la plus énorme de ces pierres, les témoins, ahuris, reculent tous ensemble. L'hercule lève tout, ne laisse personne approcher, conscient qu'il impressionne les témoins avec sa force. Après avoir terminé le travail, le mendiant bifurque vers une femme affolée, lui prend les mains et lui demande de ne pas s'inquiéter.

« Alors ? Vous m'attachez ? La police de Gaspé va perdre patience si vous retardez le départ du train.

— Vous avez déplacé toutes ces pierres lourdes, dégagé la voie tout en boitant, après avoir passé des heures attaché et assis dans le charbon, sans rien manger.

— Voilà un résumé très fidèle. Je vous félicite.

— Pas de rancœur en vous, monsieur. Vous me donnez une leçon. Je vais vous laisser à la prochaine gare. Le médecin des environs va vous soigner. Je vous assure aussi que si je vous reprends à monter illégalement dans un wagon, je vais fermer les yeux et vous sourire comme à un ami. »

Le monstre se transforme en chiot affectueux. À la gare de la prochaine localité, le contrôleur donne des ordres pour que le médecin vienne chercher le blessé. Il paie à Gros-Nez une tasse de café et un sandwich, après lui avoir laissé un dollar et de la monnaie. Au bout de trente minutes d'attente, le mendiant voit arriver un patriarche à la longue barbe blanche. Apparence inhabituelle pour un médecin ! Avec peine, Gros-Nez s'installe dans sa voiture qui le conduira vers une maison de campagne un peu à l'ouest du village voisin.

« Ce n'est pas cassé. Un peu déplacé, je crois bien. Je ne suis point un chirurgien. Je connais un ramancheur qui donnerait des leçons au plus diplômé des chirurgiens. J'irai le chercher demain. Reposez-vous. Mon épouse va vous préparer un bon repas. » Il n'y a pas plus folklorique qu'un ramancheur de campagne. Ils ont tous des tics étranges, des attitudes excessives. Certains, avant de se mettre à l'œuvre, ânonnent des formules où se mêlent l'anglais, le vieux français et le latin. Celui que le vieux médecin fait venir porte un collier d'os de chien qu'il agite sous les yeux du vagabond.

Trois semaines plus tard, le quêteux habite toujours la maison. Il a aidé l'épouse dans les tâches ménagères, a tout rangé dans la grange en vue de l'hiver, sans oublier qu'il agissait comme conducteur de la voiture quand quelqu'un venait chercher le médecin, parfois au cœur de la nuit. Gros-Nez a aussi travaillé pour des fermiers des alentours. Il a écrit à des parents exilés aux États-Unis et amusé les enfants.

Voilà octobre et les feuilles tombent de plus en plus. Le quêteux a fait un feu de joie de feuilles mortes, à la grande satisfaction de l'épouse, trop vieille pour tant se pencher. Il aime cette femme douce qui le tient par le bras pour aller se promener dans la brise du soir, nommant les espèces de tous les arbres qu'elle voit, relatant avec sagesse leur vie. Ces moments d'automne mêlent des soupirs d'été, des sourires printaniers et des clins d'œil d'hiver. Ce soir-là, une pluie torrentielle invite au silence dans la maison, alors que le vieux médecin et sa femme regardent par la fenêtre. Le lendemain, tout était boueux. Gros-Nez a pris son sac, l'a placé sur son épaule, a souri à ses bienfaiteurs, avant de s'éloigner vers le chemin, ne se retournant pas, mais faisant tourner sa main au-dessus de sa tête en guise d'au revoir.

Gros-Nez marche dans le vent qui pousse une pluie de feuilles orangées, rouges et jaunes. Il dépasse le village d'où il était parti, non sans avoir demandé l'heure du prochain train. Courir ! S'accrocher ! Tenir ! Redresser les pieds ! Une autre réussite. Le train s'arrête cinq minutes plus tard. Le même contrôleur a vite fait de trouver le passager clandestin.

« Ça va mieux, le pied ?

— Je vais très bien.

— S'il y a un problème, tu me le signales, Gros-Nez.

— Je n'y manquerai pas.

— Bienvenue à bord et bon voyage. »

CHAPITRE 1900 : TRISTESSE

Gros-Nez s'enracine. Jolie métaphore, car la terre est trop gelée pour que ses pieds puissent s'enfoncer. Voilà trois heures qu'il n'a pas bougé, coincé entre deux grosses pierres semblant avoir été placées de cette façon pour servir de refuge aux voyageurs perdus, aux hommes fatigués. L'arbre au-dessus, même s'il n'a pas encore toutes ses feuilles, lui sert de paravent et seules quelques gouttes de pluie atteignent le vagabond, insuffisantes pour éteindre le feu de la cuve de sa pipe.

L'homme serait peut-être mieux dans une auberge, mais le mince avoir gagné au cours de l'hiver lui brûlait les doigts, après l'achat de quelques chaussettes et la remise à neuf de ses souliers de l'an dernier. Le reste est parti sous forme d'un mandat-poste destiné à Joseph.

« *Les tâches les plus humiliantes me suffisent : balayer, décrotter, scier le bois de chauffage. Quand cela est fait avec la satisfaction du devoir accompli, je deviens millionnaire. Cependant, quand je dois m'exécuter au milieu du mépris de mes semblables, c'est plus difficile pour le moral… Il fallait bien que le chat sorte du sac un de ces jours, mon Jos : il y avait un homme, à l'emploi de cet entrepreneur forestier, qui était là quand toi et moi avons fait connaissance dans les chantiers du nord de la rivière Saint-Maurice. Un quêteux anonyme : rien de mieux. Un quêteux avec son ancienne identité : rien de pire. J'ai alors pensé m'en aller, mais il y aurait eu près de cent milles à parcourir dans la forêt, en plein hiver. Voici de l'argent dont tu auras besoin pour tes projets, mon cher Ti-Jos. J'espère que ton épouse et les enfants vont bien, surtout le dernier des garçons, celui que j'avais sauvé jadis. Tu sais, je pense souvent à lui, d'autant plus que je ne t'ai pas rendu visite aux Trois-Rivières depuis ce temps. Ne t'inquiète pas pour moi. Je vais bourgeonner, comme le printemps. »*

Une goutte de pluie tombe sur le papier. Gros-Nez regarde le ciel, crie : « De quoi te mêles-tu ? Tu ne vois pas que je suis en train de relire la lettre que je viens d'écrire à Joseph ? » Le vagabond plie la feuille, la replace dans l'enveloppe, laquelle retrouve sa niche dans son sac. Il frappe dans ses mains et se décide de partir, malgré la température incertaine. « J'en ai vu d'autres, après tout ! » Marcher ! Marcher ! Toujours avancer !

Il se passe une demi-heure avant qu'il ne croise une première maison. À cette habitation succèdent quelques autres, menant à un hameau. Gros-Nez se sent perdu, ne se souvenant pas être passé par ce coin désert. « Je voudrais un timbre pour mettre sur cette enveloppe, mademoiselle. » La postière garde un bref silence, avant de préciser qu'elle est plutôt une madame. Étonnant ! Dans les bureaux de poste de village, ce sont toujours des célibataires qui s'occupent du travail. Elle semble désirer voir la couleur de l'argent avant d'apposer le timbre.

Cet arrêt n'a pas été de longue durée, mais Gros-Nez a l'impression que la grisaille a profité de ces quelques instants au sec pour s'imposer davantage. Les poteaux électriques plantés le long de la rue ont tendance à pencher, rendant le coup d'œil étrange. Le vagabond regarde un peu partout, à la recherche de travail. Il subsiste encore de petits tas de neige durcie devant quelques maisons. Les fenêtres portent la saleté printanière. Il y a tant à faire ! L'homme ne sait trop pourquoi il a tant le goût de l'inactivité.

Las, Gros-Nez s'assoit sur le bord du trottoir, se demandant s'il n'est pas arrivé à la fin de sa route de quêteux. « Qu'est-ce que je pourrais faire ? Oh, pas comme avant ! C'est certain ! Ouvrier… Manœuvre… Journalier… J'ai tout fait ça chaque hiver. Peut-être suis-je fatigué du Canada français ? Parfois si étroit, ici ! Retourner aux États-Unis ? Chez les Indiens ? C'était une vie magnifique, malgré ce qu'on me demandait de leur faire. » Réflexions interrompues par l'arrivée d'un jeune prêtre, sans doute le vicaire de cette humble paroisse.

« Je suis quêteux de passage.

— Vous pouvez être de passage sans vous asseoir sur le trottoir. Dieu a dit…

— Dieu a dit de ne pas m'asseoir sur le trottoir ?

— Vous n'êtes pas très poli, monsieur, mais je vous pardonne. Désirez-vous manger ? Vous réchauffer ?

— Je vais passer mon chemin. »

Dépassé les limites du village, Gros-Nez voit un vieil homme s'éreintant à donner de vifs coups de pelle à un monticule de neige durcie bloquant le chemin de sa maison. Un gaillard ! Le vagabond devine qu'il s'agit d'un ancien bûcheron passant ses hivers dans les camps et travaillant à cultiver une terre ingrate au cours des mois chauds.

« Tu viens de quelle place, quêteux ?

— Par là-bas.

— Loin, par là-bas ?

— Aussi loin que les yeux peuvent voir.

— T'as des nouvelles du canton voisin ? Parce qu'il ne faut pas se fier aux gazettes de la ville. Ils ne connaissent rien à l'agriculture.

— J'ai des nouvelles. Je peux vous aider ? Ça irait plus rapidement. Vous avez une autre pelle ?

— Dans la grange.

— Je demande un repas en retour. »

Gros-Nez accepte le travail comme une habitude incontournable, écoutant à peine tous les clichés que le vieillard ânonne. Après, le vagabond raconte à la famille ce qui se passe au loin, même s'il n'en sait rien. Soudain, un homme entre dans la maison, demande l'identité de l'étranger. « Pas de quêteux dans ma maison ! Ça, c'était bon dans l'ancien temps ! Nous sommes en 1900 ! Aujourd'hui, n'importe qui peut se faire engager dans les manufactures des villes. Je ne fais pas la charité aux paresseux ! Dehors ! » Gros-Nez soupire, remercie les gens présents et s'en va, poursuivi par le vieux, rempli de colère contre son fils. « Pas si grave, monsieur. Nous sommes venus à bout de cette neige, non ? Voilà le principal. » Le rejeté marche rapidement, arrête pour sortir sa balle, qu'il remet dans le fond du sac après un seul lancer.

Deux demandes d'hospitalité dans autant de maisons se soldent par des échecs. Le vent se lève et Gros-Nez ne se sent pas heureux de devoir coucher à l'extérieur. Rien n'est encore trop sec dans la forêt et après avoir perdu une heure à chercher un coin confortable, il pose un geste d'impatience en donnant un vif coup de pied dans le vide. L'homme décide de retourner au village où il dénichera une remise qui le tiendra à l'abri du vent. Chemin faisant, il trouve un écu au milieu de la route. « Enfin, la chance me sourit ! » L'espoir d'une bonne pointe de tarte avec un thé chaud le fait avancer plus rapidement.

« Vous avez vraiment l'air misérable, monsieur.

— Mon cœur est très propre, madame.

— Vous pouvez coucher sur le perron de ma maison. Je vous prêterai un oreiller et une couverture.

— Je vous remercie pour votre générosité.

— Je ferme dans une heure. Je vous attendrai. »

Gros-Nez sent que tout va maintenant mieux et que 1900 sera une grande année, riche en rencontres intéressantes, en histoires nouvelles à raconter, sans oublier la joie de partager avec autrui. Les enfants à amuser ! Et les jolies femmes à regarder ! Sans oublier les hommes si drôles ! Cependant, quand il arrive à la maison de cette serveuse de restaurant, le mari s'insurge, prétendant qu'un vagabond ne peut coucher devant, à la vue de tout le monde. Elle prétend qu'il y a trop de vent derrière. La dispute dure dix minutes, les cris et lamentations allant en *crescendo*. Gros-Nez décide de s'éloigner et le voilà revenu à son point de départ.

L'homme allume sa pipe, rêve les yeux ouverts afin d'oublier le froid. Il pense à quelques rencontres des dernières années afin de trouver un sujet pour une histoire fraîche. Il y a déjà eu un bègue au grand cœur et une femme au nez excessivement prédominant. « Le bègue ! Il y a une histoire avec une bonne morale à tirer de lui. Que deviendra-t-il ? Si je lui ajoutais un nez prédominant ? Réunis tes idées, mon vieux. »

Il fait trop noir pour commencer à écrire. Il éteint sa pipe, étire les bras, ferme les yeux et tente de ne penser à rien. La neige le réveille au milieu de la nuit. « La dernière du début de l'année. Pourquoi fallait-il qu'elle tombe précisément quand je suis sans toit ? Demain, je le devine trop bien, les routes seront pleines de gadoue. » Gagné ! La chance ne l'abandonne pas quand un homme le fait monter dans sa voiture. Immédiatement, il lui parle de température. Ensuite, le conducteur lui demande où il se rend et pourquoi ce surnom de Gros-Nez ? Toujours la même chose ! Sans cesse le même refrain ! L'errant se rend compte que sa vie d'aventures est devenue très routinière.

« J'arrive d'un chantier de coupe de bois.

— Qu'est-ce qui s'y passait ?

— La tradition se poursuit : journées interminables, salaire de famine, parties de carte le soir venu et médisance des hommes.

— Mon père y a longtemps travaillé, chaque hiver. Pas étonné d'apprendre que ce milieu n'a pas évolué. Il faudrait moderniser tout ça.

— En effet ! Rien de mieux que le siècle du modernisme !

— Pourquoi riez-vous, quêteux ?

— Oh… Je pense à un ami qui dit toujours cette phrase.

— Bon! Je vais vous laisser dans deux milles. Ma livraison est vers le nord. Il y a un hameau à vingt minutes de marche. Avez-vous faim? Mon épouse a préparé des sandwiches. Je vais vous en donner un. »

Hameau, en effet. Gros-Nez en a vu des semblables en Gaspésie, dans les zones de colonisation. Quelques maisons éparses, un petit commerce qui vend de tout, puis rien d'autre. Pas d'église, d'école ni de bureau de poste. Pour ces services, la population doit se déplacer vers le village suivant. L'arrivée d'un étranger, il le sait, provoque davantage d'interrogations qu'ailleurs. Gros-Nez n'a pas le goût d'être questionné.

« L'humanité que je souhaitais, j'y ai goûté mille fois sous toutes ses formes. Belle et affreuse à la fois. J'ai tout vu, tout entendu. Voilà pourquoi je me sens triste. À quoi me servirait de poursuivre ma route? Elle me mènerait vers un village semblable aux précédents. Jeune, je pensais que les routes étaient le cordon de l'ailleurs. Faux : elles font partie d'un chapelet sans fin. Je sais ce qu'il me reste à faire : je vais devenir ermite! »

Gros-Nez se souvient avoir vu un ermite, au cours de son enfance. Il ne l'avait guère approché, son père, scandalisé, retenant son fils par la main. L'homme portait une longue barbe, des vêtements très misérables. Pourtant, le futur quêteux n'a jamais oublié son sourire. Cet homme hirsute venait une fois par mois pour troquer le fruit de ses chasses contre quelques biens utiles. Les gamins se plaisaient à raconter mille histoires sur cet ermite. Ils prétendaient qu'il habitait en réalité pas moins de cinq cabanes réparties dans tous les coins de la forêt. Tous s'accordaient à dire que si l'homme ne parlait pas beaucoup, il se montrait tout le temps poli.

Les visites des villages suivants raffermissent l'intention de Gros-Nez. Guère généreux, les gens de cette région. L'homme évalue ce dont il aura besoin : quelques outils, une chaise, des graines pour son jardin, un tonneau métallique qui lui servira à la fois de poêle et de système de chauffage. Bien sûr : du bois pour construire son château. Au cours du mois suivant, Gros-Nez économise chaque sou gagné. La belle température revenue, il couche souvent à l'extérieur. Il sent alors la douce fibre de la solitude s'infiltrer dans tout son être. « Je vais écrire ! Écrire beaucoup ! Cela fait du bien. Un homme laisse des traces dans les mémoires, mais quand les mémoires s'effritent au cours des décennies, que devient cet homme ? Il n'existe plus ! Pire que la mort : l'oubli ! Avec mes mots couchés sur une feuille, je vaincrai la mort et l'oubli. »

Par un soir d'orage de juillet, Gros-Nez s'enfonce dans la forêt d'un coin isolé, cherchant un endroit qui l'abriterait comme il faut. Soudain, l'homme trébuche contre il ne sait trop quoi. Une racine, sans doute. Du tout ! Voilà ce qui semble être l'essieu d'une voiture. Que fait un tel objet en pleine forêt ? Quelqu'un a pris le lieu pour un dépotoir ? À moins qu'il y ait déjà eu ici un chemin… Qui dit chemin sous-entend maison. Gros-Nez file droit devant lui. Il se rend compte que les arbres défilant à ses côtés sont plus petits que ceux situés derrière. Aucun doute : il y a déjà eu une route. Le quêteux ne pense pas à la pluie, fasciné par ces pensées. Après vingt minutes de marche, il demeure stupéfait en voyant une habitation abandonnée, qui lui semble être une ancienne cabane à sucre.

Il pousse la porte et bondit aussitôt pour laisser sortir une bande de rongeurs effrayés. L'odeur est infecte. Le vagabond voit une chaise, mais ne risque pas de s'y asseoir. Quoi qu'il en soit, cet abri lui permettra de se sécher, de fumer une bonne pipée, tout en réfléchissant à ce qu'il pourrait en faire. Le calme de cet intérieur l'apaise, si bien qu'il ferme les yeux malgré lui et s'endort. Il se réveille en sursaut quelques heures plus tard. La pluie a cessé et l'écho des ricanements de la forêt charme le vagabond. L'odeur de fraîcheur paraît merveilleuse. Il regarde les alentours. La cabane a été bâtie près d'arbres immenses, pour la tenir à l'abri du vent. Il y a une minuscule clairière et, à cinq minutes de marche, un joli miracle : un ruisseau magnifique.

« Bonjour, mon Jos. Voici la lettre la plus étonnante de ma part. Je t'apprends, mon éternel ami, que je ne suis plus quêteux. Me voilà

ermite. Le tout est venu graduellement, après avoir senti une profonde lassitude de mon existence vagabonde. Cette vie ne m'apportait plus rien de palpitant. J'ai trouvé une ancienne cabane à sucre abandonnée, dans un coin extraordinaire d'une douce forêt. Il restait quelques ustensiles de cuisine dans un tiroir, ainsi qu'un chaudron. Il y a un village à environ une demi-heure de marche. J'ai fait un dernier tour de reconnaissance dans les villages des environs, pour gagner l'argent nécessaire à quelques achats : une hache, un marteau, des clous, des couvertures. La nourriture ? Il y a des fruits succulents dans ma forêt et je tendrai des collets et des pièges, pour le petit gibier. J'ai aussi des graines pour faire pousser des légumes. J'ai réparé le toit de la cabane et bouché quelques fissures. Je… »

Gros-Nez cesse d'écrire, jugeant ce message idiot. De plus, il faudrait retourner au village pour laisser l'enveloppe à la postière. Les journées passent lentement. Le quêteux insulte ses plans de tomates, car ils poussent trop lentement. Par contre, la nature environnante recèle des délices. N'eût été de son séjour chez les Indiens, il n'aurait jamais reconnu tout ce qui est comestible. « Pas étonnant qu'il n'y ait pas d'Indiens ventrus. C'est bon, mais il m'en faudrait une tonne pour me remplir la panse. » Le mendiant écoute le silence, quand les oiseaux daignent se fermer le clapet. Il aime fumer sa pipe, assis sur la terre fraîche, nu comme au jour de sa naissance. Après ces moments de vide, il retrouve son pot d'encre et sa tablette de feuilles pour écrire ses souvenirs. « Je n'ai pas été prévoyant… Demain, je n'aurai plus d'encre ni de tabac. Est-ce qu'il me reste encore de l'argent ? Pas beaucoup… » Gros-Nez n'attend pas vingt-quatre heures et se rend au magasin général du village.

« Mais qui êtes-vous, à la fin ?

— À la fin ? Est-ce que vous sous-entendez que je viens trop souvent ?

— Je veux savoir à qui je m'adresse. Vous admettrez qu'un bourru de votre espèce, avec une barbe d'homme des cavernes, pourrait devenir une menace pour les enfants et les jeunes filles du village.

— On me surnomme Gros-Nez et je vis dans une cabane, dans la forêt, vers le nord.

— Et un ermite a besoin d'encre?

— Que vous importe, puisque je paie. Cependant, j'aurais aussi besoin de quelques autres effets et je pourrais travailler un peu pour vous en retour et…

— Je ne suis pas une organisation charitable, mais un commerçant. D'abord, Gros-Nez, ce n'est pas un nom. De quoi avez-vous peur pour vous cacher dans la forêt et derrière un surnom aussi ridicule? Vous êtes peut-être un évadé de prison ou un fou qui a fui un asile.

— Voilà mon argent. Donnez-moi mon pot d'encre et mon tabac.

— Vous ne fumerez pas longtemps… »

L'attitude de ce marchand confirme à Gros-Nez la pertinence de sa décision de vivre éloigné de l'humanité. Une jeune femme, témoin de l'altercation, sort de la boutique et presse le pas vers le vagabond. « Monsieur! Monsieur! » L'homme l'ignore, jusqu'à ce qu'elle ajoute : « Ce n'est pas un surnom ridicule, Gros-Nez. C'est joli. » L'homme se retourne et sent son cœur battre en voyant un si charmant minois.

« Mon frère a beaucoup de tabac et ne manque pas de travail pour gagner l'argent nécessaire à en acheter d'autre. Venez chez moi, je vais vous en donner.

— Je vous remercie, mademoiselle, mais je vais me rationner.

— Le tabac est le meilleur ami de la solitude. Moi-même, parfois, je fume une cigarette. N'agissez pas en orgueilleux et suivez-moi.

— Moi, orgueilleux? »

Gros-Nez est intrigué de l'entendre parler de son frère à la manière d'un mari. La maison, modeste, est privée de décorations. Pas de papier peint aux motifs floraux. Des couleurs pâles remplacent les foncées habituelles. Aucune photographie austère d'un aïeul, comme partout ailleurs. Avant de penser au tabac, elle remplit une cafetière et dépose une bûche dans le poêle.

« Je m'appelle Grand-Regard.

— Grand-Regard ?

— Si vous êtes Gros-Nez, j'ai le droit d'être Grand-Regard. Je sais où vous habitez. Du moins, je le présume. C'est une cabane à sucre abandonnée, dans la forêt, quelques milles au nord des limites du village. Vous marchez souvent cette longue distance pour venir acheter ceci ou cela chez le marchand. Je vais me ranger de son côté pour une question : pourquoi de l'encre ? Qu'écrivez-vous ? Ne seriez-vous pas un peu poète ?

— Vous êtes curieuse, Grand-Regard.

— Vous aussi, Gros-Nez. Alors, je n'ai rien à cacher : cette maison appartenait à notre père, décédé voilà trois années. Ma mère l'avait précédé deux ans plus tôt. Mon frère et moi y habitons toujours. Il est chef de gare au village voisin et y couche en chambre, si bien que je suis seule ici cinq jours sur sept. J'étais maîtresse d'école, mais comme je ne me pliais pas à toutes les règles, les commissaires m'ont remplacée. Des biscuits, avec votre café ? »

La rencontre dure un peu plus d'une heure, pendant laquelle Gros-Nez se donne un torticolis à force de suivre les mouvements saccadés de la jeune fille, qui s'exprime autant par la parole que par les mains. La belle dit des choses inhabituelles, comme si elle vivait hors du temps présent. Elle lui a parlé des étoiles, des planètes, des herbes sauvages, de l'automobile et des vues animées.

Grand-Regard insiste pour aller reconduire son invité. Elle conduit avec la dextérité d'un cocher d'expérience. Dès la limite du village franchie, elle se met à chanter à tue-tête. Voilà le vagabond à la lisière de la forêt. Elle le salue avec fermeté. Il aurait cru qu'elle l'accompagnerait jusqu'à la cabane, mais au fond, cela ne serait pas très convenable. « Ouf ! » de penser Gros-Nez, ayant perdu la notion du silence. Il transporte deux lourds sacs de victuailles qu'elle lui a offerts. Un de ceux-là se déchire en se frottant à une branche et tous les aliments tombent. « Du fromage ! Un ermite qui va manger du fromage ! Princier ! »

Avant de retrouver sa cabane, l'homme va vérifier si ses pièges ont emprisonné quelques futurs repas. Bredouille ! Le fromage fera l'affaire. Le vagabond place doucement les boîtes de conserves sur sa tablette. Ne se souvenant plus avoir été conçue pour supporter un tel poids, elle décide de s'effondrer. Après la réparation, le mendiant se presse de bourrer sa pipe du tabac du grand frère. Quel goût étrange… Il ne faut plus rechigner pour si peu ! Le quêteux se le permettait parfois, mais ce ne serait pas de bon ton pour un véritable ermite. L'esseulé se presse de retrouver le ruisseau, où il y a une longue pierre plate qui l'avait fait rire en la découvrant, tant elle ressemblait à un banc. « Tu dis, l'oiseau ? Au village. Que t'importe, au fond. Si j'ai rencontré quelqu'un ? Un marchand impoli et Grand-Regard. Des yeux immenses, pétillants ! Une vraie poupée de porcelaine. Tout autre que moi se perdrait d'amour dans un tel regard. Quoi ? Te demander la permission avant de m'éloigner ? Tu perds la tête, cervelle d'oiseau ? Chante ! Gazouille et cesse de me casser les oreilles avec tes questions et tes remarques. »

De retour à la cabane, Gros-Nez écrit sans trop réfléchir, jusqu'à ce que des souvenirs de sa vie d'errance le fassent bifurquer vers un peu de discipline. Quand la noirceur surgit, il est tenté d'allumer sa bougie, sachant que Grand- Regard lui en a donné une nouvelle. « Pas de gaspillage ! J'aurai davantage besoin de chandelles cet hiver. » L'homme a adopté le rythme de la nature : il se couche avec le soleil et se lève en même temps que lui. Il n'existe rien de plus splendide que l'astre puissant qui se manifeste au travers du feuillage des arbres. Gros-Nez étire les bras et crie : « Salut à toi, mon Maître ! »

Il part alors vers les bosquets pour cueillir quelques fruits, ne se privant pas pour arrêter souvent, s'asseoir à même le sol pour regarder besogner les ouvrières d'une colonie de fourmis. Quel travail incessant de la moindre bestiole afin de trouver à manger ! Ne fait-il pas un peu pareil ? Après tout, Grand-Regard, en plus du tabac, de la chandelle et des conserves, a ajouté un incroyable pot de marinades aux carottes que Gros-Nez a envie d'engloutir depuis hier. « Je dois résister ! Sois honnête, mon vieux : ai-je réellement faim ? Et puis, si je maigris, ce sera tant mieux pour moi. Les femmes n'aiment pas les hommes ventrus. » Le vagabond pense au délicieux café offert par Grand-Regard. Il sourit et se laisse transporter par le si frais souvenir de cette maison étrange où cette magnifique jeunesse rayonnait. Il comprend pourquoi elle n'a pu trouver de mari dans une aussi petite localité, surtout quand une candidate de son genre ne suit pas les règles de celles de son sexe. « À la ville, elle serait un grand succès auprès des célibataires. »

Les jours passent et Gros-Nez se demande pourquoi les séances de rédaction de ses souvenirs sont sans cesse interrompues par des pensées relatives à Grand-Regard. Le pot de marinades n'a pu échapper à la gourmandise du solitaire. « J'ai été faible ! Elle cuisine si bien ! » Ses nuits agitées l'inquiètent aussi. « Bientôt, ce sera l'automne. Il y a alors tant de travail sur les fermes, en vue des récoltes. Tant de joie, de générosité ! La meilleure partie de l'année pour un quêteux. »

Gros-Nez se parle seul plus qu'il n'écrit. S'en rendant compte, il se juge un peu fou d'avoir contracté cette habitude. Le lendemain, il se persuade du contraire. « J'ai toujours parlé seul, aux animaux et à ma balle. Qu'en penses-tu, papillon ? Je sais que tu ne comprends pas mon langage, mais je suis persuadé que tu aimes l'attention que je te porte. » La meilleure solution serait de travailler un peu afin de préparer la cabane pour les temps froids. Il a besoin de bois. L'homme descend jusqu'à la route, se jurant de ne se laisser attendrir par personne : travail, plus argent, égalent planches pour la cabane. Il se présente comme journalier de passage, en route vers la grande ville.

« Bien sûr, Gros-Nez.

— Heu… Vous me connaissez ?

— J'avais quinze ans, à ce moment-là, et j'habitais près de Nicolet. Comment oublier vos histoires ? J'ai marié une fille de cette région et suis déménagé. Les terres ne sont pas coûteuses, ici. J'ai deux enfants, mais ils sont trop petits pour m'aider. Je ne peux pas payer beaucoup. Un écu par jour ?

— Ce serait très bien.

— Nourri et logé ! Puis vous raconterez vos histoires de quêteux, le soir.

— Je ne suis plus quêteux, mais ermite.

— Alors, vous raconterez vos histoires d'ermite. »

Une maigre paie, mais suffisante pour quelques planches. La jeune épouse s'est montrée généreuse et a tricoté une paire de chaussettes à toute vitesse, sans oublier de mettre de la nourriture dans le sac de cet homme amusant. Tout ça est fort lourd et le jeune homme décide de l'aider à transporter cette nourriture jusqu'à la cabane. Voyant l'habitation, il déclare qu'elle va s'effondrer après la première tempête de neige. « T'inquiète pas. J'en ai vu d'autres, dans ma vie. »

Retrouvant sa solitude, Gros-Nez travaille à remplacer les planches douteuses. Alors qu'il navigue facilement dans ses souvenirs, il n'arrive pas à se rappeler de ce garçon de Nicolet. Deux jours de morosité plus tard, il décide de se rendre au village pour acheter du tabac. Un homme l'intercepte à la porte du magasin général. « C'est vous, l'ermite ? Très froid, là-haut. Je la connais, cette cabane. Ce n'est pas sans raison qu'elle a été abandonnée. Venez à la maison, je vais vous donner de bons clous et un peu de foin, pour mettre le long des murs. Sans doute que mon épouse pourra vous préparer à manger. »

Le cœur battant, Gros-Nez passe devant la maison de Grand-Regard. L'organe passe près de sortir de son corps quand la belle sort pour lancer : « Vous viendrez me voir, Gros-Nez, et je vous préparerai du bon café. » Le vagabond se sent pressé, contrairement à son bienfaiteur et à son épouse. Trois heures plus tard, il marche avec enthousiasme jusque chez Grand-Regard, qui l'accueille avec le geste le plus inattendu qui soit : un baiser sur son front.

« Votre compote aux carottes était purement délicieuse.

— Il n'y a pas à dire, Gros-Nez, vous avez un don pour parler aux femmes.

— J'avais un peu d'argent pour acheter du tabac et j'ai rencontré cet homme qui…

— Vous n'aviez qu'à venir ici. Mon frère a plus de tabac qu'il n'en faut et m'a bien dit que ça ne lui faisait rien que je vous en donne. Gardez votre argent pour des pots d'encre et votre poésie. Assoyez-vous au salon et je vais vous préparer du café.

— Cette fois, je ne blague pas : votre café était inoubliable. »

Une heure exquise et d'autres présents. De nouveau, Grand-Regard l'accompagne jusqu'à la lisière de la forêt, mais pas plus loin. L'ermite a du mal à dormir, trop préoccupé à se souvenir de chaque geste de la demoiselle, de ses attitudes et paroles. Il pense aussi à la bonté du jeune paysan, de l'homme du village, aux récoltes d'automne qui invitent tant les gens à la générosité.

Après une semaine, il a dévoré entièrement ses réserves. L'homme se sent alors honteux. Il a pourtant si souvent jeûné auparavant. Demeurer longtemps en un seul lieu le rend-il si gourmand ? Il se dit aussi que Grand-Regard cuisine trop bien. « Pourquoi les commissaires d'école l'ont-ils congédiée ? Une jeune femme si intelligente et à la voix si merveilleuse doit être meilleure maîtresse d'école que tant d'autres. Les enfants devraient la réclamer aux commissaires. Il y a si souvent des crétins, parmi eux. »

Cette nuit-là, il rêve encore à l'odeur du café et au baiser donné sur son front. « Je marcherais toutes ces distances chaque jour pour une seule de ces tasses de café et… Ah non ! Il faut que j'arrête de penser à ça ! » Fatigué par tant de rêves, Gros-Nez se met à courir autour de sa cabane afin de se changer les idées et de perdre du poids. Cours !

Cours! Et trébuche! Aille! « Je ne sais pas si elle sait soigner… Quand j'y pense! Cette pauvre petite ayant perdu père et mère alors qu'elle était si jeune. Elle doit souvent pleurer. Dans ce temps-là, il n'y a rien de mieux que l'épaule d'un homme bien intentionné pour… Non! Je dois courir! »

Une semaine plus tard, Gros-Nez quitte sa cabane, ayant réalisé qu'il n'est pas fait pour vivre loin des hommes et des femmes de son peuple, car tout ce qu'il a appris vient de ces bonnes gens. Il ne sera ni ermite ni quêteux, mais simplement un homme, avec ses qualités et ses défauts, mais surtout son cœur. Un grand cœur qui saura aimer.

« Gros-Nez! Quelle bonne surprise! À bien y penser… me voilà mauvaise comédienne. En réalité, j'étais certaine de votre retour.

— Je suis ravi de vous l'entendre dire, Grand-Regard.

— Venez boire mon café que vous appréciez tant. »

À la cuisine, un jeune homme portant des moustaches généreuses. Sans doute le frère qui œuvre à la gare du village voisin. Grand-Regard fend le cœur de son invité en présentant ce garçon comme son fiancé, qui vient de travailler six mois en Ontario pour gagner assez d'argent afin de contracter un mariage avec la belle. Aimable personne, tendant la main au quêteux. Poli et bellâtre. Effrontément bellâtre.

« Vous partez déjà vers votre cabane?

— Non, Grand-Regard. Je ne suis ni homme, ni ermite, mais quêteux.

— Je vais vous donner de la nourriture pour mettre dans votre sac. »

Sur la route, Gros-Nez laisse sa silhouette se dessiner dans l'horizon. Soudain, il arrête de marcher, se penche vers son sac, sort sa balle de baseball qu'il lance au loin, pressant le pas pour la rattraper, afin de la relancer, sans pouvoir s'arrêter. La balle a été le seul témoin de ses larmes.

CHAPITRE 1903 : JOIE

꙳

La femme rit tant que tout son entourage s'esclaffe. Gros-Nez a du mal à se rendre au bout de l'histoire de ce paysan perdant sa culotte aux champs, le vêtement aussitôt récupéré par un âne, poursuivi par le laboureur en caleçon. À l'origine, l'animal était un cheval, mais le quêteux a jugé qu'un âne rapide rendrait l'histoire encore plus drôle. Il ne savait pas que les rires percutants de cette femme allaient alerter tous les voisins et le quartier complet.

Rassasiées par tant de sourires, une dizaine de personnes tendent la main à Gros-Nez, désireuses de lui offrir un coin de leur plancher ou de leur hangar pour passer la nuit, avec promesse d'un bon repas le matin venu. C'est plutôt rare qu'il a l'embarras du choix. Le voilà au chaud, surpris par un soubresaut amusé en se rappelant la force du rire de cette femme. « Sa parenté ne doit pas s'ennuyer avec elle lors des célébrations du Temps des Fêtes. »

Les regroupements d'urbains aiment s'amuser, surtout se moquer des gens de la campagne. Il va de soi que le contraire demeure réel : les campagnards adorent se payer la tête des gens de la ville. Par contre, les mélodrames larmoyants trouvent difficilement bon public dans les villes, alors qu'ils font brailler plus d'un cultivateur. Gros-Nez aime penser qu'il a beaucoup appris de la nature humaine au cours de ces treize années d'errance. Il écrit quelques souvenirs à Joseph, sachant que le jeune homme conserve ses lettres.

Promesse tenue : excellent déjeuner ! La colonie masculine de la famille prend le chemin des manufactures, les enfants celui de l'école, alors que la mère travaillera sans cesse auprès de ses deux bébés, voyant à son intérieur, aux repas. Elle n'oublie pas de laisser un peu de pain au quêteux.

Gros-Nez hésite au coin d'une rue. À gauche ou à droite? Les rues secondaires sont souvent propices à de belles rencontres. Le sud mène vers la pauvreté, synonyme de générosité. La décision devient donc facile à prendre. Quelles maisons délabrées! Cependant, à l'intérieur règne toujours une belle fierté. Gros-Nez voit quelques femmes au repos, sur les perrons, avec les plus jeunes enfants à leurs pieds. Trois maisons plus loin, il aperçoit une fillette qui parle à sa poupée. Une véritable leçon de bienséance est donnée, faisant sourire le mendiant. « T'as compris, Nestor? Je ne te le répéterai pas deux fois. » Comme Gros-Nez n'a jamais rencontré de poupée de ce nom, il décide d'enquêter.

« Nestor? Mais ta poupée est une fille.

— Pas aujourd'hui.

— Et elle obéit, Nestor?

— Sinon, je ne lui donnerai pas à manger. Il faut être sévère avec les enfants, si on veut qu'ils soient bien élevés. Qui êtes-vous, monsieur?

— Gros-Nez.

— Pas Gros-Nez, le quêteux!

— Mais… oui! Comment peux-tu savoir qui je suis?

— Ma maman m'a souvent parlé de Gros-Nez, le quêteux.

— J'étais un bon quêteux, dans les histoires de ta maman?

— Vous l'aviez fait rire.

— C'est mieux que de pleurer, n'est-ce pas?

— Oui. Ma maman m'a aussi raconté que… Ah non, Nestor! Qu'est-ce que je viens de te dire? Attends que ton papa revienne de l'usine. Tu verras ce que tu verras! »

Le vagabond sent que cette jeune maman autoritaire a trop de problèmes avec son enfant turbulent pour s'attarder. Il lui demande où niche sa mère, mais décide de ne pas aller à sa rencontre. Parfois, il vaut mieux garder ses souvenirs intacts que de les voir ressurgir. Gros-Nez retire une certaine fierté de savoir que le voilà un souvenir d'enfance d'un adulte.

Il poursuit son chemin vers le sud dans l'espoir d'arriver au fleuve Saint-Laurent, même s'il sait que ce magnifique cours d'eau devient d'une laideur repoussante dans ce secteur de Montréal. Il faut marcher longtemps avant que la fumée et la suie industrielle ne cessent d'accabler le noble cours d'eau. Avec un peu de chance, Gros-Nez croisera des marins excités ou des immigrants inquiets, prêts à être déridés par cette première image qu'ils verront du Canada : un vagabond qui distribue des grimaces hilarantes.

Ces grimaces tirent leur origine d'un numéro de vaudeville vu à Manchester, au cours de sa jeunesse. Un homme, ni grand ni petit, pas tout à fait laid et encore moins beau, bref, un homme fort banal qui s'était planté sur la scène, sans rien dire. Peu à peu, il avait offert des grimaces en crescendo, se servant de chaque partie de son visage, qu'il tordait en tous sens. Fou rire généralisé! À la fin, il avait tout cessé subitement, gardant silence, avant de repartir vers les coulisses sans même remercier.

Les jours suivants, le jeune Canadien s'était mis en tête d'imiter ce comédien. Étant doté de ce nez immense, les grimaces ont été efficaces dès les premières semaines. Depuis, il n'a cessé de peaufiner de nouvelles acrobaties faciales. Les enfants sont devenus son public de choix. Les adultes, pour leur part, froncent d'abord les sourcils, se demandant ce qui se passe, si cet homme n'est pas prêt pour l'asile de fous, mais après dix minutes, chacun rit sans retenue. Ces grimaces ont souvent servi à Gros-Nez pour attirer la sympathie afin de manger à sa faim et de dormir au chaud.

Le voilà en pleine forme pour une séance grimaçante. Le public joue à quelques pas de lui. Pour attirer l'attention, il se plaint : « Ouille ! » en se tenant le pied droit, avant de s'asseoir sur le trottoir, continuant ses cris de douleur. Les enfants, maintenant près de lui, un garçon recule en voyant une langue immense sortir de la bouche de l'étranger. Le quêteux fait alors bouger son nez de gauche à droite. Pesant dessus, la langue sort davantage. La repoussant dans la bouche, le nez se remet à bouger, alors que les yeux ne semblent plus tout à fait dans les bonnes orbites. Les pointant du doigt, les oreilles bougent à leur tour. « Tenez-vous tranquilles, vilaines ! » Elles protestent en faisant plisser le front tant et tant qu'un sifflement étrange sort de la bouche. Dix minutes suffisent à semer une joie sans mesure. Le quêteux se relève, frotte son pied, assure qu'il se sent maintenant mieux. Les enfants sautillent et applaudissent, alors qu'il s'éloigne en faisant tourner sa main au-dessus de sa tête.

Un furtif coup d'œil lui permet de réaliser que les gamins se sont tous envolés, remplacés par un policier pressant le pas vers lui. L'homme de loi fait remarquer qu'il doit veiller à la sécurité des gens du quartier et qu'il se doit d'enquêter quand un étranger s'adresse à des enfants.

« Qu'est-ce qui les faisait tant rire ?

— Ceci, monsieur le policier. »

L'homme demeure stupéfait en voyant la première grimace, esquisse un léger sourire à la seconde, mais interrompt le spectacle. Le devoir avant tout !

« On en arrête pour moins que ça, mais je ne crois pas que ce soit si grave. Apporter un peu de bonne humeur dans cette partie de la ville n'est pas criminel, mais je vous conseillerais d'éviter mes confrères, surtout ceux de langue anglaise.

— Je prends note de votre sage avis.

—Si vous êtes un vagabond, allez à la taverne de Jos Beef, qui vous accueillera et vous donnera à manger. Circulez, maintenant, et bonne journée, monsieur Grimace. »

Gros-Nez atteint le fleuve, n'y rencontre aucun marin ni immigrant, mais plutôt une vieille femme tirant avec peine une charrette remplie de pommes pas très appétissantes. Il l'aide à atteindre une rue plus passante où elle aura de meilleures chances de vendre ses fruits. Elle tend une pomme pour remercier, mais Gros-Nez la refuse.

L'homme longe les rues parallèles au fleuve, sachant qu'après un certain temps, il atteindra le Parc Sohmer, oasis de verdure dans la grisaille montréalaise. Il perd un peu de temps près des clôtures autour du parc. Avec de la chance, une fanfare se fera entendre, l'idéal avant de marcher vers le nord et quitter la trop intense urbanité.

Voilà la musique ! Rien de mieux pour apporter de la joie, même si toutes les fanfares se ressemblent. Dans les chantiers de coupe de bois, le quêteux a entendu plus d'une fois des joueurs d'harmonica, de violon, de guitare, d'accordéon, certains de ces hommes faisant preuve d'un talent notable. Ces musiciens deviennent, en quelque sorte, les vedettes du camp, le meilleur moyen pour se distraire et faire oublier celle laissée au village. Après avoir marché quelques milles, Gros-Nez entend approcher une… chorale ? Que signifie ce mystère ? La réponse arrive rapidement : une voiture et, à son bord, pas moins de huit enfants chantant en harmonie.

« Très beau !

— Ce sont mes enfants, voyageur. Nous arrivons de Montréal où ils ont passé une audition au Monument National. Où allez-vous ?

— Par là.

— Nous aussi. Montez derrière. Les enfants, laissez un peu de place à monsieur. »

Au signal sonore de la mère, les petits se mettent à l'œuvre. « Il y en a trois qui savent jouer du piano », de préciser le paternel. Une pause entre deux chansons permet à l'invité de raconter une histoire drôle, à la fin de laquelle un autre signal sonore fait redémarrer la chorale. Jugeant qu'un village à traverser fait son affaire, Gros-Nez salue ces seize mains s'agitant dans sa direction. Aussitôt la voiture de nouveau en route, les voix reprennent de plus belle. « Comme j'en ai vu des choses étranges, dans ma vie! Voilà le charme de l'existence! Dire que pour certains, la vie n'est qu'une suite de conventions sociales. »

Le vagabond regarde autour de lui. Bien que tous les villages canadiens-français soient semblables, il a l'impression de ne jamais être passé par celui-ci. Il avait eu le goût d'un peu de ville et avait fermé les yeux sur son aversion pour Montréal afin d'y séjourner quelques jours. Gros-Nez marche doucement, le regard à l'affût. Il voit un vieillard travaillant sur sa pelouse. Il propose ses services pour donner un coup de main. Le quêteux sait que les gens de cette génération se montrent souvent réceptifs aux inconnus.

« Qu'est-ce que vous voulez, en retour? Une tasse de café?

— Je me suis juré, il y a trois ans, que je ne boirais plus jamais de café. Ce breuvage me fait trop penser à une certaine femme. Un thé ferait mon affaire.

— Prenez la pelle dans le hangar. On va retourner la terre. Bientôt, je vais planter des graines pour mes fleurs. Ma défunte mettait toujours des fleurs en face de la maison. Je continue à sa place et ainsi, elle demeure toujours vivante. »

Après le travail, la détente suit, alors que les deux hommes partagent une tasse, assis sur la galerie, épiant les passants curieux de connaître l'identité de l'étranger. Le vieux a quelque chose à raconter sur tout le monde. Un peu à la limite du commérage, si ce n'était pas enrobé d'un certain humour pince-sans-rire. « Les seules personnes intéressantes, dans les villages, sont les gens de passage, parce qu'on ne peut rien dire de certain sur eux. Votre présence va alimenter des conversations dans les maisons. Si vous partez rapidement, ça va devenir encore plus tragique, car ils ne pourront pas enquêter et moi, je vais me fermer la trappe. Ce sera encore plus drôle. Merci pour votre coup de main. J'ai des biscuits, à la cuisine. Vous en voulez pour mettre dans votre sac ? »

Gros-Nez salue gentiment, satisfait de la douceur de cette rencontre, même s'il aurait préféré un lit à des biscuits. Le vieillard l'a assuré que les gens de la campagne avoisinante se montrent peu méfiants, car la proximité de l'île de Montréal attire sur leurs routes nombre d'inconnus, en direction de la grande ville. Alors que le froid du milieu de la soirée commence à se faire insistant, le vagabond cogne à la première porte de maison de ferme rencontrée et se fait répondre par un fantôme. Pas très grand, mais tout à fait blanc, avec des ouvertures dans le drap pour les yeux. Le fantôme est suivi par une fée, avec sa baguette magique.

« Je fabrique des costumes pour une saynète théâtrale des écoliers.

— Voilà le mystère résolu !

— Que désirez-vous, monsieur ?

— Je suis quêteux et je cherche un coin pour dormir. En retour, je vous rendrai le service que vous désirerez.

— Vous pourrez dormir dans le portique. Un quêteux, vous dites ? Connaissez-vous des histoires ?

— Plusieurs, madame. De tous genres.

— Alors, entrez.

— Je vous remercie mais, je vous en prie, dites à ce fantôme de ne pas me regarder de cette façon. J'ai déjà vécu une mauvaise expérience avec un fantôme. Vrai qu'il était plus âgé que celui-ci. Il avait mille trois cent dix-huit années.

— C'est très vieux. Entrez pour nous raconter. »

L'histoire de Gros-Nez effraie même le petit fantôme. L'homme alimente son récit de soubresauts, de gestes menaçants, de mimiques inquiètes, de mots chuchotés et d'autres claironnés. Après ce spectacle, les enfants applaudissent, enlèvent leur costume et montent docilement se mettre au lit. Le mari, jusqu'alors taciturne, annonce que l'étranger pourra coucher dans la maison. L'homme fait un signe à Gros-Nez pour qu'il approche. Dans un album de photographies, il montre une publicité de journal, mettant en vedette deux noms princiers.

« Trapézistes ?

— Pendant cinq années. Nous étions à l'emploi d'un petit cirque de l'Est américain. Pour exercer ce métier, il fallait se rendre aux États-Unis. De l'équipe est né l'amour, puis le mariage, qui sous-entendait la stabilité. Alors, j'ai acheté cette ferme. Je cultive du tabac et j'en vends de belle façon.

— Au fond, si vous me montrez ceci, c'est que vous êtes toujours trapéziste.

— La vie demeure un spectacle continuel. »

À cette parole, sans crier gare, la femme se jette dans les bras de son mari. Le temps que Gros-Nez se frotte les yeux, elle se tient en équilibre sur les épaules de l'homme, qui trottine dans la cuisine. Peu après, il grimpe sur le dossier d'une chaise. La femme est montée en haut de l'escalier et se lance dans le vide, attrapée par l'époux, debout sur la table. Une heure plus tard, Gros-Nez se couche près du poêle et ricane seul. Comment oublier cette démonstration inattendue ? Le matin venu, au moment du départ, il a droit à trois blagues à tabac généreusement remplies et à une douzaine de galettes à la mélasse.

Le quêteux reprend la route, riant encore un peu, alors que l'écho lointain des enfants de la chorale mobile l'incite à siffler. La pluie vient mettre un frein à sa bonne humeur. Gros-Nez trouve rapidement un abri dans un boisé afin de s'y reposer en goûtant au tabac du trapéziste. Soudain, une jeune fille surgit, cherchant à se mettre à l'abri. Quand elle lui demande son nom, la réponse l'incite à rire sans pouvoir s'arrêter, mêlant des reniflements et des postillons de bave.

L'homme sait tout de suite de quoi il s'agit. Dans les villes, plusieurs comme elles sont confiées à des asiles, mais à la campagne, les parents sacrifient tout pour garder ces enfants infortunés dans leur entourage.

« Il pleut, hein ! Il pleut, pleut, pleut ! Il pleut de l'eau !

— Tu t'en allais chez ton papa et ta maman ?

— Oui, mais il pleut !

— C'est loin d'ici ?

— Non, c'est par là, mais il pleut !

— Je vais aller te conduire.

— Est-ce que tu connais des chansons ? Moi, j'en connais une ! *À la claire fontaine, m'en allant m'y mener, j'ai trouvé l'eau belle et s'y baigner.* »

Galant, Gros-Nez dépose une couverture sur la tête de la pauvresse. Il croyait que la jeune femme allait éclater de rire, mais elle remercie, réalisant la délicatesse de l'intention. Le long du trajet, elle pointe tout du doigt et compte les vaches. La maison parentale atteinte, elle court en agitant les mains : « Maman ! Il s'appelle Gros-Nez, le monsieur ! Gros-Nez ! C'est drôle, hein ? » La mère lance un regard méfiant vers l'étranger, qui raconte ce qui s'est passé. La fille, excitée, est arrêtée par un coup de talon sur le bois de la galerie.

« Je l'ai envoyée chercher un panier chez ma cousine, à deux milles d'ici. Elle connaît le chemin et n'a pas peur de la pluie. Si elle vous a aperçu, c'est qu'elle désirait vous connaître.

— Je comprends. Donnez-moi le nom de votre cousine et j'irai chercher votre panier.

— Rien d'important.

— Quel âge a-t-elle ?

— Quatre ans, mais le bon Dieu m'en a fait cadeau voilà vingt-cinq ans. Dans dix ans, elle fêtera son cinquième anniversaire.

— Vous êtes courageuse, madame.

— Détrompez-vous. Elle mange bien, n'est point malade, propre et obéissante. Si elle n'était pas ici, cette maison serait triste depuis longtemps. Assoyez-vous, étranger, pour vous sécher. »

Afin de prouver que son enfant est intelligente, la mère lui ordonne de préparer une tasse de thé pour l'invité. Après, la fille reçoit l'autorisation de montrer sa poupée. Elle la berce, la cajole, l'inonde de baisers. « C'est en prenant soin de ma fille que j'ai acquis de la sagesse. Je vois les autres et il m'arrive de les envier, mais pas très longtemps. Je pardonne au Seigneur de m'avoir enlevé deux autres enfants et mon mari. Si ma fille était comme les autres, elle serait mariée et je demeurerais seule dans cette maison. » La fille se berce, roulant des yeux, lançant quelques rires en direction de Gros-Nez, mais cessant au moindre regard de sa mère. « J'ai dû me montrer sévère pour lui apprendre. Sinon, elle ne serait plus ici. » Un second signe de la tête suffit pour que l'enfant recommence à rire en criant « Gros-Nez ! Gros-Nez ! »

Le quêteux y va de sa séance habituelle de grimaces, provoquant une hilarité si intense qu'il a du mal à poursuivre. Avant de partir, il se penche vers elle, caresse les cheveux de la poupée, pige un biscuit dans son sac et le tend vers sa bouche. Intimidée, elle semble donner l'impression de vouloir pleurer, mais, cinq minutes plus tard, elle sautille face à la maison en sifflant : « Gros-Nez ! Gros-Nez ! »

Après avoir dormi dans une étable, le quêteux reprend la route en portant sur ses vêtements l'odeur de la vache, de poules imbéciles, d'un cheval plein de rhumatisme et d'un coq insomniaque qui a claironné son cocorico en pleine noirceur. Gros-Nez marche longtemps avant de trouver un cours d'eau pour s'y tremper les pieds, tout en savonnant sa chemise, ses bras et son visage. À l'aide de son canif, il se rase, alors que les chaussettes sèchent sur une pierre. L'homme est couché sur le dos, profitant du soleil, sentant que cette journée sera un prélude à l'été et que les gens qu'il croisera le recevront avec joie.

« Torrieux de maudite crotte puante de christie de cochonnerie !

— Holà, monsieur ! Ce n'est pas une façon de vous exprimer par une aussi jolie journée.

— Qui êtes-vous et qu'est-ce que vous me voulez ?

— Je suis Gros-Nez et je désire vous aider. »

Lourde charge, vieux cheval et route cahoteuse égalent bris de roue. Il faut déposer ces pierres et ces planches le long du chemin, emprunter des outils à la maison la plus proche et réparer. Gros-Nez revient avec… dix hommes ! Ils étaient en train d'aider un des leurs à réparer le toit d'une grange. Le vagabond aime cette tradition paysanne de donner un coup de main à chacun sans poser de questions, ni rien demander en retour.

Tous connaissent l'accidenté et le travail se fait dans la joie et les chansons. Vingt minutes plus tard, l'homme reprend la route, envoyant la main à Gros-Nez, penaud, se disant qu'il aurait au moins pu le faire monter. La dizaine l'interpelle : « Si tu n'as pas peur de l'ouvrage, viens avec nous ! Quand ça va être fini, on va manger, boire et chanter ! » Pendant que les messieurs sont à l'œuvre, les épouses, sœurs et filles préparent le festin de remerciement. Le mendiant sourit en voyant s'approcher une petite fille avec une cruche d'eau. Elle veut connaître son identité. « Gros-Nez, le quêteux. » Aussitôt, elle laisse tomber la cruche et s'enfuit.

« Certains quêteux ont mauvaise réputation et les mères s'en servent comme d'un épouvantail pour tranquilliser les enfants.

— Fort triste, car j'aime tant les petits. Je danserai avec celle-là dès la fin des travaux.

— Je te gage que tu n'y arriveras pas, quêteux.

— Je n'ai pas d'argent pour tenir des paris.

— Je te gage rien que je vais gagner.

— Rien, ça, j'en ai beaucoup.

— Au travail, en attendant ! »

Armé de ses mimiques les plus efficaces et la tête débordante de fables, Gros-Nez approche de la belle. Elle se raidit, hurle et court aussitôt vers l'endroit le plus sûr pour se cacher : la niche du chien. Chacun trouve cette réaction amusante, du moins jusqu'à ce que la fillette refuse avec obstination de sortir. Gros-Nez est obligé de s'éclipser avec son assiette dans un coin discret afin de manger loin de cette affolée. Un homme vient lui tenir compagnie afin de lui parler sans cesse de température.

« Vous êtes un sacré gaillard, étranger ! Je vous regardais travailler et vous êtes fort comme cinq hommes.

— Possible.

— Tantôt, avec les gars, on va aller jouer à la balle. Ça vous tenterait de vous joindre à nous ?

— À la balle ? Au baseball, vous voulez dire ?

— C'est ça.

— Avec plaisir ! »

Gros-Nez a frappé le projectile avec tant de vigueur qu'il est entré telle une flèche dans un poulailler, situé très loin de son bâton. Panique dans la basse-cour et envolée de plumes ! Un peu plus tard, il a couru à reculons, attrapant d'une seule main une balle férocement cognée, puis il l'a retournée très vivement, sans qu'elle ne touche le sol. Victoire facile, avec un tel prodige comme joueur ! Ce soir-là, il couche non dans une grange, mais dans un salon, la tête sur un oreiller de soie et profitant de couvertures sentant le bon air du printemps. Bien que satisfait de toutes ces largesses, l'homme reprend la route le matin venu.

Le voilà marchant machinalement, l'esprit encore imprégné par la scène cocasse de cette enfant se précipitant tête première dans la niche. Il arrête pour réfléchir. « Non ! Je n'y retourne pas ! » Un peu plus tard, il voit un sou au milieu de la route et l'ajoute à sa fortune. « Trente-sept sous ! Quelle horreur ! Il faut que je dépense cet argent. Tiens ! Je vais m'acheter un cigare ! Pareil à un politicien ! Au pas, mon vieux ! Vite au prochain village ! Il n'est pas très loin, que m'ont dit les gars, hier. »

Au magasin général, l'homme n'a pas le temps de porter le cigare à sa bouche qu'il est séduit par une petite poupée de chiffon, cependant trop coûteuse. « Ratissez le chemin menant à la maison privée et vous l'aurez, votre poupée, en ajoutant vingt sous. » Cette fois, cette petite craintive ne lui résistera pas ! Mais il se fait tard et le projet de séduction sera davantage mûri après une sage nuit de sommeil. Gros-Nez dépose la poupée sur son ventre, puis active ses bras à l'aide de ses pouces. « Les petites filles apprennent à devenir de futures mères grâce aux poupées. Les garçons ont des soldats de plomb et des chevaux. Les gestes des fillettes pour les poupées me paraissent beaucoup plus beaux, n'est-ce pas, mon enfant ? Oh ! J'ai tort de t'appeler ainsi. Bientôt, tu auras une vraie maman. J'espère que tu n'habiteras pas une cabane à chien. »

Le lendemain, il atteint la maison de la rebelle. Aussitôt qu'elle l'aperçoit, le même manège recommence : hurlements et fuite. « C'est de ma faute. Moi et mes histoires de quêteux… », de soupirer la mère, désolée. Gros-Nez suggère de dire à l'enfant qu'il n'est plus celui qu'elle pense. Pas dupe, la princesse ! Re-larmes et re-course ! Poupée neuve à donner ? Échec !

« Vous êtes bon d'avoir acheté ce jouet, vous qui vivez pauvrement.

— Ma richesse, c'est le bonheur des enfants.

— Je vais vous rembourser.

— Je refuse. Gardez-là. Votre fille finira par jouer avec cette poupée plus tard et peut-être que le prochain quêteux à vous visiter aura ses faveurs.

— Puis-je vous proposer l'échange ? Un peu de lard et de pain, pour mettre dans votre sac ?

— Hmmm… Du bon lard…

— Venez à la maison et… c'est fatigant, ces cris ! J'ai honte ! »

Ce sentiment de honte est aussi ressenti par Gros-Nez quand il entend la mère hurler des injures à la petite. Il préfère oublier la nourriture et s'éclipser. Voilà la femme et son enfant entre les bras, cherchant le mendiant du regard. Elle le voit s'éloigner, crie son nom, sans succès. Soudain, Gros-Nez met le pied dans un tas de boue, glisse et tombe sur son derrière. Aussitôt, les pleurs de la fillette se transforment en rires incessants. Elle réclame qu'il recommence. Le vagabond ne se fait pas prier. Hop ! Boom ! Hop ! Boum ! Les éclats de rire se multiplient. Une demi-heure plus tard, elle jouait sur la galerie avec sa poupée, Gros-Nez à ses côtés, mangeant doucement son lard. Quand il décide de partir, la femme le prie de demeurer. L'homme hausse les épaules, poursuit sa route, prenant garde de ne pas remettre les pieds dans la boue.

Au cours de la soirée, il attend le train. Aucun ne lui échappe ! Il ne savait pas qu'il venait de monter dans un wagon particulier… Le voilà accueilli par une dizaine de singes, sans doute échappés d'une cage. Il y a aussi quelques phoques et un chien. Les singes le font rire, ces petites bêtes croyant sans doute que l'homme est un public. « Je suis chanceux. J'aurais pu arriver dans un wagon rempli de lions. » Avec un tel chargement, Gros-Nez sait qu'il sera tranquille, n'ayant qu'à attendre un ralentissement, sauter, puis offrir ses services aux gens de ce cirque. Il n'ignore pas que ces personnes emploient toujours quelques flâneurs du lieu où le spectacle sera présenté pour aider à monter la tente, installer les bancs…

En descendant, Gros-Nez perd son sourire en se rendant compte qu'il est aux Trois-Rivières. « M'sieur ! Besoin de travail ? » de lui crier en anglais un grand Noir. Le quêteux fait comme s'il n'avait pas entendu, s'éloigne en marchant en équilibre sur les rails. Une demi-heure plus tard, il a déjà quitté la ville de Joseph. Assis contre un arbre, il tente de ne penser à rien et même sa balle n'arrive pas à lui faire oublier cette idée de ne pas revoir son meilleur ami. « Le destin me dira le bon moment », pense-t-il. Songeur et triste, le mendiant pense qu'il aurait eu du plaisir à travailler pour ce cirque.

Soudain, l'inattendu le fait à nouveau se redresser : une voix de soprano ! En pleine forêt ? Cela indique surtout qu'une maison ne doit pas être très loin. Il se redresse pour entendre cette voix féminine, tout à fait charmante. Elle ne fausse pas, répète la même mélodie. Gros-Nez devine que cette chanteuse s'est rendue dans la nature pour s'exercer en toute paix et pousser la note sans crainte d'alerter les voisins.

Le vagabond se laisse envoûter jusqu'à ce qu'une seconde voix, mâle cette fois, se joigne à la première. Ils se lancent dans un duo à faire trembler les murs d'une cathédrale, jusqu'à ce que le timbre masculin se casse et transforme l'autre en un rire perçant. Bon prince, le ténor rigole à son tour. Puis, le couple se met à parler. Gros-Nez tend l'oreille. « Quoi ? On dirait de l'allemand… Mais que font donc deux chanteurs d'opéra germaniques dans une forêt à l'ouest des Trois-Rivières ? » Les échanges dans la langue étrangère se poursuivent, tout comme les bribes de chant, le tout entrecoupé de murmures. « Mais ils se font la cour ! Ils ne vont tout de même pas… Hein ? Une troisième voix ? Celui-là aussi désire s'amuser. »

Gros-Nez devrait approcher pour en avoir le cœur net, mais il demeure figé, envoûté par l'étrangeté de ces instants, d'autant plus que tous ces rires le portent à rigoler ferme. Soudain : plus rien ! Profondément rien ! Tout a cessé abruptement, comme si une baguette de fée avait fait disparaître ces trois personnes. Le vagabond se demande s'il a rêvé tout cela. Il approche, regarde au sol pour trouver des traces de pas. Rien non plus ! Il hausse les épaules, marche vers la voie ferrée en chantant des airs d'opéra à sa balle de baseball, lui faisant oublier que sur sa route sans fin, il croisera fatigue, épuisement, mépris, tristesse et faim.

CHAPITRE 1892 : FAIM

Discrètement, après cent précautions, mais tout de même la crainte au cœur, Gros-Nez fouille dans ce sac d'immondices déposé dans une ruelle derrière un restaurant. Il y trouve un trésor : une pomme. Il se presse de l'enfouir dans son sac et de retourner à la rue. Vite, il croque dans le fruit. Le goût paraît très amer. L'intérieur du fruit est brunâtre et dépourvu de jus. « Si je mange ça, je vais devenir malade. D'un autre côté, je n'ai pas le choix. À mes risques ! » Croque ! Aille ! Pire que la première fois…

Voilà ce qui étonne le quêteux dans cette vie librement choisie : il n'y a pas de continuité. Aux moments précieux et euphoriques succèdent des périodes troubles et frustrantes. Le mal de pieds ? Mille fois ! La faim ? Pas si souvent… Par contre suffisamment pour décourager un gaillard de forte taille, ayant besoin de nourriture pour se sentir bien dans sa peau. « La faim ne veut jamais discuter », fait-il, en lançant le trognon dans la rigole. Gros-Nez se sent alors comme un animal. La première préoccupation quotidienne des oiseaux, des lièvres, des loups, de la ménagerie entière : trouver à manger. Il croyait pourtant qu'à la ville, tout serait plus facile, à cause de la densité démographique. Il n'a pas pensé qu'à Montréal, c'est chacun pour soi.

« Qu'est-ce que vous faites là ? What are you doin' ?

— Je marche. Est-ce interdit, monsieur l'agent ?

— Ne répondez pas ainsi à une autorité! Montréal est une ville propre n'ayant surtout pas besoin de vagabonds sales qui importunent les honnêtes citoyens.

— Je suis journalier, monsieur. Avec le genre de travail que je fais, je n'ai pas besoin de porter de col ni d'habit.

— C'en est trop! Au poste! Pas de résistance! »

Au fond, si une injustice aveugle le met derrière les barreaux pendant vingt-quatre heures, le pain sec et l'eau lui feront oublier la pomme avariée du restaurant. L'interrogatoire est routinier : « Mendicité?

— Non, monsieur.

— Dévergondage sur la place publique?

— Du tout, monsieur.

— Vagabond?

— Non, monsieur : je suis quêteux.

— Quêteux? Comme à la campagne? de faire le chef, étonné. Poursuivons… Poursuivons… Impolitesse?

— J'ai peut-être répondu un peu abruptement à votre agent.

— Vous le regrettez?

— Oh oui, monsieur, je le regrette et je demande pardon à votre policier.

— Voici l'adresse d'un refuge qui vous accueillera pour la nuit et vous donnera à manger. Circulez!

— Mais… Mais… Mon pain sec et mon eau ? » de se dire Gros-Nez.

Le mendiant se fait mal regarder par le policier qui l'avait arrêté. L'homme a sans doute l'impression d'avoir perdu la face dans cette affaire. Peut-être que son supérieur lui adressera des reproches. « Quitter Montréal! Il n'y a rien à faire ici! Jamais je n'irai dans leurs refuges, où des hypocrites se donnent bonne conscience en voulant aider les pauvres, mais en les traitant comme du bétail. Les règles, j'en ai trop affrontées, jadis! Si je veux manger, c'est à la campagne que je trouverai ce qu'il me faut. »

Gros-Nez marche avec vigueur, comme si la colère guidait ses pas. Soudain, il voit une femme âgée, transportant difficilement deux sacs d'épicerie. Il s'empresse de l'aider. « Je vous remercie, monsieur. Vous avez bon cœur. C'est si rare chez les jeunes d'aujourd'hui. » Le vagabond aurait préféré un élément des deux sacs en guise de remerciement. Mains dans les poches, il s'éloigne quand soudain, la voix l'interpelle : « Peut-être puis-je moi-même vous rendre service ? » Enfin, manger ! Du thé et des biscuits secs. Très secs. « Merci, bonne dame », fait-il en la saluant avec courtoisie, même s'il se demande si le qualificatif n'est pas exagéré. Il a vite appris qu'un quêteux doit savoir garder des distances polies et ne jamais se montrer plaintif.

Gros-Nez marche vers le nord et le chemin de fer, ne sachant pas s'il prendra un wagon de l'est ou de l'ouest. La première option est retenue et le voilà dans un compartiment rempli de caisses de fruits. Cette odeur l'enivre, mais jamais il ne chapardera quoi que ce soit, pas même pour se nourrir. Après une demi-heure, le train ralentit. L'homme a oublié qu'il est préférable de sauter au moindre signe de l'approche d'une gare. Trop souvent, il a subi les insultes humiliantes des employés de la compagnie, sans oublier celui qui l'avait dépossédé du peu d'argent qu'il avait, sous prétexte de lui faire payer son passage. Gros-Nez demeure caché derrière les caisses, alors que des manœuvres vident le wagon voisin.

« Et si j'arrêtais pour aller voir Joseph ? Qu'est-ce qui a pu lui arriver, depuis la dernière fois ? Il a dû avoir le temps de perdre trois autres emplois. Quel caractère, ce Ti-Jos ! » Gros-Nez descend dans les environs de Berthier, alors qu'il se croyait plus près des Trois-Rivières. Il hausse les épaules, puis se balade calmement sur les trottoirs de la rue principale, grignotant le dernier biscuit de la vieille dame de Montréal.

« Monsieur, je suis Gros-Nez, le quêteux et…

— Va jouer ailleurs, pouilleux!

— Je voulais vous suggérer de…

— Je t'ai dit de déguerpir, plein de maladies! »

La méthode pour demander le gîte mérite d'être peaufinée. Parfois, Gros-Nez y pense, compare ses succès et ses échecs, mais cette théorie n'a rien à voir avec la réalité imprévisible du genre humain. À bien y penser… Pas de mal à coucher à l'extérieur! Nous sommes en juin, tout de même. Gros-Nez marche vers les limites de Berthier et trouvera sans doute un boisé où il pourra s'installer confortablement. « Ce serait une bonne idée de traverser le fleuve et de me rendre à Sorel. Il paraît que les femmes du delta préparent un ragoût, à base de poisson, tout à fait délectable. Je m'en lèche les doigts rien que d'y penser et… Ah! J'ai tort d'y songer! J'ai si peu mangé, depuis quatre jours… Peut-être que j'aurais dû garder le biscuit. Je me contente des miettes, comme un oiseau. Je me demande quel genre d'estomac peut avoir un oiseau. Bon! Dormons, maintenant! Il ne me reste qu'à compter les moutons pour m'endormir et… Non! Les moutons se transformeraient en gigots. Je vais compter des balles de baseball. »

Belle nuit écourtée par les gargouillis de son estomac. Gros-Nez scrute la nature autour de lui, à la recherche de quelque fruit sauvage. Le néant! Il soupire, se gratte la barbe, puis frappe dans ses mains, déterminé à travailler un peu pour gagner des sous afin de manger et de traverser le fleuve. Chanceux, à la première ferme croisée, il rencontre un couple rentier qui accepte de le nourrir s'il lave les carreaux des fenêtres du deuxième étage de la maison.

« Des biscuits…

— À la mélasse! Ma recette secrète! Vous m'en direz des nouvelles.

— Ils me paraissent très appétissants. Je vous remercie, madame.

— Puis il a lavé comme il faut », de faire le mari, heureux de s'être soustrait à cette tâche.

Quelques visites, réparties en deux jours, suffisent à apporter à Gros-Nez la somme voulue pour traverser le fleuve et même se payer un repas dans un restaurant de Berthier, même si on lui demande de se rendre manger dans le fond de la cour.

« J'ai ce qu'il faut pour payer et vous me dites d'aller manger dehors ?

— C'est la loi !

— La loi ? Il y a des lois pour laisser des consommateurs dans le froid ? Dans des pays non civilisés peut-être, mais pas au Canada. Vous avez vu le vent qu'il y a aujourd'hui ?

— Ma loi ! Il faut respecter le reste de notre clientèle et avec votre apparence, monsieur, je…

— Ça va ! Ça va ! »

L'ordre est venu quand il avait le plat entre les mains. Sinon, Gros-Nez n'aurait pas hésité à s'adresser à un autre restaurant. Quelles délicieuses pommes de terre ! Et ces carottes, ces asperges ! Le pain, donc ! Il a presque le goût de lécher l'assiette, « comme les petits chiens attachés dans le fond des cours ». Il cogne la porte et tend son argent. « J'ai mangé à l'extérieur et je vous paie dehors. Donnez-moi ma monnaie. »

Le voilà prince et roi à la fois. Il espère que le capitaine du traversier ne lui demandera pas de s'installer à fond de cale. Le quêteux se laisse bercer par le magnifique paysage du grand fleuve Saint-Laurent. Avant de mettre pied sur la Rive-Sud, l'homme est salué avec courtoisie par le capitaine. « La loi ne l'a pas encore atteint, celui-là. »

Voilà une nouvelle ville pour le mendiant. Son désir de visiter tous les coins de la province de Québec se réalisera au fil des années. L'homme aime répéter qu'il accomplira ce qu'aucun premier ministre ne pourra se vanter d'avoir fait : parcourir le pays à pied d'un bout à l'autre, sans oublier « le sage enrichissement d'avoir goûté à la bonté de cœur de ses compatriotes ».

« Bonjour, monsieur. Je suis quêteux et…

— Sacre ton camp, pouilleux ! Paresseux ! Voleur !

— Je vous remercie de votre attention, monsieur.

— Ivrogne !

— Ah non ! Cela, par contre, je vous jure que jamais je n'ai…

— Je t'ai dit de t'en aller ! »

« Le sage enrichissement de goûter à la bonté de cœur de ses compatriotes » peut avoir quelques ratés. Rien n'a été facile, jusqu'ici, mais le jeune homme sait qu'il apprend. Gros-Nez passe les heures suivantes à errer, cherchant à rendre service en retour de quelques sous ou d'un bout de pain. Il aime observer les gens, leurs allées et venues, leur attitude. À la fin de l'après-midi, il aide un livreur de glace, blessé à un pied. L'homme, assurément un petit salarié, le remercie et lui donne deux sous. Une somme suffisante pour que Gros-Nez achète un fruit et se laisse transporter par les succulentes odeurs de la place du marché.

Le lendemain, il atteint les îles de Sorel, attiré par la réputation de ce ragoût à base de poisson. Ce qu'il voit l'étonne : une multitude de petites îles, ceinturées de canaux à l'eau trouble et qui semblent peu profonds. Les habitants, peu nombreux, cultivent des jardins pour leurs propres repas et s'adonnent à la pêche. Gros-Nez cogne à la porte d'une chaumière, offre ses services en retour d'un repas. La femme le regarde silencieusement, comme si elle réfléchissait.

« Est-ce que vous allez jeter un sort à ma maison si je ne vous donne pas à manger ?

— Je ne suis pas de ce bois, madame. Je ne désire de mal à personne. Je ne tends pas la main, mais désire travailler en retour d'un repas.

— Vous ne parlez pas comme un vrai quêteux, mais comme un étudiant des grandes écoles savantes. Allez-vous jeter un sort, oui ou non ?

— Non.

— Dans ce cas, je n'ai rien pour vous. »

Il s'éloigne en grognant « stupides superstitions ». Il a d'abord voulu les respecter afin de s'harmoniser aux croyances de chacun, mais la première fois qu'il a fait des gestes étranges à propos du champ d'un cultivateur, Gros-Nez s'était trouvé ridicule, aussi idiot que le paysan effrayé qui lui avait donné illico à manger.

Il tente sa chance à la maison suivante, mais en approchant, l'homme met pied dans un marais et cale jusqu'aux genoux. Gros-Nez voit soudain passer un poisson entre ses jambes, se penche pour le saisir, mais tombe plutôt tête première. « Non seulement c'est chaud, mais cette eau ne sent pas bon. » Il enlève tout de suite sa chemise pour la tordre, quand interpellé par un hurlement féminin sortant de nulle part. « Au fou ! Un étranger qui se dénude devant des femmes respectables et de pauvres enfants innocents ! » Le vagabond voudrait justifier son geste, mais il ne trouve nulle âme qui vive dans les environs d'où provient cette voix. Il hausse les épaules, remet sa chemise et décide d'aller plus loin.

« C'est vous qui vous déshabillez devant les femmes ?

— Hein ? Oh ! Bonjour, monsieur. Je suis tombé dans l'eau et je voulais tordre ma chemise.

— Vous n'avez pas le pied marais.

— Le pied marin, vous voulez dire.

— Ailleurs, peut-être, mais ici, ce sont des marais. Qu'est-ce que vous faites dans le coin ?

— Je suis quêteux et je cherche à manger, en retour d'un service que je peux rendre à vos semblables.

— Vous tombez bien, étranger. Mon plus grand a la fièvre et ne peut m'aider à pêcher. Montez et en revenant, je dirai à mon épouse de vous préparer un repas en retour des services que vous m'aurez rendus à la pêche. »

Gros-Nez croit qu'une belle partie de pêche l'attend, assis au soleil dans cette barque, avec sa pipe entre les dents, sans oublier les histoires que le pêcheur lui racontera. Il y a plutôt eu du travail à n'en plus finir, le poisson abondant se précipitant sans cesse sur les appâts. « Ce que je fais avec ces poissons? Je les vends. Drôle de question, quêteux! Je les écoule au marché de Sorel, celui de Nicolet, et j'ai un fidèle client de Montréal qui vient une fois par mois. J'en avais un second de la grande ville, mais il s'est trouvé un autre fournisseur après que je l'eusse traité de ventru à deux couleurs. Oui, quêteux! Pire qu'un ventru tout court : un ventru à deux couleurs. »

Avec cette multitude de poissons, Gros-Nez va enfin se régaler. Le bienfaiteur l'a assuré que son épouse n'a pas de compétition pour préparer ce ragoût des îles. La femme accueille chaleureusement l'étranger, mais la grand-mère, apprenant qu'il est quêteux, hurle, tremble d'effroi et agite un chapelet dans sa direction. « Pas nourrir un quêteux un premier jeudi du mois! Dangereux! Ça porte malheur! » Rien ni personne ne peut la calmer, l'empêcher de répéter sans cesse sa conviction. Le chef de famille, ne voulant pas déplaire à sa belle-mère, demande à Gros-Nez de s'en aller. Le vagabond à peine sorti, l'homme le rattrape.

« T'as pas travaillé pour rien. Je ne suis pas riche, mais je peux te donner deux sous et trois bons biscuits. Si tu repasses demain, elle se sera tranquillisée et tu pourras manger du poisson.

— Je vous remercie.

— C'est fâchant, mais la mère de ma femme est comme ça. Il ne faut pas la contrarier. »

Qu'à cela ne tienne, Gros-Nez connaît maintenant le lieu où le poisson abonde et la façon de l'attraper. Pieds dans l'eau, il attend sa proie. Un! Deux! Le troisième semble plus difficile à prendre… Mais le voilà! Après vingt minutes, le vagabond se presse de trouver un coin sec pour cuisiner. Il déniche du bois pour le feu, un bâton solide pour y planter un poisson. Mais… que se passe-t-il? « Mes allumettes ont pris l'humidité quand je suis tombé dans l'eau. Quelle déveine! Il n'est pas dit que je vais me priver de manger à cause de ça. Les Indiens m'ont montré comment faire un bon feu avec des pierres. »

L'exploit réalisé après trop de temps, Gros-Nez se régale déjà en tendant le premier poisson vers la flamme, mais soudain, un groupe d'hommes approche. « Mes frères de l'humanité pour partager mon repas, m'enrichir de leurs rires, de leurs histoires. » L'étranger sort tout de suite sa blague à tabac pour l'offrir en partage, mais ses deux mains tombent sur ses hanches en constatant que le plus grand porte une carabine.

« Tu te promènes tout nu devant nos femmes et nos enfants, bandit! Tu sauras qu'on ne veut pas de ça dans les îles de Sorel. Déguerpis!

— Messieurs, c'est un malentendu. J'étais tombé dans…

— Sacre ton camp et plus vite que ça, maniaque! »

L'homme met l'ennemi en joue. Gros-Nez demeure si stupéfait qu'il ne bouge pas, provoquant un coup de feu qui passe au-dessus de sa tête. À la vitesse de l'éclair, le vagabond prend son sac et court sans cesse. « Je vais me plaindre à la police de Sorel! C'est inadmissible qu'un tel sauvage tire sur un voyageur qui ne faisait rien de mal! » Le pauvre ralentit le pas en sortant du delta, pense soudainement que dans sa fuite, il a oublié ses poissons. Las, découragé, il grignote lentement ses trois biscuits, assis sur le bord de la route.

Sentant la guigne et l'hostilité dans ce coin de la province, Gros-Nez décide de partir vers le sud, mais ne peut résister à l'appel d'une longue voie de chemin de fer se dirigeant vers l'ouest et l'est. Aucun wagon ne lui résiste, mais il ne croyait cependant pas se retrouver nez à nez avec des dizaines de caisses de légumes et de fruits, parfumant l'espace sombre d'odeurs les plus enchanteresses. Le quêteux se sent étourdi, alors que son estomac aboie : « Voles-en un peu ! Personne ne s'en rendra compte ! » Préférable de fermer les yeux, tenter de dormir…

Le matin a sans doute débuté son règne quand Gros-Nez se rend compte que le train ralentit. Il ouvre légèrement la porte et voit des maisons. Il vaut mieux sauter immédiatement que de risquer les représailles des employés de la compagnie. Où se trouve-t-il ? Pas le temps d'enquêter : en entendant l'accent des passants, il sait que la Beauce vient de croiser son destin. Fourbu, sale, affamé, le quêteux n'ignore pas qu'il vient d'aboutir dans la capitale mondiale de la susceptibilité, du sans-gêne, de la générosité sans fin ou des refus les plus odieux. Il marche un peu et voit une femme en train d'arroser ses fleurs à l'aide d'un arrosoir de métal. « Pouvez-vous, madame, me mettre un peu d'eau dans les mains ? » Comme réponse, il reçoit le contenu entier en plein visage. « À bien y penser, c'est ce que je voulais », se dit-il, tout en frottant vigoureusement.

Comme Gros-Nez ne trouve pas d'occasion de se nourrir dans la ville, il se dirige vers ses frontières. Quand son ventre hurle une vive protestation, il arrête, sort de son sac sa balle pour recommencer son rituel. Il ne s'attendait pas à ce qu'un chien s'empare du projectile et se mette à courir, poursuivi par le quêteux, s'époumonant à lui ordonner de laisser prise. L'animal arrête si promptement que le mendiant devine facilement la présence du maître.

« C'est une balle de baseball, petit gars. Un souvenir de ma jeunesse alors que j'habitais aux États-Unis.

— C'est quoi, le baseball ?

— Un beau sport.

— C'est quoi, un sport ?

— Une activité physique.

— C'est quoi, une… physique ?

— C'est… Merci d'avoir arrêté ton chien pour que je reprenne ma balle.

— C'est quoi, le baseball, un sport et une physique ?

— Habites-tu loin d'ici ?

— Pourquoi vous ne répondez pas à mes questions ? Votre nom ?

— Gros-Nez et je suis quêteux.

— Quêteux ? Noiraud ! Attaque ! Mords ! Mords ! Attaque ! »

Quelle journée épouvantable ! Dans sa course contre ce quadrupède stupide et fou furieux, Gros-Nez a trébuché et cassé sa bouteille d'encre, qui s'est déversée partout dans son sac. Le voilà en train de le nettoyer vigoureusement, les deux pieds dans un ruisseau, à l'aide d'un savon souillé par l'encre. Quand il entend : « Qu'est-ce que tu fais là ? » il n'a pas le goût de se retourner. Un gaillard à demi chauve le fixe. Le vagabond explique à toute vitesse. L'autre demande pourquoi il transportait une bouteille d'encre. L'échange impromptu ressemble à une enquête.

« Prends un coup avec moi. Ça fait oublier les soucis.

— J'ai plus faim que soif.

— Ce problème peut se régler aussi. Je m'en vais acheter des cruches chez le bonhomme barbu du troisième rang. Reste là et attends-moi. Je vais rapporter à manger. La vieille barbue est généreuse et aime les pauvres.

— Je vous obéis. Vous êtes fort aimable. Mes salutations aux deux barbus. »

Gros-Nez ne peut croire qu'il pourra enfin un peu manger. Il se lèche déjà les babines. En voyant ce bienfaiteur revenir, le vagabond remarque surtout les deux cruches. Rien d'autre ! Du moins, jusqu'à ce qu'il tire de sa poche un petit sac.

« Des biscuits…

— Tu comprends, ils venaient de terminer de souper et ils ont donné les restes aux cochons. La mère barbue ne semblait pas de bonne humeur et je n'ai pas osé insister. Note que ce sont de très bons biscuits.

— Je vous remercie.

— Prends un coup avec moi. Ça nourrit aussi. »

Parfois, à l'automne et au début du printemps, Gros-Nez traîne un petit flacon de whiskey dans son sac; il s'en sert pour se réchauffer lors des moments de froidure. Trop souvent, il s'est senti désolé du triste spectacle d'hommes esclaves de la bouteille, bien qu'il n'ait jamais sermonné un de ceux-là. Pourquoi ce géant tient-il tant à boire ? Avant la rencontre, sans doute qu'il aurait consommé en solitaire.

Les biscuits sont abominables ! Le quêteux sort sa tasse de fer blanc, demande de verser. Il cherche à savoir si ce compagnon a des problèmes. « Des problèmes ? Non ! Je suis l'ivrogne du coin. Tous les villages ou les cantons ont un ivrogne officiel. Voilà mon titre. Je crois que tous les ivrognes de la campagne devraient se réunir en association pour discuter. J'en serais le président. Tu imagines ça, quêteux ? Tu me vois arriver au château Frontenac pour notre réunion annuelle ? Messieurs, chers saoulons : accueillons notre président bien aimé ! Levons nos verres en son honneur ! Ce serait merveilleux, non ? »

Gros-Nez sent que cet homme va le faire rire. Ainsi, il ne pensera plus à sa faim. Il s'exprime de belle façon. Sans doute un ancien séminariste mis à la porte de son institution. Il se vante d'être la honte de sa parenté. « Je suis architecte, tu sais. Ça te surprend, hein ? Avant que tu ne poses la question, je vais te dire la réponse : non, je n'ai pas de chagrin d'amour. Un ivrogne, que je te dis ! Un professionnel ! Je pourrais t'en parler pendant des heures. Bois, bois, mon Gros-Nez ! »

Voilà, certes, le personnage le plus intéressant rencontré depuis 1890. L'humour ne lui manque pas, tout comme un sans-gêne réjouissant. De plus, cet alcool explosif, d'origine mystérieuse, procure le plus grand bien au quêteux. Après quarante minutes, la paire interprète en duo la plus réjouissante insulte faite à la légendaire mélodie du *Canadien errant.*

« Je pense que je suis un peu ivre…

— Saoul ? Regarde-moi comme il faut. Est-ce que j'ai l'air saoul ?

— T'es un professionnel et moi, un amateur.

— Ne viens pas me dire que tu veux t'en aller alors qu'on a du plaisir et qu'on s'entend bien.

— Une dernière tasse, alors.

— Je verse, je verse, monsieur Nez. »

Une heure plus tard, Gros-Nez sent que tout ce qui l'entoure n'est pas à la bonne place. Pourtant, il n'arrive pas à cesser d'accompagner l'architecte. Soixante autres minutes et le mendiant vomit en tous sens, alors que son compagnon lui répète qu'il reste encore une cruche intacte. « Ça va, petite nature ! T'as l'estomac fragile, voilà tout ! À la maison ! Tu te reposeras. »

L'habitation fait pitié à voir… Sans doute que l'homme en a dessiné les plans dans un moment d'ivresse. Gros-Nez se cogne partout, alors que l'autre prépare des rôties et du café. Repas rapidement ingurgité et aussitôt éparpillé sur le plancher. « Je vais te laisser dormir. Ça ira mieux demain, divin vagabond. » Aussitôt couché, l'invité sent une autre nausée, se précipite à l'extérieur, les mains devant la bouche. Il s'affaisse sur la pelouse, ferme les yeux et le tourbillon recommence…

« Salut, mon ami ! Tu vas mieux ? Je t'ai préparé des œufs et du jambon. Rien de mieux ! Je dois me rendre à la ville pour quelques affaires. Content de t'avoir connu ! On a eu du plaisir, n'est-ce pas ? Quand tu partiras, tu fermeras la porte à clef. » À chaque pas, Gros-Nez a l'impression qu'un percussionniste frappe un gros tambour dans sa tête. Voyant le contenu de son assiette, l'envie de vomir le reprend aussitôt. « C'est pourtant ce que je veux depuis si longtemps : un vrai repas ! Un effort, mon vieux… » Sans doute que ce déjeuner est succulent, mais le pauvre a l'impression de ne rien goûter.

Une demi-heure plus tard, le mendiant marche à tâtons au milieu de la route, se tenant le ventre, tout en grimaçant. Il cherche un coin pour se coucher de nouveau. Le repos mérité est interrompu par une vache vagabonde, une clochette dans le cou. Après l'avoir regardée avec étonnement, l'homme se souvient d'un troupeau croisé il y a quelques minutes.

« C'est à vous, cette demoiselle ? Elle était à la lisière de la forêt.

— Oui, étranger. Qui êtes-vous ? Je ne vous ai jamais vu dans le canton.

— Je me nomme Gros-Nez et je suis quêteux. Si vous le voulez, je peux vous aider dans vos tâches en retour de… de… de…

— En retour de quoi ? Écoutez, étranger, je vous remercie de m'avoir rapporté ma bête, mais je dois vous signaler que je suis membre de la ligue de tempérance et que je préférerais que vous passiez votre chemin.

— Pourquoi dites-vous ça ?

— Vous sentez l'alcool un mille à la ronde.

— Moi ? Je… Je… Il y avait cet architecte qui…

— Architecte ! Il n'est pas plus architecte que moi premier ministre ! Il dépense l'héritage de son père en boisson ! Merci encore et sans rancune, monsieur. »

Penaud, Gros-Nez reprend la route, à la recherche d'un ruisseau où il pourra faire tremper ses vêtements. Le cours d'eau trouvé, il se rend compte que tout son savon a été utilisé pour frotter le sac imbibé d'encre. Le malheureux ne s'est jamais senti aussi pauvre de sa vie. Il jure que plus personne ne le fera boire. Il s'en tiendra à une légère rasade par temps froid, comme depuis toujours.

Croyant qu'une bonne marche le remettrait en forme, le vagabond a l'impression de tanguer encore. Pour ne penser à rien, il décide d'avoir recours à sa balle, encore tachée d'encre. « Il m'en faudrait une nouvelle... Celle-là a plus de dix ans. Difficile de trouver un tel objet dans la province de Québec. Je devrais aller faire un tour aux États-Unis pour apporter un peu de Canada à mes frères et sœurs exilés. Je suis certain qu'ils me donneraient à manger, eux ! »

Deux heures plus tard, il se repose sous un arbre, ricanant en pensant à cette femme scrupuleuse des îles de Sorel. Pendant ce temps, ses vêtements reposent sur les branches d'un arbre. Soudain, le ciel s'obscurcit. Pluie ! Pire que tout : pluie glaciale ! Remettre son butin mouillé pour se réchauffer ? Idée absurde ! « Mon vieux, tu dois te redresser ! Je savais que ce ne serait pas facile et j'ai vécu maintes épreuves depuis que j'ai pris ma décision, mais ces dernières semaines me semblent si épouvantables ! Mes histoires, mes sourires, mes grimaces, mon travail : voilà ce qui me remettra en selle comme il faut. Dès demain ! Parce que pour l'instant, j'ai profondément faim... »

Gros-Nez explore la forêt, à la recherche de gibier, sans penser que celui-ci est parti se protéger de la pluie. Tout de même, il note vite un buisson qui bouge. Il se remémore les techniques des Indiens, tout en se léchant les lèvres. Mais... Un putois ! Et pas de très bonne humeur ! Voilà donc le quêteux assis au milieu du ruisseau, nu comme au jour de sa naissance, alors que la pluie ne cesse de s'abattre sur sa tête. « Je vais me souvenir de cette journée jusqu'à l'instant de ma mort ! Je vais passer le reste de mon existence à en parler, mais jamais je ne pourrai en rire. Jamais ! » De plus, elle n'est pas terminée... Cependant, le sommeil le gagne rapidement, mais il se réveille en sursaut alors que la nuit règne toujours. L'estomac recommence aussitôt une séance de protestation et l'homme constate que l'odeur infecte du putois ne l'a pas quitté.

La route se présente un peu boueuse et le froid matinal persistant. Gros-Nez rejoint la zone agricole et aperçoit un superbe troupeau de moutons. Son estomac lui lance un grand cri : « C'est ce que je veux ! »

Un peu plus loin, des enfants s'en vont à l'école. Un petit garçon croque une pomme et lance le trognon dans le fossé. Le quêteux s'y précipite, sous les rires des gamins. Terminant ce reste de festin, Gros-Nez comprend la réaction du garçon : elle était acide, cette pomme. Vingt minutes plus tard, il examine des vaches en train de brouter. « Vous avez raison. Je vais m'y mettre. »

À la fin de la matinée, il atteint un modeste village, offre ses services à un forgeron. « Si vous pouvez passer un coup de balai, nettoyer mes fenêtres, ça me ferait plaisir parce que j'ai beaucoup d'ouvrage aujourd'hui et pas de temps pour ces détails. » Gros-Nez ne se fait pas prier. Propreté partout et ordre dans l'exécution. Le propriétaire, satisfait, donne dix sous à l'étranger, l'invite à s'attarder un peu pour goûter à son tabac.

En sortant, le vagabond se presse de trouver le magasin général pour acheter à manger. Cependant, un écriteau l'attend sur la porte : « Fermé, pour cause de mortalité. » Gros-Nez laisse choir ses bras, découragé, ayant le goût de pleurer.

« Ça ne va pas, monsieur ?

— Oui, madame, je vais bien.

— Ne mentez pas. Je sais voir quand quelqu'un n'est pas dans son assiette. Vous êtes vêtu misérablement, pas rasé, vous êtes un étranger ici et ne connaissez personne.

— Je suis quêteux, madame.

— Un pauvre ! Un homme sans maison ni famille ! Notre Seigneur vous a mis sur ma route afin de savoir si je peux faire la charité. Suivez-moi et je vais vous donner à manger.

— Je… Oui, madame. Je vous remercie de tout cœur. »

Gros-Nez ne peut croire à une telle chance ! À la maison, un garçon s'empresse d'aller chercher des bûches pour chauffer le poêle, pendant qu'une grande fille pèle des pommes de terre alors que le vagabond dévore un pain. Un potage! Encore du pain, avec du beurre délicieux! Un steak! Des légumes!

« Vous aviez vraiment très faim!

— Oui, madame. Je vous rappelle que je désire vous rendre service pour vous remercier de cette générosité.

— Ce n'est pas terminé! Il y a le dessert. De très bons biscuits!

— Des bis… ? Non, madame. Surtout pas des biscuits.

— Pourquoi donc?

— Secret de quêteux, madame. »

Au cours de la soirée, Gros-Nez fait rire la maisonnée, puis dort confortablement dans le lit du fils aîné parti travailler à la ville. Et ce petit déjeuner, donc! L'homme sourit en reprenant la route, puis se frotte les mains en pensant : « Il me faut un train, maintenant! Je retourne dans les îles de Sorel! Un certain pêcheur m'a promis un repas! »

CHAPITRE 1913 : TRAVAIL

❦

« Vous, les quêteux, vous fuyez vos responsabilités d'hommes et êtes tous des paresseux qui ne voulez jamais travailler ! » Gros-Nez garde silence. Il vient pourtant de demander une tâche à cet homme en retour d'un repas. Il vaut mieux passer outre que de risquer une dispute.

Se disputer ? Il y a presque quinze années, le vagabond a choisi cette vie afin de partager avec tout le monde, d'être libre, le respect, l'écoute et la paix dans le fond du cœur. Voilà qu'aujourd'hui, il a de plus en plus le goût de rétorquer quand on le traite injustement. Pendant longtemps, il s'était refusé aux largesses sincères de son ami Joseph, mais depuis qu'il le visite de façon soutenue, Gros-Nez sent que sa vie de mendiant devient parfois intolérable, s'éloignant peu à peu d'une tradition rurale propre au dix-neuvième siècle. Quêter dans les villes était déjà difficile en 1900, à cause de l'ouvrage quotidien offert pour les hommes sans spécialité. Voilà que cette réalité atteint même la campagne.

« Travailler. Oui, monsieur : travailler. Je ne tends pas la main égoïstement. Vous me donnez un repas et je vous rends service.

— C'est très joli ce que vous dites là, étranger, mais vous n'êtes pas du Saguenay, n'est-ce pas ?

— Je suis de partout.

— Partout, mais pas d'ici. Répondez à ma question.

— Non, monsieur, je ne suis pas du Saguenay.

— Je peux accepter de vous faire travailler quand même. La neige a écrasé ma clôture. J'ai une scie et des planches. Coupez-les en suivant les indications que je vais vous donner.

— Avec plaisir.

— D'où venez-vous, si vous n'êtes pas du Saguenay ?

— D'ailleurs.

— Très joli. »

Gros-Nez a passé sa vie à travailler. Pas sous la forme quasi esclavagiste des usines, qui attachent les gens à une machine. Comme il en a accompli, des choses : bûcheron ! aide forgeron ! assistant d'un assembleur de voitures ! constructeur de barques ! pendant un hiver, pelleteur de rues et de trottoirs, cuisinier dans un chantier de coupe de bois et... Il sourit en se souvenant de ce dernier emploi. Il avait été engagé comme homme à tout faire, mais le cuisiner s'était lourdement endommagé l'estomac avec ses propres repas, si bien qu'il avait dû quitter le campement pour se rendre à l'hôpital de Québec, où il est mort dix jours plus tard. Le contremaître avait pointé Gros-Nez pour lui annoncer : « C'est maintenant toi, le cuisinier. »

Les notes de ce paysan prouvent qu'il doit être maniaque de précision. Le quêteux respecte à un soupir près la longueur des planches. Parfois, l'homme vient fureter dans la grange, pour s'assurer que l'étranger accomplit sa tâche comme il faut. Gros-Nez se demande ce qu'il fait dans cette région de la province, où plusieurs lui ont refusé gîte et nourriture parce qu'il n'était pas natif du lieu.

C'est si loin des Trois-Rivières, le Saguenay ! À Québec, Gros-Nez avait rencontré un trappeur indien, vêtu à l'ancienne, et n'avait pu résister à son invitation de remonter la rivière en canot, en destination du nord du Lac Saint-Jean. Le quêteux, ravi par ce périple, avait décidé d'arrêter à Chicoutimi. « Quand je commence à croire que j'ai mal fait... Ça n'a jamais été le cas auparavant ! Jadis, j'étais le responsable de quelques bêtises et de bons coups aussi. Je vivais très bien avec les deux, mais maintenant, cela aiguise ma patience. Peut-être que j'aurais dû continuer avec l'Indien, même si cela m'aurait beaucoup éloigné des Trois-Rivières. Quand je pense que le garçon de Joseph va se marier l'an prochain! Il est si jeune! Ou c'est moi qui suis trop vieux… » Travail! Travail!

« Bon ouvrage, Gros-Nez. On voit que t'as déjà manié la scie.

— J'ai souvent été engagé dans les chantiers de coupe de bois.

— Au Saguenay? Ça me surprendrait. En Outaouais! Ça coupe beaucoup, par là.

— Un peu partout.

— Nous allons prendre un bon repas. Ma femme, c'est la championne cuisinière du Saguenay. Elle a déjà gagné dix rubans à l'Exposition de Chicoutimi pour ses tartes et ses marinades. Après, tu pourras dormir dans la grange, mais je ne pense pas avoir de travail pour toi demain.

— Je vous remercie, vous avez bon cœur.

— Nous sommes comme ça, les hommes du Saguenay. »

Le vagabond ne peut croire que cette manie agaçante est aussi présente chez l'épouse et les enfants. Voilà pourquoi après ce délicieux repas, Gros-Nez décide de prendre la route. Au milieu de la soirée, la pluie et le vent se mettent de la partie. Heureusement, une lueur lointaine indique la présence d'un village. Le vagabond presse le pas, même si ses chaussures usées laissent l'eau s'infiltrer. L'homme ne choisit pas et cogne à la première porte.

« Bonsoir, madame. Je suis un voyageur surpris par la pluie. Je suis quêteux. Si vous me permettez de rester à l'abri dans votre écurie ou sur votre perron, je vous rendrai service pour vous remercier, en réparant ou nettoyant quoi que ce soit, en faisant vos commissions.

— Un quêteux? D'où venez-vous?

— Par là.

— Je parle de la place de la province d'où vous venez.

— Un peu partout.

— Mais pas du Saguenay.

— Non.

— J'accueille les quêteux du Saguenay, pas les étrangers.

— Madame, je…

— J'ai dit de vous en aller. Pas d'étrangers chez nous. »

Gros-Nez demeure bouche bée, retourne dans la rue en maugréant un peu. Noirceur totale dans la maison voisine, volets fermés dans la suivante, un commerce dont le store de la porte est baissé, habitation bourgeoise, presbytère. Voici enfin un foyer idéal, mais il n'a pas le temps de monter l'escalier qu'un homme l'interpelle, lui fait signe d'approcher.

« Je suis le maire du village. Vous êtes le vagabond étranger ? Un mendiant ?

— Les nouvelles voyagent rapidement. Oui, je suis cet homme, monsieur le maire, mais je vous assure que je me suis montré poli envers cette femme.

— La parole d'une femme respectable contre celle d'un étranger qui va par les grands chemins au lieu de travailler ? Je vous informe que le conseil municipal a voté, le 10 septembre 1908, en faveur de l'exclusion de tout vagabond sur le territoire de notre village. Nous ne sommes plus dans l'ancien temps pour tolérer de telles gens. Je dois accomplir mon devoir et vous conduire à la limite de la communauté.

— Mais il pleut, monsieur le maire.

— Je suis persuadé que vous avez déjà affronté pire. Règlement 43-A, 10 septembre 1908, voté unanimement. Avancez et ne faites pas d'histoires ou je dis à mon chien d'attaquer. »

Aussitôt la frontière franchie, la pluie s'intensifie et le tonnerre gronde. Le quêteux pense surtout qu'en ce moment, il pourrait se reposer au sec dans la grange de ce cultivateur rencontré l'après-midi. « En effet, j'ai déjà affronté pire et… je me sens si las ! Trouve un abri, mon vieux… » Les arbres sont les meilleurs amis des itinérants. Il en déniche un immense, qui se rit de la tempête. Gros-Nez peut même enlever sa chemise, ses chaussures. Il décide d'écrire à Joseph, mais change d'idée après le premier paragraphe. « Il m'a eu, le Ti-Jos, avec son amour et son amitié, puis ce fils que j'avais sauvé quand il était bébé. Je serais cent fois mieux aux Trois-Rivières qu'ici. Même sa grande fille et son épouse, qui ne m'aiment pas tellement, font toujours tout en leur pouvoir pour que je me sente bien sous leur toit. À quoi bon m'accrocher ? J'approche de la cinquantaine et j'ai tant marché, tant eu froid et faim que je suis, en réalité, un homme dans la soixantaine. Sortir d'ici ! C'était la première fois qu'on me chassait d'un village. La dernière ! »

Trois jours de jeûne plus tard, Gros-Nez arrive à la gare qui le ramènera dans la vallée du fleuve Saint-Laurent. Pour une rare fois, le vagabond craint un train. Il s'est installé à la sortie de la gare, alors que le monstre ne crache pas pleine vapeur, mais se sent incapable de courir, de s'accrocher et de grimper. Il demeure assis, le cœur vide, assez longtemps pour qu'un deuxième train ne le réveille, ne l'incite à se rendre à la ville afin d'y gagner l'argent nécessaire pour acheter un billet.

« D'où venez-vous ?

— Du Lac Saint-Jean.

— Les quêteux du Lac Saint-Jean ont bonne réputation, mais vous devriez voir ceux du Saguenay.

— Je suis au courant. Drôles, généreux et travaillants. J'en ai rencontré trois. Les meilleurs de la province de Québec, je vous l'assure.

— Je peux vous engager, mais ce sera seulement pour trois jours. Un de mes employés s'est blessé. Vous savez fabriquer du bois de plancher?

— Oui, monsieur. Est-ce que je pourrai coucher dans votre cour à bois?

— Si vous le voulez. Mais pas de boisson, hein!

— Je suis un homme très sobre.

— Un quêteux du Lac Saint-Jean, sobre? »

Transporter des bûches, les classer selon leur longueur, aller chercher les planches coupées par les ouvriers, les placer, cela dix heures par jour. Gros-Nez a affronté cette situation des dizaines de fois. Il semble que la forêt de la province de Québec soit infinie et que dans cent ans, il y aura toujours des manœuvres pour couper les arbres et les transporter.

Le soir venu, Gros-Nez se rend sur la rue commerciale et achète à manger, avant de s'installer dans la cour. L'amoncellement de planches le garde à l'abri du froid. Au cours de la seconde nuit, il se fabrique un abri pour se protéger de la pluie. Des planches disposées entre deux tas suffisent et le vagabond a l'impression d'habiter une niche.

De retour au travail, il fait un peu de zèle afin de flatter le patron. Les autres employés n'auront pas le temps de lui en vouloir, même celui qui lui a répété trente fois qu'il n'était qu'un étranger. Sa paie enfin entre les mains, Gros-Nez plie les dollars et fait tinter les sous, se dirigeant vers un bazar pour acheter un pantalon plus propre que ses hardes habituelles. Même aussi bien paré, le vendeur de billets, en le voyant, fait : « Troisième classe, votre passage? » Le vagabond ricane en lui-même, pensant qu'il voyage gratuitement en douzième classe depuis quinze années, en compagnie de vaches, de poulets et de caisses de clous.

Cet habitué du chemin de fer n'est pas familier avec les gares. Il reconnaît cependant que ce sont des endroits magnifiques, à cause des émotions affichées par les voyageurs où les hommes et femmes attendant l'arrivée d'un être cher. Un jeune vendeur de journaux à la criée arpente le plancher en brandissant le dernier numéro. À l'extérieur, les cochers font les cent pas, offrant leurs services aux personnes qui sortent. Cependant, depuis 1908, Gros-Nez fait presque partie du décor environnant de la gare des Trois-Rivières. Quand il enjambe la clôture afin de s'accrocher à un train, les employés lui envoient la main. Joseph, dont la clientèle, pour son restaurant, est en grande partie constituée des voyageurs, connaît les horaires de départs et d'arrivées par cœur. Quand le quêteux décide de partir, son ami lui communique l'heure idéale.

Enfin en route, Gros-Nez regarde par la fenêtre ce paysage forestier, se répétant qu'il y a là cent beaux endroits pour passer une bonne nuit ou s'abriter. La nature sert si bien le genre humain. Sa rêverie est interrompue par l'arrivée d'une Indienne vêtue comme une Blanche. Un joueur d'harmonica s'en mêle et, vingt minutes plus tard, le wagon rit à n'en plus finir des grimaces du vagabond. « Pas de doute : les gens de première classe doivent rudement s'ennuyer », pense-t-il en souriant.

Plusieurs heures passent avant l'arrivée à Québec. Gros-Nez hésite à partir vers les Trois-Rivières, pensant aux présents à donner aux enfants de Joseph. Le vagabond erre dans la rue Saint-Jean, le bijou de toutes les artères de la province. Il cherche un écriteau dans une vitrine, réclamant un peu d'aide. Chanceux, le voilà sur un toit à ramoner une cheminée. Le lendemain, il nettoie les fenêtres d'un restaurant. Avec cet argent gagné, ajouté à celui qui lui restait du Saguenay, l'homme achète un livre pour le garçon de Joseph. Deux jours plus tard, Gros-Nez remet fièrement le présent. Comme d'habitude, le garçon pose des questions impromptues sur les dernières aventures de l'ami de la famille. Le quêteux ne dit jamais rien de façon claire et nette, afin d'attiser l'imagination de cet apprenti dresseur de mots, rêvant de devenir journaliste et romancier. Gros-Nez se repose un peu, aide l'aînée au restaurant et fait les commissions de la mère, sans oublier qu'il visite maints Trifluviens qu'il avait aidés lors du grand incendie de 1908.

Cette fois, Gros-Nez surprend Joseph en lui disant qu'il désire travailler, avouant qu'il se sent las de son existence de mendiant et qu'à l'approche de la cinquantaine, un peu de stabilité lui ferait du bien. Joseph ne commente pas cette décision, contrairement à son fils, écroulé de rire, disant qu'un type de sa nature n'est pas fait pour un emploi. « Tu sauras, garçon, que j'ai travaillé toute ma vie et tenu des emplois très souvent. »

Gros-Nez joue de chance, car le frère de Joseph, charretier réputé des Trois-Rivières et de la vallée du Saint-Maurice, a un peu de mal avec son fils de quinze ans affecté à l'entrepôt. Ce garçon, frêle, se fatigue rapidement et serait plus efficace dans un travail de bureau. Le quêteux devra remplir les commandes, informer les livreurs des destinations, tout prendre en note, tenir l'entrepôt propre, prendre soin des chevaux et des voitures.

« On travaille fort dans ma compagnie. Quand j'ai débuté, je n'avais rien et les vétérans des Trois-Rivières se moquaient de moi. Aujourd'hui, je suis le champion dans mon domaine, mais j'ai travaillé sans compter les heures.

— Tu n'as pas peur que les camions remplacent les voitures à chevaux?

— Prévu! Toi qui as voyagé dans toutes les parties de la province, est-ce que tu imagines un camion roulant sur les chemins raboteux de campagne?

— Non!

— J'aurai un camion, mais ce sera pour la ville et les alentours. Pour livrer dans les campagnes, il n'y a rien de plus fiable que le cheval. C'est comme ça depuis le début des temps. Au travail, mon Gros-Nez!

— Oui, patron! Je n'ai pas peur de l'ouvrage! »

Joseph a souvent parlé de ce frère avec la plus grande affection, le décrivant comme le plus travaillant de la parenté. Sans doute que l'homme se montrera exigeant envers le vagabond. Celui-ci ne veut surtout pas décevoir le frère de son ami. Il vaut mieux être dans un entrepôt avec des chevaux que dans une usine au climat étouffant.

Depuis toutes ces années, pour ses emplois d'hiver, Gros-Nez s'est toujours refusé d'approcher l'ombre d'une usine. De ses jours de jeune homme à Manchester, il garde un souvenir horrible de cet été passé dans une filature. Il avait beaucoup aimé cet hiver à la fabrique de canots. Le patron ne le payait pas très cher, mais il faut admettre que le travail était informel. Avec les deux autres hommes, il était davantage question de rigolade que de production chronométrée. Quatre canots avaient été produits durant cette saison et le vagabond avait apprécié le savoir-faire savant de ces artisans de pères en fils.

Après une première journée, le frère de Joseph ne vient même pas s'assurer du rendement de son nouvel employé. Pas trop étonnant : les deux gaillards se connaissent déjà depuis longtemps. L'homme se manifeste quatre jours plus tard. « Tout se sait, dans une entreprise. T'es un homme fiable et je n'ai pas à te regarder dans le blanc des yeux. Tu as rendu service à Ti-Jos toute ta vie. Il faut avoir du cœur et être honnête pour faire ça. Conséquemment, tu accomplis du bon travail dans cet entrepôt. »

Quand Gros-Nez touche sa première paie, il se gratte le cuir chevelu. Il garde quelques sous pour son tabac et donne le reste à l'épouse de Joseph. Le manège demeure le même pendant deux semaines. L'homme se laisse alors tenter par une chemise neuve et un pantalon assorti. Le garçon de Joseph lui fait remarquer, pour une trentième fois, que cela ne durera pas longtemps. Le quêteux lui répond par une grimace pas drôle du tout.

Chaque soir, Gros-Nez aime se reposer sur un banc du parc Champlain ou de la terrasse Turcotte, où il peut admirer un incomparable panorama du fleuve Saint-Laurent. Les bourgeois marchent doucement, s'arrêtant pour parler de politique avec un des leurs, pendant que leurs dames comparent leurs chapeaux et leurs ombrelles. Le bas peuple a vite fait de reconnaître le géant étrange du restaurateur de la rue Champflour. Sans tristesse, il leur annonce le changement dans sa vie. « Dommage, on ne pourra plus entendre tes histoires », de faire un homme, en bourrant sa pipe. Gros-Nez ne sait pas pourquoi il n'a pas bondi à cette remarque pour se lancer aussitôt dans une fable agrémentée de mimiques.

C'est lors d'un de ces moments d'évasion que le mendiant rencontre une dame d'un certain âge, mais toujours fraîche. Son mouchoir s'est envolé et Gros-Nez l'a rapidement rattrapé. Reconnaissante, les présentations viennent tout de suite et elle trouve fort amusant son sobriquet. Ils marchent le long de la terrasse, parlent de la température enchanteresse et du prochain concert de la fanfare de l'Union musicale. « Vous y assisterez sans doute, monsieur. » Gros-Nez sent dans cette affirmation une invitation à l'y rejoindre. Et pourquoi pas ? Un bon travail ! Un ami fidèle avec des enfants en or ! Une compagne de son âge ?

« T'as vraiment de l'ardeur au travail. Je n'en ai jamais douté, tu le sais bien. Un gaillard charpenté comme toi ! Ti-Jos m'a raconté souvent que t'arrives à t'agripper à un wagon de train en marche, tout en courant sur les travers. C'est vrai ? Il faut être fort pour arriver à ça ! De plus, tu prends des initiatives. Je t'assure que dès qu'il y aura une ouverture, tu seras livreur. Cinq dollars de plus par semaine ! Poursuis sur cette lancée. Je suis très content, Gros-Nez. » Le frère de Joseph plante un cigare derrière son énorme moustache et, pour couronner le discours, pose une main paternelle et rassurante sur l'épaule de son employé. Gros-Nez ressent un mélange de fierté et d'amusement, mais oublie vite cette démonstration pour se remettre à construire ce bureau neuf, afin de ranger comme il faut les papiers des entrées et des sorties des voitures.

Chaque soir, il arpente les rues du centre-ville dans l'espoir de croiser la belle veuve au léger mouchoir. Conséquemment, il est passé par le salon de barbier pour mettre un peu d'ordre dans sa chevelure indisciplinée et pour faire tailler sa barbe, joliment marbrée d'aurores boréales grisâtres, lui donnant un air de ministre. Il n'a cependant pas apprécié l'éclat de rire du fils de Joseph en voyant la transformation.

« Madame, vous souvenez-vous de moi ? Nous nous étions rencontrés à la terrasse Turcotte.

— Bien sûr, monsieur. Vous aviez alors été fort galant de rattraper mon mouchoir.

— Belle température, n'est-ce pas ?

— Magnifique, monsieur. Cependant, nous, les femmes, avec nos lourds vêtements, suffoquons davantage que les hommes. Je me rends au parc Champlain pour profiter de ces arbres gigantesques et de leur ombre rafraîchissante.

— Puis-je vous accompagner ?

— Vous êtes fort aimable, monsieur. Rappelez-moi votre nom, s'il vous plaît.

— Je… Je… Quelle est la nature du livre entre vos mains ?

— Vous refusez de me dire votre nom ? »

Au beau pantalon succède un second, sans oublier la troisième chemise et nul ne doute que des chaussures, œuvres d'un artisan, suivront. L'épouse de Joseph sourit d'aise, jugeant que cet homme a enfin décidé de devenir sérieux. Quant au garçon, il n'ose plus trop dire quoi que ce soit, sachant que son attitude a fâché Gros-Nez, qui s'est montré doux, compréhensif et généreux depuis leur première rencontre, en juin 1908.

Cinq jours plus tard, l'homme entre dans le garage de Joseph, les pieds traînants, les yeux fixés au sol. Il s'affaisse sur une vieille chaise, prend sa tête entre ses mains, pleure silencieusement, répète, tout bas : « Grand-Regard… Grand-Regard… » Le lendemain matin, il oublie le savon pour se raser et ignore le peigne. Son patron ne s'offusquera pas : dans un entrepôt, nul besoin d'être vêtu tel un prince.

À son énergie déjà peu coutumière, Gros-Nez ajoute un zèle qui effraie même le frère de Joseph. Les livreurs se plaignent de recevoir des ordres brusques de la part de l'employé d'entrepôt, qui n'a pas le titre de contremaître. Le soir venu, notre homme lave les fenêtres de la maison et propose à Joseph de changer le papier peint du salon, sans oublier ce projet de peindre le restaurant et de renouveler l'ameublement. L'automne met progressivement un frein à son enthousiasme. Tout le monde s'en rend compte, surtout le fils de Joseph. C'est sans surprise qu'un matin, la mère voit les pantalons, les chemises, les chaussures, l'argent dans une enveloppe et une note ordonnant de donner aux pauvres.

« Je suis quêteux, madame, et…

— Quêteux ? N'avez-vous pas honte, monsieur ?

— Au contraire, j'en suis fier.

— Un homme de votre âge ! Partir sur les grands chemins, au lieu de travailler !

— Le travail doit demeurer un plaisir qui grandit le cœur de l'homme. Je disais, madame, que…

— Ouste ! Je n'ai rien pour vous !

— Vous venez de me donner ce qu'il y a de plus précieux.

— Quoi ? Au fou ! »

Gros-Nez n'a surtout pas raté un seul train. « Comme dans ma vingtaine », dit-il à quelques oiseaux en cage, cordés dans un wagon. « Je devrais vous libérer, ne croyez-vous pas ? Votre présence ici ne répond à aucune logique. Dans une cage et dans un wagon obscur ! Vous pourriez voler où bon vous semble. Intéressante perspective, n'est-ce pas ? Évidemment, l'avantage de votre cage est que vous aurez à manger tous les jours. Un peu comme les êtres humains travaillant dans une usine. Puis, je… Ah! Tant pis! Je serai rebelle pour une rare fois! Nous sortons toute la bande! Compris? La liberté pour les oiseaux et pour Gros-Nez! »

Le vagabond se réveille en pleine nuit, sentant une terrible bosse derrière la nuque. La température est très froide. Il sait qu'il se trouve très loin du Saguenay, sans aucune âme qui vive des milles à la ronde. « Je suis courbatu… Comment ai-je pu tomber et m'assommer ainsi? Qu'est-ce qu'il y a dans mon sac? Je ne me souviens plus… Ah oui! Un peu avant Québec, une femme m'a donné des carottes. Mon tabac est là, ainsi que ma balle. Il ne me reste qu'à marcher. La voie ferrée n'est sûrement qu'à quelques pas. Elle me mènera au Saguenay. »

Une heure plus tard, le soleil se lève dans le décor riche de la forêt. L'homme arrête, regarde, salue. « Jamais le frère de Joseph n'a vu quoi que ce soit de plus splendide! » Gros-Nez crie à nouveau son amour au paysage, sursaute quand on lui répond. Il écarquille les yeux, se retourne, cherche la source de cette voix. Une succession de cris permet aux deux hommes de s'apercevoir. Un Indien! Trappeur, sans doute. Il connaît quelques mots d'anglais, mais demeure estomaqué en entendant le Blanc lui répondre dans son langage de Têtes-de-Boule. « C'est très loin de leurs territoires. Que fait-il ici? Sans doute un autre quêteux. »

Pas besoin de langage : les signes suffisent, tout comme les regards, les sourires. Le train passe à ce moment-là. Les deux hommes se retournent pour observer l'intrus. L'Indien brandit son sac, débordant de petits animaux. Après un délicieux repas, ils s'offrent du tabac doux, en laissant le soleil raconter son histoire. Gros-Nez se lève, envoie la main, remercie encore. Il ne faudrait pas rater le convoi de l'après-midi. Après quelques heures, le revoilà au Saguenay. « Ma bêtise est partie d'ici. Je reviens pour la réparer. »

Avant d'atteindre le village, Gros-Nez trouve du travail dans quelques fermes, alors que les laboureurs rangent leur équipement dans les granges et préparent le doux repos de la terre. Les gîtes et les repas lui suffisent comme salaire. Le vagabond montre une détermination rare dans ses tâches, retrouvant la verve frondeuse qui l'animait lors de sa première année d'errance.

Voilà enfin le village qui l'a rejeté, il y a quelques mois. Il y entre en faisant sauter sa balle d'une main à l'autre, attirant ainsi l'attention des gens aux fenêtres ou sur le trottoir. Premier arrêt : le magasin général, où il achète pour cinquante sous de friandises. Immédiatement, les enfants, telles des abeilles, accourent vers ces délices. L'étranger lance les bonbons aux mains tendues. Après le goûter : les grimaces en série, puis une histoire de lutins. Même les adultes prêtent attention, amusés.

Voilà le maire, la vedette de ses pires cauchemars des derniers mois. Il brandit son règlement, son numéro et sa date d'adoption. Gros-Nez l'ignore, poursuit son histoire, y mettant davantage d'emphase, jusqu'à ce que le premier citoyen hausse le ton. Le vagabond ne sourcille point. À la fin du récit, il tend son vieux chapeau et les gens lui donnent des sous. « Je peux travailler pour vous en retour d'un repas, mes braves gens. » Trop, c'est trop! Le maire bouscule Gros-Nez, qui ne réplique pas. Les huées fusent aussitôt de toutes parts.

« C'est fait! Je pourrai dormir en paix. Il s'agit de retourner vers le fleuve, maintenant… Marcher cette distance le long du Saguenay? Ce serait beau… Il n'y aurait cependant pas de gens, à moins de croiser mon trappeur indien. Avec le train, je pourrai rencontrer d'autres oiseaux en cage. » Se rendant à la gare, Gros-Nez croise un bureau de recrutement d'une compagnie forestière. Il hésite un peu, avance, met la main sur la poignée de porte, mais ne la tourne pas. « Je ne pourrais vivre sans Joseph et les siens tout un hiver. Je dois retourner aux Trois-Rivières, puis quêter dans les alentours de temps à autre. »

Gros-Nez paie un billet dans le dernier compartiment de voyageurs. Il a droit à un voisin exaspérant, ne cessant de l'entretenir de santé et de maladie. Le quêteux tente d'aiguiller la conversation vers un autre sujet. Peine perdue! Quand les premières maisons surgissent de la forêt, l'homme décide de laisser un souvenir inoubliable à cet empoisonneur. Il ouvre la porte arrière, sort en se tenant en équilibre sur les joints métalliques jusqu'au niveau de sa fenêtre, puis se laisse choir, bondissant sur ses jambes, tel un athlète rudement entraîné. Gros-Nez se frotte les mains et rit en pensant aux cris provoqués dans le wagon par ce spectacle.

« Je suis quêteux, monsieur. J'aimerais manger un modeste morceau et, en retour, je vous aiderai dans vos tâches ou accomplirai tout ce que vous me demanderez.

— Tu tombes bien, étranger. J'ai besoin d'un homme pour défricher un coin de terrain que j'ai acheté un peu au sud. Plein de beaux érables! Je désire établir une érablière pour les touristes et en tirer profit en produisant du bon sucre. Je peux compter sur mon beau-frère, mon partenaire d'affaires, mais je pense qu'à trois, l'ouvrage va mieux se faire. Il faudra aussi construire la cabane avant le début de l'hiver.

— Heu… Oui.

— C'est ça que tu veux? Un gaillard comme toi ne doit pas avoir peur de couper des arbres, de scier et de clouer. Cinq piastres par semaine, logé et nourri.

— Je m'attendais à une autre réponse.

— Ton nom?

— Gros-Nez.

— Parfait, Gros-Nez! Si ça t'intéresse, dis oui tout de suite, sinon, je vais trouver quelqu'un d'autre dans l'heure qui suit.

— J'accepte, patron.

— Tu peux m'appeler Grandes-Jambes. »

Cet emploi retarde les projets du quêteux, mais il s'est empressé d'accepter, car cet homme lui apparaissait différent. Les exceptions deviennent toujours passionnantes. De plus, il vaut mieux couper des arbres pour un particulier que pour une compagnie anglaise.

L'homme a établi son plan de coupe en tenant compte des arbres plus jeunes, épargnant les plus beaux adultes pour la production de sucre. La paie n'est pas trop généreuse, mais qui refuserait les trois repas par jour, d'autant plus qu'ils sont succulents?

Le patron et son partenaire notent rapidement que leur employé a une force prodigieuse, qu'il ne se fatigue jamais. Obéissant, de plus! Il chante en maniant la hache et, le soir venu, raconte ses aventures à tous les gens des environs. Les enfants semblent fascinés, car leurs parents ou grands-parents leur ont, un jour, évoqué la visite d'un quêteux, cognant aux portes pour demander à manger et raconter des fables. Il n'y en a plus beaucoup, aujourd'hui, particulièrement dans les zones forestières.

Le travail terminé, Gros-Nez tend la main aux deux patrons, tourne le dos et continue sa marche jusqu'à Québec, comme s'il ne s'était jamais arrêté. Il gardera le souvenir d'un travail bien accompli pour le compte de deux hommes aimables. Voilà le plus précieux salaire!

Même enrichi de quinze dollars, Gros-Nez ne dépense rien pour lui, devinant que l'épouse de Joseph aura gardé les vêtements gagnés lors de cette parenthèse de travail à l'entrepôt. Il se contente d'acheter un livre, destiné au fils de son ami. Après une journée à Québec, il décide de retourner aux Trois-Rivières à pied, sachant que dans chaque village, il y aura une personne se souvenant de lui et qui l'accueillera avec chaleur. À Batiscan, il s'attarde un peu pour réparer le toit d'une grange. Au coeur de la nuit, il arrive à destination et s'installe dans l'écurie de Joseph afin de dormir paisiblement.

Le matin venu, le fils pousse la porte, étonné de voir le quêteux couché dans l'automobile. Le garçon dit qu'enfin l'homme ressemble à celui qu'il apprécie : sale, la barbe longue, les vêtements froissés, les cheveux entremêlés, mais qui a tant à raconter. La mère de famille n'est pas du même avis, pointant le baquet d'un doigt autoritaire, sans dire un mot. Comme prévu, elle lui tend les vêtements du dernier été, mais le quêteux précise qu'il préfère ses vieilles hardes, « celles d'un quêteux, et non pas le linge d'un travailleur d'entrepôt. »

Après avoir brièvement échangé avec Joseph, Gros-Nez s'en va remplir une mission : donner son argent à la fiancée du fils. Celui-ci exerce des métiers de fortune, mal rémunérés, et le vagabond sait que les dollars, entre les mains de cette future mère économe, serviront au couple lorsqu'il se sera uni. La jeune fille cherche à savoir où il a quêté cet argent. « J'ai travaillé », répond-il, tout en tournant le dos, saluant d'un geste au-dessus de sa tête. Le soir même, elle apprend d'un employé de la gare que le vagabond s'est accroché à un wagon de marchandises, parti vers d'autres horizons.

CHAPITRE 1905 : RÊVE

꙰꙰꙰ ꙰꙰꙰

La température fraîche du printemps réchauffe le cœur des partisans de l'équipe bostonnaise, sachant que le début de cette saison 1905 annonce la venue prochaine de l'été. Les femmes portent des gants et des chapeaux gigantesques, mais n'ont pas encore sorti leurs ombrelles. Les hommes défilent à la billetterie, les bourgeois portant des hauts-de-forme et les ouvriers, des casquettes. De toutes parts dans les estrades confortables, les applaudissements fusent à chaque bon coup des Américains. Quelle ambiance! Quels grands athlètes! Malheureusement, l'adversaire de New York a de l'avance dans le pointage… Que fera l'instructeur local pour remédier à cette situation? Deux Américains sur les sentiers, deux retraits en dernière manche. La foule sursaute quand le patron fait appel à cette recrue canadienne qui n'a pas encore joué une seule partie dans les grandes ligues : Big Nose! « On prétend qu'il n'est pas mauvais », de chuchoter entre les dents certains partisans. « Est-ce vraiment de mise de confier à une recrue cette situation délicate? » de rétorquer à vive voix leurs voisins. Plus d'un se dit certain que ce joueur flanchera sous la pression et sera vite retiré. Conséquemment, ils se lèvent et s'apprêtent à sortir, désireux de ne pas s'engouffrer dans un wagon de tramway trop plein. Big Nose frappe avec une puissance extraordinaire! Cette balle tombera de l'autre côté de la clôture! Victoire dramatique des Américains! Big Nose! Big Nose! Big Nose! de chanter la foule survoltée. Une étoile et l'idole d'une ville vient de naître!

« Monsieur? Monsieur? »

— *Big Nose*, pour vous servir.

— Pardon?

— Oh! Je veux dire : Gros-Nez! Tel est mon nom.

— Que désirez-vous?

— Je suis joueur de ba… quêteux! Je suis quêteux! Je voudrais savoir si vous avez un peu de travail à me donner et, en retour, j'aimerais un modeste repas.

— Un quêteux? Ça existe encore?

— Dans les grandes villes, on leur donne un nom plus méprisant, mais à la campagne, foyer de précieuses traditions, ils sont toujours des « quêteux », joyau de la belle langue canadienne-française.

— Vous me faites rire! Je vais vous préparer un sandwich que je vous offre de bon cœur, sans rien demander en retour, sinon de me raconter ce rêve qui vous hantait et qui vous a retenu dans la lune deux minutes après vous avoir ouvert la porte.

— Ce rêve, ma bonne dame, a longtemps bercé mes nuits, mais je crois que c'est la première fois qu'il m'habite en étant éveillé. »

Cette nouvelle mariée semble de bonne nature et s'ennuie sans doute de son époux, parti travailler en Ontario pour quelques semaines. Onze mois de mariage et toujours pas mère! L'aveu à cœur ouvert flatte Gros-Nez, qui ose lui avouer que parfois, le délai peut devenir plus long. Les deux prénoms du premier poupon sont déjà choisis.

« Je me suis mariée par amour. Quand un bébé naît, l'amour grandit. Ce logement sera trop étroit pour tant d'amour. L'oncle de mon époux loue de belles maisons, dans le nord de la ville. L'une d'entre elles me comblera, un peu plus tard.

— Combien désirez-vous d'enfants?

— Vingt-deux.

— Autant?

— Tant que je pourrai en porter.

— Et le premier sera roi ou reine.

— Blond et frisé! Un modèle pour les vingt et un suivants. C'est mon rêve, monsieur le quêteux. À quoi rêviez-vous, tantôt?

— Au baseball. Je suis d'ailleurs de passage à Montréal pour voir une rencontre de votre équipe professionnelle.

— Je connais ce sport, car mon mari l'a pratiqué. Attendez-moi! »

Elle rapporte un gant de baseball, mais le vagabond juge plus à propos de s'émerveiller devant les tricots. Il passe le reste de l'après-midi avec cette jeune femme au regard vaporeux et au langage un peu évasif, signes d'un cœur sensible et pourtant rempli d'une douce naïveté. Le quêteux a toujours aimé les exceptions, ceux et celles qui ne marchent pas du bon côté de la route, sans pourtant chercher la marginalité ou à nuire aux personnes dont la voie est tracée depuis la naissance.

Voilà précisément ce qu'il avait aimé de Joseph, au moment de leur première rencontre dans un chantier de coupe de bois, lors des dernières années de la décennie 1880. Alors que tous les autres parlaient de labours, Joseph l'avait entretenu de progrès et de modernité, de machines à vapeur, d'électricité. Pendant que les hommes s'amusaient grâce à un air de violon, Joseph fredonnait une mélodie de fanfare. Il avait aussi évoqué ses projets d'inventions, toujours farfelues, mais auxquels il croyait avec passion, tel un Edison trifluvien. Les beaux rêves sont des désirs profonds et les mauvais rêves des craintes répulsives. Gros-Nez se souvient qu'au cours de sa jeunesse, il était souvent tiré de son sommeil par des spasmes troubles, se levant dans son lit, hors d'haleine. Cela ne lui est pas arrivé depuis qu'il est devenu quêteux.

Voilà que le ciel s'assombrit dangereusement et qu'un coup de tonnerre terrifiant fait sursauter et crier les passants. La pluie torrentielle suit quinze minutes plus tard. Il ne reste plus à l'errant qu'à se réfugier dans le premier endroit public croisé : une taverne. Un verre de bière ne lui fera pas de mal, bien qu'il se refuse d'abuser depuis une certaine mésaventure survenue en Beauce, il y a quelques années. Le serveur, avant même de le saluer, sert à Gros-Nez l'incontournable : « T'as de quoi payer ? » L'étranger a pourtant coupé ses cheveux et fait tailler sa barbe, afin de paraître respectable aux yeux du public présent à la rencontre de baseball.

Un inconnu parmi les habitués devient toujours un point d'interrogation. Le quêteux sent les regards et les jugements portés vers sa personne. Inévitablement, le plus costaud va se lever pour lancer un défi de tir au poignet, à moins que ce genre de démonstration ne soit prohibé entre ces murs. Au contraire, c'est le plus maigre qui se présente en premier, arrêté par le serveur : « Pas de dés, pas de cartes. » Un joueur ! Un détrousseur ! Qu'aurait-il pu tirer de Gros-Nez, dont la fortune exceptionnelle se chiffre à quatre dollars et trente-cinq sous ? Le maigre s'assoit tout de même face à notre homme, s'exprime dans une langue barbare, mêle un pauvre accent anglais à des canadianismes archaïques, un peu à la manière des exilés de Nouvelle-Angleterre.

« Si tu veux des bons *tips* pour gagner aux courses de jouals, chus ton gars, étranger.

— Non, pas vraiment.

— Pas d'offense, hein ! Torrieux de pluie ! J'te gage que ça va stopper avant deux heures.

— J'espère bien. Je suis à Montréal pour assister à une partie de baseball.

— J'te gage qu'ils ne pourront pas jouer. L'*outfield* va être trop mouillé. »

Personnage urbain, on ne peut plus ! Les paris, à la campagne, ne vont jamais plus loin qu'un échange amical teinté de sourires. Dans les villes, avec les hippodromes et les barbottes de cartes et de dés, le parieur prend souvent une couleur plus tragique. Cet homme amuse Gros-Nez, car toutes ses phrases deviennent sujettes à paris, même en posant des questions. Quand le mendiant lui demande s'il a déjà été riche, l'autre rétorque : « Gages-tu que oui ? » Loin d'avoir mauvais cœur, il offre une deuxième consommation à Gros-Nez, qui se met à raconter ses histoires, avec gestes et mimiques, attirant l'attention de tous les hommes. Quand il sort, la pluie tombe encore et le fond de l'air est frais. « Je me parie que je suis venu pour rien. »

Approchant du stade, le quêteux a l'impression de marcher vers le désert. Déception ! Comme un petit garçon, il se répète que ces athlètes ne se laisseront pas impressionner par un terrain détrempé. Le guichetier, obligé de demeurer à son poste pour renvoyer les hardis, donne un autre son de cloche : « Ce n'est pas les grandes ligues des États-Unis, ici. » Gros-Nez demande de voir le terrain. Refusé ! « Payez, allez vous installer, puis revenez une demi-heure plus tard et je vous rembourserai. » Ces règlements… Comme c'est beau ! Aussi joli qu'à Boston ! Cette verdure ! Ces belles estrades ! Malgré l'absence de gens, le lieu semble animé par une âme. Soudain, le quêteux voit un joueur, avec son magnifique uniforme. Gros-Nez se lève, l'applaudit. L'homme, étonné, salue de la main. Le vagabond prend le risque d'approcher de la clôture, afin de peut-être lui parler en anglais.

« Beau terrain, n'est-ce pas ?

— Les seuls vrais terrains, ce sont ceux des grandes ligues. Quand on y a joué et qu'on arrive à Montréal, c'est comme recevoir un coup de poing sur la gueule. Qu'est-ce que je pouvais faire d'autre ? Je dois jouer afin de retourner là-bas, leur prouver qu'ils ont eu tort de me mettre à la porte.

— Vous… Vous avez joué dans les grandes ligues ?

— À Boston et à Brooklyn.

— Merveilleux !

— Vous le dites ! Notez bien que je frappe solidement, à Montréal, et que je terminerai peut-être la saison avec une équipe des États-Unis.

— Et vous êtes le seul en uniforme sur le terrain.

— Il y en avait quatre autres, tantôt, mais ils sont partis. Le champ extérieur ressemble à une rivière.

—Pourquoi être resté ?

— À trente-cinq ans, je ne dois rien rater. Quand tout sera terminé, je vais redevenir un homme sans rêves. Aussi bien profiter de chaque seconde aujourd'hui, même si je sais que les Royals ne joueront pas.

— J'ai espéré le contraire avec la plus grande foi du monde.

— Vous me plaisez, monsieur. Allons prendre un verre ensemble.

— Est-ce que… Est-ce que je pourrais descendre sur le terrain ? »

Gros-Nez s'endort dans un champ du nord de la ville, ne ressentant ni le vent ni le froid. En suçant son pouce, il a pensé à ce moment où il était installé au milieu du terrain, une casquette sur la tête et un gant de professionnel dans sa main droite. Puis, il a lancé des balles avec cet homme unique qui gagne son pain en jouant au baseball et qui a été applaudi par d'immenses foules aux États-Unis.

« Qu'est-ce que tu fais là, pouilleux ?

— Avant votre intervention, je dormais.

— Avec quelle autorisation ?

— Il faut une autorisation pour dormir ? Le gouvernement va trop loin.

— Tu veux faire le malin ? Au poste ! Et que ça saute !

— Ah non ! Vous ne me ferez pas ce coup-là ! Il y a une partie des Royals cet après-midi et… Ouille ! Est-ce bien nécessaire de me donner un coup de pied ?

— T'as cinq secondes pour déguerpir, sinon, c'est la prison! Montréal est une ville propre et ses respectables citoyens n'ont pas besoin de se salir les yeux en voyant un va-nu-pieds de ton genre! Il te reste deux secondes! »

Quand Gros-Nez se lève, le policier recule d'un pas, n'ayant pas remarqué la stature imposante du vagabond. Celui-ci ne discute pas, prend son sac et poursuit sa route vers le nord. Il trouve une voiture qui le prend à son bord et l'éloigne du stade de Montréal.

« Qu'est-ce que vous faites là, monsieur?

— Je boude, mademoiselle.

— C'est pourtant une belle journée.

— Elle aurait pu être mille fois meilleure. Retiré sur trois prises, voilà ce que je suis.

— Je vous connais, monsieur. Vous êtes Gros-Nez, le quêteux.

— C'est ça.

— Quand j'étais petite, vous aviez passé deux jours chez moi pour aider mon père à construire un hangar. Vous aviez raconté une histoire qui m'avait beaucoup impressionnée et je ne l'ai jamais oubliée.

— Vous pouvez me l'évoquer, alors?

— C'était à propos d'une belle princesse sauvage qui désirait se marier avec le vent, mais qui, cet été-là, avait été très sec.

— Et avec son frère, le prince, elle était partie chercher le vent dans le pays de la pluie et du tonnerre.

— Oui! C'était si beau! Venez chez moi, monsieur Gros-Nez. Ma mère est morte et je la remplace auprès de mes frères et sœurs. Mon père, j'en suis certaine, se souviendra de vous et vous accueillera avec chaleur.

— La hangar tient toujours?

— Très solide ! »

Gros-Nez observe comme il faut cette jolie fille au visage rond, cherchant à se rappeler de la fillette d'autrefois. Jeune quêteux, il rêvait souvent à ce jour où des enfants, devenus grands, le reconnaîtraient. Depuis, cela est arrivé très souvent. Des gens laissent leur marque sur des communautés, tels des maîtresses d'école, un maire, un médecin généreux, mais seuls les quêteux peuvent survivre au temps dans les récits familiaux, de génération en génération. Si souvent, Gros-Nez a entendu hommes et femmes évoquer un vagabond passé, il y a plus de cinquante années.

Cette fille a seize ans. Elle répond à la tradition paysanne, parfois malheureuse, de devenir la remplaçante de la mère décédée, oubliant ainsi son propre destin de future mère. « Je vais me marier, ne vous inquiétez pas, monsieur Gros-Nez. J'ai une sœur de quatorze ans qui pourra prendre ma place. Ce grand jour habite tous mes rêves. » À l'image de tant d'autres, celle-ci a préparé ce moment depuis l'enfance. « Il y a des bons garçons qui me courtisent », assure-t-elle fièrement, un peu de vanité au coin des yeux.

Gros-Nez reconnaît le père par sa voix. L'homme a vite fait de lui montrer le hangar. « Mes grands enfants pensent à vous en le voyant. Curieux, non ? » Il n'y a pas d'autre travail en vue, mais le voyageur est le bienvenu pour une nuit et un délicieux déjeuner. Le soir, la fille réclame une histoire. Il répète celle entendue jadis et elle se redresse, comme si ces mots représentaient toute la beauté du monde. Le matin, elle fait preuve de zèle à la cuisine, pendant qu'un garçon de dix ans approche pour montrer un dessin à l'étranger. Au moment du départ, le père de famille tend cinq sous à Gros-Nez, précisant qu'il n'est pas fortuné, mais que cette somme pourrait l'aider dans les heures suivantes.

Le quêteux lance la pièce dans les airs, la rattrape, mais quand il ouvre la main, elle ne s'y trouve plus. Les enfants regardent par terre, mais Gros-Nez la fait apparaître derrière l'oreille du petit dessinateur, pour la rendre à son hôte. « J'ai dormi comme un roi, mangé comme un goinfre, goûté à votre gentillesse et à celle de vos beaux enfants. Me voilà payé. À quoi me servirait alors votre cinq sous ? Gardez-le pour acheter quelques friandises à cette progéniture. » Gros-Nez s'éloigne, ne se retourne pas, fait tourner sa main au-dessus de sa tête. Soudain, il arrête, avance vers la jeune fille, lui prend les mains et l'assure que dans deux années, elle sera mariée, comme la princesse indienne du conte.

Satisfait, Gros-Nez oublie son projet de retourner à Montréal pour assister à une partie de baseball. La belle température l'incite à marcher en rêvassant, une brindille aux lèvres. Tous les gens croisés semblent travailler pour avoir la meilleure récolte automnale de leur vie. Mai demeure le plus beau mois de l'année, celui où tous les espoirs sont permis.

Quelques heures plus tard, le vagabond entre dans un village. Une femme âgée semble préparer un coin pour planter des fleurs. Un peu plus loin, une fillette pousse son bébé de chiffon dans un landau. Un garçon jongle avec des roches pour épater un vieillard attendri. Puis, curieuse vision : un homme transporte un chevalet et des toiles. Un peintre à la recherche d'un beau coin de nature !

« Vous en vendez beaucoup ?

— Aux gens de la ville.

— Et ceux de la campagne désirent une scène urbaine.

— Précisément, monsieur !

— Puis-je voir votre toile en cours ?

— Bien sûr ! »

Depuis toujours, Gros-Nez admire le talent des artistes, sans doute parce qu'il a toujours été incapable de dessiner, de jouer d'un instrument ou de chanter sans fausser. Cependant, avec les années, il se permet une vantardise : « Personne ne peut aussi bien raconter

que moi ! Je connaîtrais le succès dans toutes les salles de vaudeville. »
La tradition rurale représente un art en soi. Lors de son séjour parmi
les Indiens, il avait été très impressionné d'entendre les vieux sages
évoquer cent légendes aux jeunes.

« Je vous regarde, monsieur… Avec votre physique de pionnier,
de bûcheron légendaire, sans oublier votre barbe et votre chevelure
généreuse, vous m'apparaissez comme le colon venu de France pour
bâtir ce pays.

— Il devait y en avoir des maigres, aussi.

— Qui êtes-vous ?

— Je m'appelle Gros-Nez et je suis quêteux.

— Quêteux ? Un véritable quêteux canadien, qui va par les routes
et cogne aux portes pour demander à manger ?

— Il y a quelques variantes, mais c'est un peu comme vous dites.

— Je veux faire votre portrait !

— Dessinez d'abord le nez, qui prendra la moitié de la toile, et
vous pourrez compléter par la suite.

— Je suis sérieux, monsieur.

— Vous allez me vendre pour que je devienne une décoration de
maison bourgeoise ?

— J'insiste.

— Apportez à manger et je poserai pour vous. Donnons-nous
rendez-vous demain à la même heure.

— Marché conclu ! »

Pendant que le peintre dort à l'auberge, le futur modèle, n'ayant
pas trouvé d'âme charitable, se contente d'un champ, près d'une
colline. L'idée de se voir sur une toile le fait ricaner. À son réveil,
le vagabond est ébloui par les couleurs enchanteresses de la nature.

« Jamais un peintre ne pourra en faire autant ! » De loin, il voit une jeune paysanne entrer dans un poulailler. Puis elle sort, panier sous le bras, pour se diriger vers la grange, sans doute afin de traire une vache. Lait et œufs comme personne ne pourra en savourer dans une ville. En sortant de la grange, elle remarque cet homme qui la surveille. Elle approche rapidement. « Je n'ai pas trouvé charitable que mon père vous empêche de coucher dans notre grange, hier soir. Vous avez un contenant ? Une tasse dans votre sac ? Approchez et je vais verser. Ne dites pas à mon père que j'ai fait ça. »

Ce geste de générosité donne des ailes à Gros-Nez. Il longe lentement la route et revoit l'image merveilleuse de cette fille lui versant du lait. Il salue aimablement quelques laboureurs déjà aux champs. Sachant que le peintre tiendra sa promesse de lui donner à manger, le quêteux ne cherche pas à demander un repas. De toute façon, il n'a pas le goût de travailler, mais tout simplement de se laisser porter par le moment qui passe, par les couleurs qu'il voit, les sons lui parvenant.

De nouveau au village, il décide de poursuivre la rêvasserie jusqu'à la modeste gare et d'observer les quelques personnes en attente du prochain train. Des gens se rendent à la ville pour des achats ou pour rendre visite à un parent. D'autres retournent à la maison après avoir passé quelques jours chez un cousin villageois. Les gares laissent tant deviner d'histoires touchantes.

Marchant vers l'auberge, Gros-Nez est interpellé par le peintre, derrière lui, qui vient de terminer une séance matinale. Il invite le modèle à prendre un repas à l'auberge. La présence du mendiant hirsute agace le propriétaire. Gros-Nez raconte ce joli tableau vivant de la jeune paysanne lui offrant du lait. L'artiste sourit en l'écoutant et avoue : « Vous êtes un homme instruit. » Pas de réponse, mais une grimace dans le dos de l'aubergiste. Le peintre fait quelques croquis, pendant que son nouvel ami déguste un thé. Le vagabond se sent impressionné par ce dessin pourtant à l'étape du croquis.

« Joli talent. Je vous envie.

— Tout le monde est doué pour quelque chose.

— Je le pense aussi! Je raconte très bien, je crois! Je sais ce qu'il faut pour répondre aux attentes de mon public. Je devine quel récit offrir aux personnes aussitôt que je les vois. Heureux, mes frères et sœurs de l'humanité me donnent un peu de pain, me permettent de dormir dans leur grange.

— Merveilleux! Vous pouvez garder ce dessin, si vous le désirez.

— Trop de bonté! Merci! »

Dans un village, la venue d'un étranger de cette sorte permet de lancer cent rumeurs, même si le curé de la paroisse a assuré ses brebis que ce peintre réputé a souvent servi le clergé de magistrale façon. Les gens, en douce, le surnomment « le rêveur », car il faut marcher la tête dans les nuages pour faire des petits dessins, au lieu de travailler comme une « vraie » personne. Les enfants ne peuvent s'empêcher de l'espionner, peut-être envoyés par leurs parents pour connaître ses activités. Il s'installe dans un champ et rapetisse l'immensité à la mesure de sa toile.

Sachant que son modèle fondrait au soleil, l'artiste installe Gros-Nez sous un arbre et lui recommande de ne pas trop bouger. Quelle fatigue, l'immobilisme! Alors, le mendiant ferme les yeux et se concentre sur un doux souvenir, bifurquant vers une aventure qu'il n'a pas vécue. Il rencontre une quêteuse qui... Elles existent, dit-on! Il n'en a cependant jamais vu. Bref, elle est fort jolie, malgré sa robe sans couleurs à l'ourlet déchiré. Ils marchent côte à côte, parlent, rient, partagent, mais soudain, son visage se transforme en...

« Vous avez beaucoup bougé, Gros-Nez.

— Je m'excuse, monsieur. Je rêvais.

— Mais... vous pleurez?

— Ce n'est rien.

— Prenez quelques minutes de répit. Nous retrouverons bien la pose. »

Le peintre approche pour goûter un peu d'ombre à son tour, mais ne tire aucune confidence du modèle toujours secoué par sa pensée secrète. Gros-Nez insiste pour reprendre la pose, afin de ne pas le retarder dans ses autres projets de peinture de paysages. Soudain, du coin de l'œil, le mendiant aperçoit un groupe d'enfants, revenant sans doute de l'école, et qui regardent cette scène inhabituelle. Quel grand mystère, pour eux, que cet étranger portant un collier de barbe! Ils doivent se raconter toutes sortes d'histoires inventées à son propos. Voilà que s'ajoute un autre inconnu, immense, encore plus barbu, qui ne ressemble ni à leurs pères, leurs grands frères, leurs cousins.

Les enfants s'enfuient quand trois jeunes femmes approchent, portant leurs plus belles robes, des chapeaux décorés de rubans. Elles apportent à l'artiste une cruche d'eau, des fruits. Elles se redressent en se rendant compte que le peintre a un modèle. Aucun doute que cette parade avait comme objectif de se faire remarquer pour devenir l'inspiration du peintre.

« Je n'aime pas peindre des visages. Avec toutes mes commandes des religieux, j'ai l'impression que tous les hommes ressemblent à des Jésus et les femmes à des Marie. Cependant, votre visage, Gros-Nez, est différent.

— À cause du nez.

— Le regard, plutôt.

— C'est vraiment beau, cher ami. Je me répète : vous avez un grand talent. Je vous remercie pour le repas à l'auberge.

— Nous allons poursuivre demain, n'est-ce pas?

— Vous sentez cette brise? Elle m'indique la direction du chemin de ma destinée. Avec ce que vous avez fait, vous n'avez plus réellement besoin de moi. Vous peindrez le souvenir de notre rencontre. »

Le vagabond s'éloigne, fidèle à son habitude de ne pas regarder derrière lui. Il marche rapidement, ne parle à personne. Après deux heures, il décide d'arrêter dans une forêt afin d'écrire à Joseph, désireux de lui faire parvenir son dessin. Soudain, il interrompt cette rédaction, pensant au nombre d'années depuis sa dernière rencontre avec son ami. Envoyer ce dessin briserait la promesse de jadis : revenir au moment où il s'y attendra le moins.

Gros-Nez scrute le croquis, puis pense à la jeune fille au lait. Qui est-elle ? Est-ce que cette image habitera ses pensées pendant longtemps ? Le vagabond le croit. Est-ce que devenue grand-mère, la belle se souviendra du quêteux de sa jeunesse ? Le temps de trop réfléchir et la noirceur commence à se faire opaque. Il plie soigneusement le dessin et le coince entre deux feuilles de son carnet. Il décide de cogner aux portes des maisons croisées un peu plus tôt.

« Pas d'argent à vous donner, quêteux.

— Je demande et donne en retour. Une miche de pain, un coin de votre grange et je vous aiderai dans vos travaux.

— Ah oui ? J'aurais du bois de chauffage à couper et à livrer à mes clients du village.

— Je le ferai.

— Vous pouvez coucher dans la grange. »

Vaches et chevaux n'ont plus de secrets pour Gros-Nez, tant il a passé de nuits en leur compagnie. Il se sent heureux d'apprendre à quiconque que les animaux de ferme ne ronflent pas, contrairement à leurs maîtres. Par contre, ils sont fort matinaux et mènent un boucan du diable dès le lever du soleil. Le vagabond a à peine étiré les bras que le paysan arrive avec du pain, deux œufs durs et une rôtie. Il précise que sa belle-mère a horriblement peur des quêteux et qu'il devra se tenir éloigné de la maison.

« Je n'ai pas beaucoup d'animaux, car je fais surtout de la coupe. Je suis aussi menuisier, comme en font foi les outils qu'il y a ici. Si vous faites du bon travail, je vous donnerai encore à manger et je pourrai vous laisser au village, en même temps que la livraison.

— Ce sera parfait, monsieur.

— Regardez ma vache. Parfois, je rêve que je suis cette vache.

— Vraiment? Ce n'est pas courant, comme rêve.

— Je pense à toutes sortes de choses pendant mon sommeil et au réveil, je m'en souviens. J'ai rêvé que je suis cette vache une bonne trentaine de fois. Je tente alors de sortir de la peau de la vache et… heu… Je vais vous laisser manger, quêteux. Soyez devant la maison à sept heures, mais pas trop près. »

L'homme parti, Gros-Nez mange en regardant la ruminante. Il a soudain l'impression qu'elle a les mêmes yeux que le paysan. Comme il reste sans doute du temps avant le début des travaux, le vagabond décide de prendre l'air, de regarder autour de lui afin de se soustraire aux enquêtes de la vache. Joli coin! Soudain, dans la cour, il aperçoit un village de cabanes à moineaux. Il doit y en avoir une vingtaine.

Le patron sort à l'heure prévue, sifflant un air entrecoupé d'aboiements. « C'est ma composition. Ça s'appelle *Le chien qui siffle.* » Marchant vers le bois à couper, l'homme fait part à Gros-Nez de ses imitations de porc. Il raconte un rêve dans lequel son père revient sur Terre dans la peau d'un singe. Et le village de cabanes? « Ce sont de bons amis à moi », tout en nommant pas moins de trente noms d'oiseaux, tous très humains. Distrayant!

Quand le mendiant se retrouve sur la rue principale du village, il soupire d'aise. Distrayant, certes, mais tout de même un peu inquiétant. « Une vraie ménagerie! Ce gars-là a raté sa vie. Il aurait dû être un… Oh! peu importe! Il s'est montré généreux et me voilà avec pas moins de cinq histoires nouvelles à inventer afin d'épater de futurs auditeurs. »

Malgré son sac plein et un coin réceptif à ses demandes, l'homme se sent soudainement vide, un peu morose. Il se couche dans une étable et, trois jours plus tard, il réalise qu'il n'a pas tenu sa promesse de se rendre à Montréal pour voir cette équipe professionnelle de baseball. Il frappe dans ses mains, décidé de rejoindre la grande ville, de partir tout de suite. Il change rapidement d'idée. Il réalise qu'il ne serait pas aimable, envers la paysanne qui lui prête ce coin pour dormir, de quitter après l'avoir assurée qu'il ramonerait sa cheminée. De plus, poursuivre un wagon de train au cœur de la nuit représente un certain danger. Il l'a souvent fait jadis, mais maintenant qu'il a atteint la quarantaine, il vaudrait mieux se montrer plus sage.

« Quel repas ! Je vous remercie, madame.

— J'ai gagné un ruban pour la qualité de mes cretons, lors de la dernière exposition agricole du comté.

— Je n'en doute pas.

— Il y a douze années de ma vie, dans ces cretons. Il y a aussi l'esprit de ma mère. Je vais aller chercher mon ruban pour vous le montrer. »

Les compliments incitent cette femme à devenir expansive, à expliquer l'art des marinades et sa science pour apprêter l'agneau, sans oublier le « secret d'État » de la tarte aux fraises. Gros-Nez fait semblant de l'écouter, inquiet que le temps qui passe pourrait lui faire rater le train à destination de Montréal. « Je vais vous révéler mon plus grand rêve ! » Le quêteux sourit, mais pense : « Oh non… » « Inventer une recette inédite qui deviendrait le plat national des Canadiens de la province de Québec. » Quand enfin la femme consent à libérer son ramoneur, elle s'attarde à lui donner un pot de ceci, un sac de cela, une infinité de délices enveloppés… Gros-Nez rate son train et doit attendre celui de la soirée.

Quelques heures plus tard, sentant le convoi ralentir, le quêteux ouvre prudemment la porte, cherche un lieu propice pour sauter, mais l'obscurité le déjoue et il roule jusqu'à une petite rivière. « Ils ne pourraient pas nettoyer leurs rivières, non ? On dirait une auge à cochons! Qu'est-ce que mes cretons vont goûter, après avoir pataugé là-dedans? »

Difficile de faire sécher ses vêtements sans la complicité du soleil, parti se reposer dans son lit d'étoiles. Voilà la pluie qui s'en mêle. Insatisfaite de sa mélodie, elle se transforme en torrent. Qu'à cela ne tienne, Gros-Nez ne rate surtout pas le train du matin. En arrivant à Montréal, il pleut encore. Trempé jusqu'aux os, l'homme se dirige vers le terrain de baseball. Un gaillard travaillant à l'extérieur lui apprend que les Royals sont partis jouer trois parties à Ottawa.

Gros-Nez décide d'attendre leur retour. Trois jours à subir les insultes de la police de Montréal. De plus, on lui ordonne d'aller dans les refuges au lieu de traîner sur les trottoirs. Chaque soir, le mendiant a marché jusqu'au nord de la ville afin de se coucher en plein air et en toute paix, même si la température s'est montrée exécrable.

Le grand moment enfin venu, il craint l'insistance de la pluie ou de voir le terrain en trop mauvais état pour que la rencontre ait lieu. Pire que tout : le guichetier refuse de le laisser passer parce qu'il n'est pas vêtu convenablement. Cinq jours de plus de labeur, à gauche et à droite, pour se trouver une chemise, un pantalon, passer chez le barbier.

Enfin! Enfin! C'est le moment merveilleux dont il a tant rêvé : une partie de baseball avec des athlètes professionnels! Du regard, il cherche le joueur qui s'était montré si aimable à son endroit, il y a quelques semaines. Un spectateur l'informe que cet homme est parti aux États-Unis pour rejoindre l'équipe de Boston. Gros-Nez saute de joie, sachant que cet ami a réalisé son grand rêve. Toujours s'accrocher aux rêves! Ils se réalisent sans cesse, concrètement ou par la voie d'un autre rêve.

CHAPITRE 1914 : SANTÉ

❧ ☙

Gros-Nez marche péniblement vers un banc de parc, s'assure que personne ne regarde dans sa direction. Il enlève sa chaussure droite et sa chaussette afin de découvrir ce qu'il a au pied. Il est rouge et enflé. Pour quelle raison ? Il ne s'est cogné nulle part, n'a pas marché une distance infinie. « Je commence à devenir usé », soupire-t-il en replaçant le tout.

Il a tant couru ! Sauté ! Marché ! Tant et tant marché ! Il a exigé beaucoup de ses muscles, s'est éraflé ceci et cela des douzaines de fois. « J'ai dix vies d'homme sur ce corps. L'esprit, cet hypocrite, me chante que je suis toujours jeune, sans tenir compte de la sage opinion du corps. » Ce petit mal de pied passera. Il regrette surtout d'être dans cette grande ville. À la campagne, personne ne crierait au scandale de le voir déchaussé. Il aurait déjà trouvé un ruisseau pour faire tremper la blessure et mis la main sur les herbes appropriées pour activer la guérison.

Gros-Nez se souvient d'un rhume retentissant et d'un mal de dents qui aurait fait démissionner une faculté entière d'apprentis dentistes. Petits maux communs à tous les humains de ce monde, mais un pied qui enfle sans raison, c'est de l'usure. Peut-être serait-il plus sage de retourner aux Trois-Rivières et de se tenir tranquille chez Joseph. Son fils, très instable, vit des moments difficiles comme jeune époux et il aurait besoin des quinze dollars que le vagabond a réussi à accumuler afin de venir en aide au couple. Voilà une bonne idée ! L'homme se lève, fait un pas, deux, trois et le pied proteste. Le reste de la charpente n'a guère de choix que de prolonger cette halte. Le pauvre sort de son sac un journal qu'il a déjà lu six fois. Le nez caché derrière ce papier évitera aux policiers de le questionner.

« Vous avez quelque chose au pied, monsieur ?

— Je… Oh ! Bonjour, constable ! J'ai… Comment pouvez-vous savoir ça ?

— Votre cheville droite fait le double de la gauche. Je le vois parfaitement malgré votre pantalon.

— Ah ? Eh bien, je me suis levé et j'avais mal. Je croyais que cela passerait et comme ce n'est pas le cas, j'ai décidé de me reposer un peu en m'assoyant sur ce banc de parc. J'étais en visite chez mon cousin et je dois retourner chez moi par le train.

— Le mensonge vous sied mal, mendiant.

— Je ne suis pas mendiant.

— Quêteux, alors ? Gros-Nez, le quêteux ?

— Comment ?

— Avec ce que vous portez au milieu du visage, le surnom ne peut être attribué à un autre homme. Je vous inquiète, n'est-ce pas ? Au cours de mon enfance, j'habitais sur une ferme de la Rive-Sud et vous aviez guéri ma petite sœur, grâce à votre don. Cela m'avait beaucoup impressionné. Elle a aujourd'hui vingt ans et prendra époux au cours des prochains mois. »

Gros-Nez a longtemps souhaité un commentaire semblable, mais depuis qu'on lui en chante, il se sent de plus en plus vieux. Le seul qui ne parle pas de ces guérisons c'est Joseph. Le quêteux avait jadis sauvé son garçon, alors très jeune, que les médecins considéraient comme mourant. Voilà sans doute pourquoi le vagabond a tant d'attachement pour ce miraculé devenu nouveau marié et apprenti écrivain. Gros-Nez a souvent rencontré d'autres pères pour le traiter de charlatan, de sorcier. Peut-être que ce policier aurait suivi la consigne de chasser les vagabonds des rues de Montréal, s'il ne l'avait pas connu.

« Je vais vous donner un peu d'argent et vous irez acheter une pommade dans une pharmacie.

— Je vous remercie pour cette bonté, mais j'ai de l'argent et ne crois pas trop aux remèdes scientifiques. Je pense que demeurer assis pendant quelques heures va activer ma guérison, mais je ne voudrais pas qu'un de vos confrères un peu trop zélé me mette la main au collet.

— Allez dans le fond du parc, loin de l'œil public. C'est moi qui suis de ronde dans le quartier jusqu'à cinq heures et vous n'aurez aucun problème, Gros-Nez. »

Le mendiant, confortablement assis à l'ombre, ferme les yeux afin de penser à de bons moments, qui lui feront oublier sa douleur. Rapidement, il sent des pas légers bruissant non loin de lui. Devra-t-il une autre fois avoir recours à ses légendaires grimaces pour satisfaire cet enfant ? Quelle histoire raconter ? Peut-être que le bon policier n'aimera pas ce genre de spectacle. En ouvrant les yeux, Gros-Nez voit un petit garçon oriental. L'homme salue gentiment, geste suffisant pour provoquer la fuite du jeune.

Les gens de ce mystérieux continent ressemblent un peu aux Indiens de sa jeunesse. Il avait appris tant de merveilles à leur contact ! Surtout les bienfaits que la nature pouvait apporter. Depuis, il a fait ses propres découvertes, entre autres sur les qualités étonnantes de la boue. Gros-Nez est certain qu'aucun pharmacien n'oserait vendre de la boue dans son commerce. Soudain, il aperçoit cette fontaine, à quelques pas de lui, puis ce sable à ses pieds ! Tout est parfait !

Le temps de revenir avec sa tasse d'eau que le petit oriental s'est dédoublé. Des jumeaux ! Le quêteux prépare sa potion, après s'être excusé auprès des fourmis. Il applique la boue claire sur son pied. « Bonjour, les enfants. » Seconde fuite ! « Pas trop grave. Dans cinq minutes, ils seront trois. » C'est plutôt une femme qui se présente, vêtue comme une paysanne d'Orient. Du moins, l'homme le présume.

La femme dévisage l'étranger d'un regard très froid, pendant que les jumeaux demeurent de marbre. Il se sent intimidé, incapable de poser un geste pour manifester son amitié. Ces garçons, il s'en doute bien, ont dû signaler sa présence à leur mère. Soudain, elle se penche, dépose la main droite sur le pied enflé. Le toucher paraît curieusement chaud. En peu de temps, il devient brûlant. Ce manège dure deux minutes. Quand la femme se relève, elle s'éloigne avec sa progéniture et ne salue pas.

Gros-Nez examine son pied, certain que cette femme vient de poser un geste de guérison. Pourquoi? Les immigrants goûtent leur grande part d'insultes et de mépris de la part de ce peuple xénophobe. Est-ce que l'apparence du mendiant a rappelé aux petits une quelconque légende de leur pays? L'homme ferme les yeux quelques secondes, puis retire la boue de son pied, soupire, se sent étourdi.

En se relevant, des Canadiens attroupés autour de lui le questionnent à propos de ce qu'il a eu. « Je ne sais pas… Je me suis peut-être évanoui… » Soudain, le quêteux réalise qu'il n'a plus mal à son pied et qu'il a repris son volume normal. Il ose quelques pas. Les curieux se perdent en questions. Du coin de l'œil, le miraculé voit un homme revenir avec le jeune policier.

« Sans doute tombé dans les pommes, ce qui a alerté ces braves gens.

— Je comprends et… Mais votre pied! Il est guéri!

— Le repos lui a fait du bien.

— Circulez! Circulez! Je m'occupe de monsieur! »

Gros-Nez ne saurait dire pourquoi, mais il se méfie de cet agent, même si l'homme ne semble avoir que de bonnes intentions à son endroit. Ainsi, le vagabond refuse-t-il son invitation à prendre un repas. L'errant se sent bouleversé d'avoir été guéri par les formules incantatoires de cette femme d'Orient. Peut-être devrait-il partir à sa recherche pour la remercier. Après tout, jadis, les parents des enfants qu'il avait soulagés sautaient de joie quand le quêteux visitait leur patelin quelques années plus tard.

« Quand je vais raconter ça à Joseph ! » se répète-t-il, après avoir retrouvé son rythme de marche normal. Après une bonne nuit de repos, Gros-Nez s'empresse de regarder son pied. Aucune trace d'enflure, mais voilà qu'il a mal aux reins. « A-t-elle déplacé la douleur ? Non, je suis usé. » Fourbu ! Son âge et tant d'années de route commencent à se faire sentir. Malgré ses nombreux séjours prolongés aux Trois-Rivières, Gros-Nez sent qu'il doit continuer à partir à l'aventure afin de rencontrer des gens pour leur raconter des histoires, être à leur écoute. Plus que jamais ! Il décide de retourner chez Joseph, mais change d'idée une heure plus tard, bifurquant vers l'ouest.

En route depuis deux jours, Gros-Nez a marché sans cesse, oubliant même qu'il a souffert de cette enflure. Par contre, lors des derniers milles, une douleur au genou le ralentit. Ignoré et insulté par dix villageois consécutifs, le quêteux a du mal à trouver un boisé pour se reposer. « J'aurais dû retourner aux Trois-Rivières ! » se dit-il sans cesse, cherchant une position confortable afin de dormir. Le matin venu, le genou lui fait encore mal et il cherche des herbages humides pour se fabriquer un pansement. Avec l'aide de son canif, il taille une canne de fortune afin de s'y appuyer. Quarante minutes de travail et il jette cette canne après un bref usage.

Il reste quelques milles à franchir avant le prochain village. Gros-Nez y cherche un banc public pour se reposer. On lui indique un joli coin de verdure face à l'église. Il préfère pousser la porte d'un restaurant où, inévitablement, on lui demandera s'il a de l'argent pour payer. Il a la somme rondelette destinée au fils de Joseph, mais se sent honteux d'en extirper quelques sous pour un repas. Le voyageur a faim. Cette fois, pas de sandwich ou de potage clair, mais une tranche de jambon, des patates et des carottes. Son assiette devant lui, il dévore les trois premières bouchées, avant de se calmer. Il vaut mieux prendre son temps. Il pense alors au ragoût de bœuf de l'épouse de

Joseph. Délicieux! Sans oublier les petits plats cuisinés par l'aînée pour le restaurant familial.

En sortant, le vagabond voit un attroupement discret, des gens qui vont et viennent devant le restaurant, regardant du coin de l'œil sans l'air de voir. La venue d'un étranger fascine tout le temps les villageois… qui ont beaucoup de temps à perdre. Gros-Nez devrait se sentir habitué, mais en ce vingtième siècle, des étrangers, il en passe tous les jours sur la route nationale traversant le lieu. « Peut-être suis-je un étranger du passé », fait-il, tout en cherchant sa pipe dans le fond de son sac. Le mendiant devine que tous ces badauds iront enquêter auprès de la restauratrice.

Il trouve un banc face à un commerce, s'y assoit, alors que le défilé reprend. « Ils n'ont jamais rien vu, ma parole! » Gros-Nez note un homme coiffé d'un haut-de-forme qui arrive en trombe dans une automobile. Il la gare rapidement, s'en extrait en bondissant, ne se rend pas compte que la mécanique descend lentement la côte. Gros-Nez se précipite pour activer le frein.

« Vous savez conduire ces machines, monsieur?

— Un de mes amis en possède une et je comprends très bien le fonctionnement.

— C'est celle d'un médecin de la ville. Avant, il aurait fallu aller le chercher, mais maintenant, un coup de téléphone chez lui et le voilà quinze minutes plus tard au volant de cette affaire. Le malade aurait eu le temps de mourir dix fois, autrefois. Notez bien que le malade, on le connaît très bien. C'est le fils de la veuve de l'ancien maire. Un petit gars très fragile. Notre curé a recommandé des prières pour lui. On s'attend à ce qu'il ne passe pas l'année. Quel est votre nom? Vous n'êtes pas du canton. On ne vous a jamais vu ici. »

Cette nouvelle émeut Gros-Nez, bien qu'il sache que son don ne lui permettrait pas de guérir un enfant de six ans. Il pense aussi à la veuve, mère de ce seul petit. Quand le médecin revient, une demi-heure plus tard, le mendiant ne peut s'empêcher de lui signaler qu'il avait omis de mettre le frein. L'homme remercie sans trop d'enthousiasme, pressé de partir. Gros-Nez tente de le retenir, désireux de savoir ce qu'a ce garçon. « Les habitants de ce village viennent de me donner autant de maladies qu'il y a d'individus. » La remarque fait sourire le médecin.

« Les maladies ont ceci de fascinant : lorsqu'on ne les connaît pas, chacun les invente, soit pour effrayer, soit pour adoucir.

— Vous êtes un sage, monsieur.

— J'ai beaucoup voyagé et tant appris de mes frères et sœurs de l'humanité. Je suis guérisseur, vous savez.

— Ça aussi, c'est du folklore, un peu comme les remèdes de bonne femme.

— Je vous assure, monsieur le médecin. C'est un don hérité de mon grand-père et j'ai guéri plusieurs enfants. J'ai moi-même été soulagé par une femme orientale, il y a quelques jours.

— À vous écouter, il n'y aura bientôt plus aucun avenir pour les facultés de médecine. Je vous remercie d'avoir sauvé mon automobile.

— Qu'a donc ce petit garçon ?

— Je vous remercie encore. »

Cette nouvelle rend Gros-Nez curieux et lui fait oublier son idée de retourner aux Trois-Rivières. Quand cela se fera, peut-être aura-t-il une histoire extraordinaire à raconter. Le fils de Joseph, friand de récits, lui a récemment reproché la banalité de ses dernières narrations. Le vagabond décide de chercher une bonne âme chez les modestes paysans des alentours. Après quatre échecs retentissants, l'homme se fait ouvrir une porte par une femme très grosse, mariée à un tout aussi énorme, mais dont les cinq enfants sont maigres comme des points d'exclamation ! Les os de la grand-mère, soudée à sa berçante, craquent autant que sa chaise.

GROS-NEZ, LE QUÊTEUX

Les multiples crucifix, rameaux, cierges, statues et images saintes que l'étranger voit partout laissent facilement deviner le type d'histoire que ces gens désirent entendre : le diable doit tenir le rôle-vedette. La victoire ne sera cependant pas sienne, bien que son triomphe apparent fasse sursauter la vieille à toutes les cinq minutes, alors que la mère se signe.

« Une bonne histoire, quêteux. Si mon beau-frère pouvait l'entendre…

— Il demeure loin ?

— À dix minutes de voiture.

— Allez le chercher et je recommencerai, pour les voisins, parents et amis.

— Les quêteux, ça ne fait jamais rien gratuitement.

— Un repas modeste, un coin de votre grange et je serai satisfait. »

Grand public ! D'abord : celui des enfants. Gros-Nez déroule le tapis rouge pour une histoire de fées, avec mimiques appuyant les passages intenses. Les yeux aussi ronds que leurs bouches, les petits goûtent chaque parole de cet homme étrange venu d'ailleurs. Ensuite, les adultes ont droit à une histoire de fantôme. « Un quoi ? » de crier la grand-mère. « Un esprit, madame. » La vieille expédie un signe de croix et la mère de famille sursaute, s'accrochant au bras de son époux.

Le manège dure ainsi cinq jours, dans sept maisons. Gros-Nez se sent envahi par l'intensité de ses premières années de vagabondage. Au village, chacun le salue en lançant son sobriquet, désireux de lui donner à manger. D'ailleurs, il mange tant qu'il sent son ventre lui faire mal. Les rumeurs de la présence joyeuse de ce géant sont sûrement parvenues aux oreilles de la veuve. En toute confiance, le quêteux cogne à sa porte, mais il n'a pas le temps de placer un mot. Il décide de ne pas insister, réfléchit et décide d'avoir recours à la postière du lieu qui, malgré la discrétion inhérente à son travail, a de fortes chances d'être la bavarde par excellence de la localité.

« Rien de mieux que le rire pour retrouver des couleurs. Ne croyez-vous pas, mademoiselle ?

— Quand on est malade, personne n'a trop le goût de rire.

— Un peu de joie ne fait-elle pas de bien au cœur ?

— Peut-être.

— Je vais vous dire, mademoiselle. Des postières, j'en ai connu des centaines, mais vous êtes différente parce que vous souriez.

— Moi, je souris ?

— Votre sourire vous donne un charme certain.

— Monsieur le quêteux, si vous êtes venu ici pour me faire la cour, sachez que je suis une demoiselle qui sait tenir sa place et que je… je… Plus jeune, j'ai eu des cavaliers ! Deux fois, j'ai passé près du mariage. Oui, deux fois !

— Voilà la raison de ce sourire. Au fond, vous n'être pas réellement une vieille fille.

— Oui, je… Qu'est-ce que vous voulez ? Un timbre ?

— Je veux parler de la joie qui aide les cœurs endoloris. Votre propre joie vous aura gardée jeune et c'est pourquoi vous souriez. Je vais vous raconter cette fois où j'ai guéri un enfant de la vallée du Saint-Maurice simplement en le faisant rire.

— Je peux certes vous écouter, car tous mes clients disent que vous avez un don pour cet art, mais je crois que ce n'est pas convenable dans un endroit aussi sérieux qu'un bureau de poste. Allez sur le perron et je vous y rejoins, avec de la limonade, et je prêterai l'oreille.

— D'accord.

— Vous pensez vraiment que je ne suis pas une vraie vieille fille ?

— Pas avec ce sourire.

— Deux fois ! Je vous assure ! Deux ! »

Trois jours à se faire désirer suffiront. Gros-Nez s'enfonce dans la forêt. À l'aide d'une ficelle et d'une branche solide, il se fabrique une canne à pêche et prend plaisir à détrousser une rivière poissonneuse. Succulents repas, rehaussés par de délicieux fruits sauvages et une eau incroyablement pure et pétillante. Chanceux, le quêteux bénéficie de nuits douces et de réveils enchanteurs, avec cette symphonie d'oiseaux qui l'émerveille comme au cours des premiers jours.

« C'est pour un timbre, mademoiselle.

— Où étiez-vous passé ? Tout le monde vous cherche.

— Vous savez, un quêteux, ça va et ça vient.

— J'ai changé un peu ma coiffure. Avez-vous remarqué ?

— Je ne prends note que de votre sourire.

— Monsieur Gros-Nez, je vais rougir…

— Voici l'enveloppe et je veux un timbre pour les Trois-Rivières. J'écris à mon ami Joseph.

— Cet homme dont vous avez guéri le fils.

— Précisément. Pourquoi tout le monde me cherche ?

— Vous savez, cette pauvre veuve dont le fils est si malade… »

Gagné ! Une histoire : un soupir. Deux histoires : un sourire. Trois histoires : des rires. Discrètement, Gros-Nez pose les gestes qu'il avait toujours réservés aux bébés et aux très jeunes enfants. Il laisse l'adresse de Joseph à la veuve. « Vous reviendrez ? » Le vagabond hausse les épaules, sort, va droit devant lui, en faisant tourner sa main au-dessus de sa tête. Il prend la direction de Montréal, désireux de s'accrocher à un wagon de train pour aller porter ses économies au fils de son ami trifluvien.

Les nuits restent froides en cette fin de printemps. L'homme a suffisamment à manger et pour se garder au chaud. Il pense à l'accueil de la population de ce village de l'Outaouais. « Comme à mes débuts.

Je n'ai pas perdu la touche. À bien y penser, je suis devenu un quêteux douillet depuis que j'ai décidé d'établir un port chez Joseph. Qu'est-ce que tu en penses ? Rien ? Bonne nuit, écureuil, et mes salutations à ta parenté. »

Le réveil semble moins enchanteur. Un soudain mal de dos le fait grimacer, croyant qu'il s'est endormi en mauvaise position. De plus, son pied gauche semble enflé « et je n'ai pas d'Orientale à ma portée ». Le plus sage consiste à se reposer, sauf que la pluie vient jeter sa note discordante. Gros-Nez marche jusqu'à la première maison. « Mon mari va vous casser le menton si vous ne partez pas tout de suite ! » Deuxième habitation, troisième… Marcher sur ce pied endolori n'est pas du meilleur effet, mais il n'a point d'autre choix.

Gros-Nez rejoint le chemin de fer, attend avec la plus grande patience le passage d'un express. Quand la mécanique vrombit dans l'horizon, il court sur les travers, mais ralentit à cause de son mal, arrive tout de même à s'accrocher, cependant incapable de se hisser, si bien qu'il doit lâcher prise, tombe avec violence sur sa blessure, fait un tonneau dans le gravier et jusque dans le ravin. Très secoué, le malchanceux se sent incapable de se relever. Il se met à pleurer comme un enfant.

Il s'installe dans le boisé, décidé de se soigner. Un prochain convoi passe à vive allure et l'homme lui lance des grimaces. « Je ne suis plus capable ! C'était déjà dangereux au cours de ma jeunesse, quand j'étais robuste, et maintenant, je suis vieux et gras ! » Démotivé, il reste là longtemps, puis prend une heure pour se rendre au village pourtant situé tout près. Chaque pas lui fait mal. Brièvement, il pense rencontrer un médecin, mais change aussitôt d'idée. Il n'a pas eu souvent recours à ces spécialistes au cours de sa vie et s'en est toujours bien tiré. Ne sachant pas ce qu'il fait dans ce village, le mendiant se dirige nonchalamment vers la gare, pour prendre le train de façon plus traditionnelle. « Bonjour, monsieur. Je peux m'asseoir avec vous ? » Gros-Nez regarde ce vieillard à la barbichette blanche, se déplaçant à l'aide d'une canne. Le vagabond enlève son sac pour lui laisser une place. Les nouvelles de la température suivent aussitôt.

« Les quêteux, il y en avait en masse, dans ma jeunesse. Maintenant, ça a diminué. Voilà longtemps que tu fais ça ?

— Vingt-quatre années.

— C'est long ! Ça use un homme.

— Sans doute, monsieur.

— Si je ne me trompe pas, tu dois friser les soixante-cinq ans.

— J'ai quarante-neuf ans.

— C'est ce que je disais : ça use. Là, tu sembles avoir mal à un pied.

— Oui.

— Viens à la maison. Ma femme va te préparer une ponce avec de la moutarde et de la térébenthine. »

Il n'a pas l'air méchant, ce voyageur. La mixture n'intéresse guère Gros-Nez, mais en s'attardant, il pourrait avoir droit à un véritable repas chaud. « Soixante-cinq ans ! Il pensait que j'avais soixante-cinq ans ! En fait, je les ai peut-être… » En descendant à la gare du deuxième village voisin, le quêteux marche aussi lentement que le vieillard.

L'épouse porte encore le bonnet féminin typique du milieu du dix-neuvième siècle. Avant de préparer la potion magique, elle examine le pied enflé, pose des questions impromptues, comme celle, étrange, afin de savoir si le mal a débuté le vendredi. Il répond par l'affirmative, car Gros-Nez croit que c'est ce qu'elle désire entendre. « De la mélasse bouillie dans votre pisse, avec des oignons et du poivre. Ça va vous guérir. » Peut-être que la recette aurait été différente s'il avait dit non. « Ma vieille connaît son affaire. Elle en a soigné et guéri neuf sans jamais faire venir le docteur. Pour t'aider à remplir le pot, je vais te faire boire un petit verre maison. »

La dame rustique, tout en allumant sa pipe, confie qu'il ne faut pas manger de patates pendant la semaine suivant l'absorption du remède, sinon le mal va réapparaître. L'odeur infecte de la tasse chaude fait grimacer Gros-Nez. Il doit demeurer immobile toute la soirée. Elle dépose des compresses sur le pied à toutes les quarante-sept minutes. Pas une de plus, surtout pas une de moins.

Le lendemain, à la grande surprise du mendiant, le pied commence à reprendre sa forme normale. « Elle aurait pu me faire avaler n'importe quelle stupidité et ça aurait fonctionné. Tout ça a été distrayant et le tabac du vieux était délicieux. » Au moment du départ, la femme rappelle qu'il ne faut pas manger de pommes de terre pendant sept jours.

Gros-Nez marche lentement vers les limites du village, l'esprit en lutte entre l'idée de dépenser pour un billet de train et celui de saisir un wagon avec une détermination herculéenne. Cette dernière option est digne d'un véritable quêteux et l'autre propre à un homme sage et vieillissant. Un hasard le sauve de ce tiraillement alors qu'un homme, sans raison, l'invite à monter à bord de son automobile. Le vagabond peut ainsi se rendre confortablement jusqu'au village voisin afin d'inventer un curieux jeu : celui d'approcher de la gare et de la fuir aussitôt après avoir mis ses mains sur la poignée de la porte. Il répète ce manège cinq fois de suite. Soudain, il arrête, réalisant comme il faut que son mal de pieds semble disparu. « Me voilà prêt pour affronter les dix prochaines années. »

Cette guérison l'incite à décider d'un compromis : il prendra le train, le temps de franchir deux gares. Il marchera le reste, sachant que les paroisses près des Trois-Rivières se sont toujours montrées accueillantes. Il n'aura pas trop de mal à rejoindre Joseph et les siens. Installé sur un banc inconfortable dans un wagon de troisième ordre, Gros-Nez a des remords en pensant que le fils de son ami a besoin d'argent et que lui-même vient d'en dépenser une autre fois. Un homme, marchant péniblement, s'installe face à lui. Il éternue avec une rare violence, puis se mouche avec fracas. Trois fois consécutives.

« Ce n'est pas que je sois pointilleux, monsieur, mais auriez-vous la bonté de mettre une main devant votre bouche quand vous éternuez ?

— Hein ?

— Mettez la main devant votre bouche.

— Hein ? Quoi ? »

Gros-Nez dessine le geste d'une main nerveuse. L'autre fronce les sourcils, hausse les épaules et revoilà le déluge aspergeant le visage du quêteux. Du regard, il cherche une autre place libre. Rien à faire ! Troisième classe : wagon rempli. Et ça recommence ! Cette fois, le vagabond se lève et parle vigoureusement à cet impoli, avec l'appui du voisin de derrière. Peine perdue ! Las, la victime décide de demeurer debout, vulnérable aux secousses du trajet. « Dire que je pourrais être tranquille dans un wagon de marchandises ! »

Enfin, le village espéré ! Gros-Nez sait tout de suite où se diriger : chez un homme amusant, qui enchaîne sans cesse les blagues et capable de lancer une balle de baseball avec autant de force qu'un Américain aguerri. « Mon mari est mort, voilà plus d'une année. » Le quêteux baisse les paupières, désolé, hésitant à demander à la veuve ce qui s'est passé. La femme sent qu'elle doit expliquer : une maladie fatale qui avait débuté avec l'apparence d'une simple grippe, devenant un mystère pour trois médecins.

« Tu peux demeurer pour coucher. Je vais te préparer à manger.

— Que faites-vous pour survivre ?

— Mon grand garçon est revenu des États-Unis après le décès de son père. Il s'occupe de notre petit élevage. C'est à lui, ces beaux enfants que tu as peut-être croisés en arrivant.

— Ils se sont cachés.

— Tu es le bienvenu, Gros-Nez. Assied-toi, mais pas dans la berçante. C'était la chaise favorite de mon mari et personne ne l'a utilisée depuis. »

Cette maison ressemble à un sanctuaire à la mémoire du défunt. Elle rend le quêteux mal à l'aise, se souvenant trop des rires continuels de l'époux. Le soir venu, le visiteur trouve dans le fond de sa mémoire son histoire la plus drôle afin que cette femme, son fils, sa bru et les enfants s'amusent. Il peut ainsi coucher au chaud et profiter d'un délicieux déjeuner avant son départ.

Après quelques heures de marche, Gros-Nez ressent une profonde fatigue. À la fin de la journée, il éternue et renifle avec la même vigueur que le malpoli du train. Ce n'est certes pas le temps de coucher à la belle étoile, mais il n'a trouvé aucune âme généreuse pour le recevoir. Il pense alors, et sans doute pour la centième fois depuis deux années, qu'il est devenu un anachronisme dans cette société du vingtième siècle. Il ne songe pas alors à la bonté du jeune policier de Montréal, de l'Orientale guérisseuse et de toutes ces braves gens du village de l'Outaouais.

Le vagabond atteint les Trois-Rivières tardivement, le surlendemain. Tout le monde est couché depuis longtemps dans la maison de Joseph. Gros-Nez pousse la porte de l'ancienne écurie de son ami, devenue l'abri d'une automobile. Après deux heures à chercher le sommeil, il sursaute en entendant la porte ouvrir. Joseph, en tenue de nuit, informe le mendiant qu'on l'entend éternuer jusque dans la maison. « Je sais que ce n'est pas logique d'être pris d'un rhume hivernal au début de l'été, mais t'as pas idée de ce que j'ai vécu depuis un mois, mon Ti-Jos. »

Gros-Nez peut s'installer au chaud dans l'ancienne chambre du fils, marié depuis quelques mois. Le matin venu, Joseph ne pose aucune question à son ami, sachant qu'il entendrait un refus. Il se rend chez le pharmacien pour acheter un « sirop moderne ». Pour sa part, l'épouse assure qu'un repas généreux chasse les microbes : un steak, des carottes, deux tranches de tomate, du pain et des pommes de terre. Royal !

GROS-NEZ, LE QUÊTEUX

Malade ou pas, Gros-Nez marche vers le logement du garçon pour donner son argent à la jeune épouse. Il s'excuse d'avoir un peu dépensé. Reconnaissante, elle invite le quêteux pour le souper, assurant que son époux aura mille questions à lui poser sur ses récentes aventures. Accepté! Potage au poulet, jambon et patates.

Dès le lendemain, le pied gauche du quêteux a doublé de volume, encore plus douloureux. Soudain, l'homme sursaute, se rappelant que la vielle paysanne lui avait recommandé de ne pas manger de pommes de terre avant une semaine. « Remède de bonne femme, ai-je pensé. J'ai la preuve que les bonnes femmes ont souvent raison, tout comme les Orientales. » Voilà le quêteux immobile sur le perron, le pied sur une chaise, un mouchoir toujours à la main. Joseph arrive en brandissant une rareté : une lettre! Le petit du village de l'Outaouais est guéri. « Les bonnes femmes, les Orientales et Gros-Nez », pense-t-il, en éclatant de rire.

CHAPITRE 1897 : AMITIÉ

❧ ❧

« *Cher Joseph, j'ai été ému lors de mon dernier passage aux Trois-Rivières, car ta jeune épouse et toi-même étiez si bouleversés à la pensée que votre petit garçon allait mourir. Tu as montré un peu de scepticisme quand je t'ai affirmé avoir un don de guérisseur, mais tu m'as tout de même laissé faire. Je sais maintenant que l'enfant va mieux. Je l'ai su par un voyageur arrivant de ta ville et qui connaît ton frère, le charretier. Je ne sais pas si je reviendrai aux Trois-Rivières avant longtemps, car je sens que malgré tout, ton épouse ne m'aime pas depuis qu'elle connaît le secret de mon ancienne vie. Puis, j'ai l'impression que j'ai encore beaucoup de coins de la province et du Canada à voir afin de m'enrichir de la présence de mes frères et sœurs de l'humanité. Je suis dans la force de l'âge, résistant à la faim et au froid. Peut-être que lorsque je serai plus vieux, je reviendrai aux Trois-Rivières. Je t'ai dit que je serai là au moment où tu t'y attendras le moins. J'ai été très heureux d'apprendre, par ce voyageur, que tu vas construire le local pour ton futur commerce. Ta vie va maintenant prendre un sens qui n'était pas le même lors de notre rencontre. Tu seras toujours un délicieux grand enfant, mais maintenant, je crois que tu es davantage un homme. Je t'ai apporté mon amitié sincère et je t'ai aidé selon mes modestes moyens simplement parce que tu ne m'as jamais jugé. Il n'y a rien de plus glorieux que le respect et rien de plus minable que la censure. Ton attitude m'a aidé à voir clair dans l'épouvantable échec qu'était ma vie et tout ce qu'on m'avait imposé sans jamais me demander mon opinion. De cette prison dorée, je suis passé à la plus splendide liberté et je te serai toujours reconnaissant de m'avoir éclairé dans cette voie à suivre, même si cela s'est fait malgré toi.*

Et puis, ce surnom de Gros-Nez, que tout le monde aime, est ton œuvre, cher Ti-Jos! Il s'est implanté en moi pour devenir ma véritable identité. Je me sens heureux et c'est grâce à toi. Sois certain que jamais je ne cesserai de t'écrire. Tu pourras me répondre lorsque j'aurai des emplois d'hiver. Je te communiquerai l'adresse, à ce moment-là. Prends le plus grand soin du petit garçon, car je l'aime beaucoup. À la prochaine, mon Jos!

Gros-Nez, le quêteux, 4 juillet 1897 »

L'enveloppe humectée, Gros-Nez reprend la route, sous un soleil charmeur, rendant tout le monde heureux. Il envoie la main aux paysans occupés aux champs, ne se demandant pas qui peut être cet étranger. Un peu plus loin, il y a un gros village avec un bureau de poste et aussi un magasin général, qu'il a hâte de visiter, car le cordon de sa chaussure droite a rendu l'âme et à chacun de ses pas, il a l'impression qu'elle se brise.

« Voilà votre monnaie.

— Merci, monsieur.

— À votre place, je changerais les chaussures au complet. J'ai reçu de beaux modèles, manufacturés à Montréal.

— Je n'ai plus d'autre argent que les sous rendus.

— Ah oui… Je vous regarde et devine : un vagabond des grands chemins.

— Je préfère le mot « quêteux », plus honorable et près de nos plus importantes traditions.

— Montez à la maison et ma femme va vous donner à manger.

— C'est généreux de votre part.

— Passez par l'arrière et faites-lui signe que je vous envoie. Parlez clairement en la regardant. »

Cette offre surprise laisse présager de bons moments dans cette localité. En approchant de l'escalier donnant sur la cour, Gros-Nez compte six ou sept enfants, fous de joie à cause de la fin de l'année scolaire. Il cogne à la porte, se présente, répète ce que l'homme a dit. La femme hoche la tête au lieu de répondre, désignant du menton une chaise à sortir. Le quêteux obéit. Cinq minutes plus tard, elle suit avec un verre de jus de fruit et des biscuits. « Il y a vos enfants, parmi ce joyeux groupe ? » Elle répond en montrant deux doigts. Gros-Nez comprend aussitôt que cette femme est sourde et muette. Il déduit qu'elle peut lire sur les lèvres, se rendant compte qu'elle le regarde fixement quand il parle. Quand le vagabond s'adresse à elle plus lentement, la femme sourit d'aise. Gros-Nez porte son regard vers les gamins. Il sursaute quand elle frappe vigoureusement dans les mains trois fois, signifiant quelque chose de précis aux petits. Le garçon laisse son ballon et invite sa sœur à monter.

« Voulez-vous entendre une histoire, les enfants ? J'en connais des belles ou des drôles et je vais les dire devant votre maman, pour qu'elle en profite aussi. » La fable dure vingt minutes. Les mimiques appropriées attirent l'attention des jeunes demeurés en bas et qui montent l'escalier progressivement, un peu craintifs.

« Vous avez une bonne épouse et des enfants bien élevés.

— Vous avez mangé ?

— Oui, des biscuits et du jus.

— Aussi peu ? Demeurez pour le souper, quêteux. Vous savez, mon épouse n'a pas beaucoup d'amies. Son infirmité fait peur aux autres femmes et des hommes croient qu'elle est idiote. Votre présence va la distraire. Voulez-vous travailler pour moi ? Je vais vous payer avec des chaussures neuves. Il faudrait peindre la clôture au complet. Avec mon ouvrage au magasin, je n'ai pas le temps et voilà deux dimanches de suite qu'il pleut.

— Je vais le faire avec plaisir, monsieur.

— Il faudra sabler, avant d'appliquer la peinture. Je vais vous donner ce qu'il faut. »

Gros-Nez se met à l'œuvre immédiatement. Peindre lui a toujours donné une grande satisfaction, à cause de la lenteur et de la douceur de chaque geste. Il ne se laisse pas distraire par un groupe d'enfants, désireux d'entendre une autre histoire. « Plus tard, les petits. Je dois travailler. » Ils s'envolent immédiatement, sauf ceux de la sourde et muette. Collés à la robe de leur mère, ils regardent chaque geste de l'étranger. Du coin de l'œil, il peut voir l'étonnant spectacle de cette femme: elle parle par signes à son fils et il lui répond de la même façon.

« Ma mère veut savoir si vous aimez le bœuf.

— Ça dépend s'il est joli.

— Ah! Ah! C'est drôle! Je vais lui dire!

— Dis-lui plutôt que je suis persuadé que toute sa cuisine est excellente.

— Est-ce que vous répondez à ma question, oui ou non?

— Oui, j'aime le bœuf. »

Le père quitte sa boutique pour voir le progrès du sablage. « Parfait! Je vais aller chercher la peinture. » La fillette prend la relève de l'homme.

« Est-ce que vous connaissez des histoires avec des poupées?

— Plusieurs, comme celle de la poupée magique qui sait chanter.

— Ça va être drôle!

— Drôle? Au contraire! C'est très tendre et merveilleux. Je l'ai rencontrée, cette poupée et applaudi son chant. Sois sage et je te raconterai, ce soir. Je dois peindre cette clôture et m'appliquer à le faire comme il faut.

— Pourquoi est-ce que vous vous appelez Gros-Nez?

— Parce que le lutin des nez m'en a donné trois au lieu d'un seul quand je suis venu au monde.

— Vous êtes comique ! »

Un signe de la mère et la fillette s'envole. Une demi-heure paisible passe. Le quêteux chante doucement. Soudain, la muette, au sourire radieux, le surprend en lui tendant un verre d'eau. Elle joint les mains et les dépose sur les joues du vagabond, tangue un peu. Sans doute qu'un des enfants lui aura dit qu'il chantait. Alors, il prononce distinctement les mots de la mélodie afin qu'elle puisse les traduire. Elle fait des signes qu'il a du mal à comprendre, avant qu'elle ne bouge le verre d'eau en dessinant un va-et-vient manuel. Il croit qu'elle veut entendre *Il était un petit navire*. Gagné ! Le garçon arrive par derrière au milieu de la chanson, tire sur la robe de sa maman, lui fait des signes rapides. La femme rougit, s'éloigne. Sans doute que poliment, il lui a fait savoir qu'elle lui a demandé de ne pas déranger l'invité alors qu'elle-même…

« Bel ouvrage, Gros-Nez. Très propre ! Après le souper, vous viendrez au magasin pour essayer les chaussures.

— Je trouve ça inégal, comme entente. Des souliers neufs valent davantage qu'un après-midi de travail.

— J'ai le droit de me montrer généreux, non ? »

Quel repas succulent ! La petite fille aide sa mère à desservir, pendant que le garçon est descendu au magasin pour permettre une demi-heure de répit à son père. Comme promis, Gros-Nez va voir les chaussures. Il sent que le marchand va le retenir pour un autre travail, car son épouse, c'est très évident, semble attirée par l'étranger, il ne saurait trop dire pourquoi.

Le quêteux se balade par les rues du village, pour savoir si ses souliers lui iront bien. Ce lieu se donne des airs de capitale du canton, de future ville. Sachant que les vieilles chaussures peuvent lui servir encore deux ou trois mois, il les enfouit dans son sac, puis retourne à la maison pour raconter ses histoires de la soirée, désirées par la mère et ses enfants.

Après une douce nuit au chaud, Gros-Nez entreprend de laver avec soin toutes les fenêtres extérieures, en plus de celles de l'écurie. La femme surgit une fois par heure, avec ses sourires et son verre d'eau. Pour leur part, les petits ont alerté ceux de leur âge, venant en bande pour entendre des fables et se délecter de grimaces hilarantes.

« Ça me fait de la peine que vous partiez, mais je peux vous comprendre. C'est votre style de vie et vous devez être difficile à attacher.

— J'ai été traité comme un roi! Puis-je vous poser une question?

— Pourquoi mon épouse est fascinée par vous? Alors que tant de villageois se méfient d'elle, vous lui avez parlé sans la juger. Voilà la raison. Je crois que vos histoires l'ont beaucoup impressionnée. Soyez aimable, Gros-Nez, et montez la saluer avant votre départ. »

L'au revoir ressemble à un triste adieu, comme si le quêteux tournait le dos à une amitié de toujours pour s'en aller dans un pays lointain et ne jamais revenir. L'homme s'éloigne en regardant devant lui, s'apprête à lever la main pour la faire tourner au-dessus de sa tête quand, soudain, il arrête, se retourne et lance un geste amical. Il demeure estomaqué en voyant cette femme agiter la main, telle une fillette de quatre ans. Il marche cinq coins de rues, avant de sortir de son sac sa balle, qu'il serre précieusement. Il décide de monter vers le nord où, se souvient-il, l'accueil avait été favorable voilà quelques années.

Les nouvelles chaussures lui semblent excellentes, mais un peu fragiles. Il a bien fait de garder les autres. Depuis toutes ces années de marche, Gros-Nez pourrait offrir une conférence devant un parterre de cordonniers. Il pense à la générosité de cette famille, lui ayant donné en trois jours ce qu'il a souvent du mal à trouver en un mois. « Suis-je ingrat d'être tout de même parti? Un égoïste? » se demande-t-il, le cœur lourd. Il vaut mieux penser à autre chose. Un peu plus tard, il trouve un arbre pour en faire le dossier de son siège, afin de se reposer en fumant une bonne pipe et songer à l'histoire qu'il pourrait tirer de cette dernière aventure. Une heure plus tard, Gros-Nez voit approcher un jeune homme qui a du mal à se déplacer.

« J'ai des ampoules sous les pieds. Ça fait mal en esprit!

— Il vaut mieux arrêter de marcher, dans un tel cas.

— Je veux atteindre le prochain village avant qu'il ne fasse noir.

— Nous sommes au milieu de l'après-midi. Rien ne vous presse. Venez- vous reposer. J'ai du tabac et des petits gâteaux.

— Oh! Je veux bien… Je n'ai pas mangé depuis hier et j'ai faim en esprit. Je suis quêteux, vous savez.

— Vraiment? Moi aussi!

— Un confrère! Heureux de vous rencontrer! Je m'appelle Ti-Nerf.

— Moi, je suis Gros-Nez.

— Je vois ça! Esprit, vous en avez un vrai de vrai! »

Voilà un garçon charmant, qui ne doit pas avoir franchi la vingtaine. Qu'il se proclame quêteux a tout pour étonner. Il avoue être travailleur occasionnel, se rendre dans les manufactures au cours de l'été, sans arriver à supporter trop longtemps les patrons et leurs contremaîtres. Quêter au cours de la saison froide? « J'ai de l'endurance. À la campagne, les gens ont moins de choses à faire au cours de l'hiver et m'ouvrent leur porte. Beaucoup de femmes sont seules et ont des objets à faire réparer pendant que le mari est parti couper des arbres. Puis je plais à leurs filles parce que je suis beau. » Alors, pourquoi marche-t-il sur cette route de campagne au début de l'été au lieu d'être dans une manufacture dans une ville? « Esprit que t'en poses des questions, Gros-Nez! L'homme n'est que contradictions, tu ne savais pas? » Le concerné rit avec franchise, puis sort de son sac ses chaussures, qu'il lui offre en cadeau.

« Non seulement t'as un gros nez, mais t'as aussi de grands pieds. Esprit, ces souliers sont de la pointure de Louis Cyr!

— La presse sert à deux choses, mon Ti-Nerf : plaire aux bourgeois, puis à ajuster les souliers des pauvres. Je n'ai cependant pas de journal sous la main… Allons voir ce que la nature peut nous offrir.

— La nature ?

— La nature pourvoit à tout. Elle va même guérir tes ampoules. »

Les deux hommes ne reprennent pas la route avant la noirceur, trop occupés à rire, à se raconter des anecdotes et même à se donner des conseils. Au contraire de Gros-Nez, Ti-Nerf ne cache pas son passé : fils d'un ouvrier de Montréal, parti sur les routes suite à une remarque désobligeante du père à propos d'une fille qu'il désirait épouser. Un point commun entre ces deux générations de mendiants : l'insécurité grandit le cœur, tout comme les rencontres avec des gens aux horizons très divers. Alors que l'aîné est spécialiste des légendes et des histoires inspirées de son vécu, le cadet chante avec talent. Il peut même jouer de la guitare, mais se contente, pour la route, d'un harmonica, qu'il manie avec une touchante habileté.

Le matin venu, Gros-Nez fabrique un coussin d'herbages qu'il dépose dans les vieilles chaussures. « Esprit, c'est confortable ! T'es un as, Gros-Nez ! » Le géant ordonne au jeune de grimper sur ses épaules pour les premiers milles. Les rires sont de la partie, alors que Ti-Nerf se voit étonné par la force prodigieuse de son ami. Le partage est aussi à l'honneur. Quand les deux complices atteignent un village, le jeune commande à son transporteur de se reposer. « Je vais trouver à manger. » Un rendez-vous est donné à un point précis, pour la fin de l'après-midi.

« J'ai des cornichons et du pain.

— En retour d'une ou deux chansons ?

— J'ai aussi donné les plus récentes nouvelles de Québec, même si ça fait un an que je n'y ai pas mis les pieds. Je commence à comprendre ce que les gens veulent aussitôt que je les vois.

— C'est un art qui se développe avec le temps, Ti-Nerf. Essentiel pour tout bon quêteux. Se montrer d'accord avec eux et leur donner ce qu'ils attendent, c'est la meilleure façon de les inciter à la générosité.

— Utiliser la religion quand je vois des crucifix partout dans la maison ou une croix de chemin non loin, je pense que je suis bon là-dedans.

— Cela, par contre, je ne le fais jamais.

— Pourquoi? La religion fait partie, on ne peut plus, des mœurs des gens de la province.

— Ils semblent délicieux, tes cornichons!

— Prends-les! La femme qui me les a donnés m'a dit que son frère habite à cinq milles d'ici et aime beaucoup rire. Si on y va ensemble, on trouvera à coucher avec déjeuner au lit. »

Spectacle complet : pantomime, chant, danse, musique, comédie, mélodrame! Aussi distrayant que dans les théâtres de vaudeville des grandes métropoles! Ti-Nerf empêche Gros-Nez de dormir en ronflant très bruyamment. Le matin débute par un bon déjeuner, servi par une grande fille qui cligne des paupières en regardant le jeune. Pendant qu'il roucoule, le vétéran demeure fidèle à ses principes et aide le cultivateur aux champs.

« Où va-t-on?

— Là où le vent nous poussera.

— Une esprit de bonne idée, mon Gros-Nez! »

Quand l'aîné propose au benjamin de prendre le train, celui-ci compte immédiatement ses sous pour savoir s'il pourra payer un billet. Gros-Nez soupire et explique sa façon particulière d'utiliser le chemin de fer. L'autre arrondit les yeux. « Je vais me tuer cent fois! T'es costaud, grand et fort! Pas moi! » Gros-Nez se lance dans une leçon théorique impromptue que l'autre écoute distraitement, même s'il donne l'impression de se montrer attentif. Une vieille charrette abandonnée sert à donner des exemples, sans oublier quelques exercices physiques appropriés. Enfin, une course le long des rails du chemin de fer complète le tableau préparatoire.

Le moment venu, Ti-Nerf court dans l'ombre de son aîné qui s'accroche à une tige de wagon avec facilité, alors que l'autre demeure estomaqué. Il se bouche les yeux en voyant Gros-Nez se jeter au sol, rebondissant sur ses jambes, mais roulant dans le fossé. Affolé, le jeune vagabond accourt, les bras aux cieux.

« Blessé? Pourquoi donc? Le plus que j'ai à craindre est de casser le pot d'encre qu'il y a dans mon sac. Ça m'est arrivé quatre fois.

— Esprit! Jamais je ne pourrai faire ça!

— Tu courais très bien, Ti-Nerf. Pourquoi t'as abandonné?

— J'ai eu peur en…

— … en esprit, j'ai compris. Tu vas y arriver le prochain coup.

— Allons à la gare! À nous deux, on a six piastres et…

— La gare! La gare! Les gares existent pour les voyageurs et non pour les quêteux, les aventuriers, les…

— Je n'ai jamais dit que j'étais un aventurier.

— Va à la gare, achète ton billet et je vais monter dans le même train que toi. On se retrouvera à Québec. »

Promesse tenue! Ti-Nerf, étonné, se gratte le cuir chevelu. Gros-Nez croyait que l'art de triompher d'un train était devenu lettre morte dans l'esprit du jeune homme mais, au contraire, il réclame d'autres conseils. La capitale compte tant de barres de fer qu'elle devient un terrain idéal pour tenter des expériences.

« C'est bien beau tout ça, mais je commence à avoir faim.

— Je sais où aller, Gros-Nez : chez les pauvres.

« — Ah pour ça, t'as cent fois raison. Il n'y a que les pauvres pour donner aux miséreux.

— Je connais des dizaines de familles ouvrières. J'ai souvent travaillé à Québec. Je chanterai et tu raconteras tes histoires.

— Ne tardons pas. »

Un ouvrier trouve amusante l'image de voir arriver deux quêteux à la fois. Pas d'argent à distribuer, mais du très bon tabac, des blagues, des sourires et un coin du portique pour dormir. Le matin venu, en regardant les deux compères, l'épouse a encore le goût de rire. Grisaille dans le ciel, soleil dans le cœur, grâce au tandem « Gros-Nez et fils » ou « Ti-Nerf et oncle ».

Voilà le garçon courant avec vigueur tout le long du trottoir, les bras tendus, prêt à faire prisonnier le poteau de signal d'arrêt. « Bravo, Ti-Nerf! Voilà ce qu'il faut faire! N'oublie pas que tu devras courir sur des travers. Trouvons une voie ferrée pour améliorer cet aspect. » Mais avant, le jeune homme désire visiter d'autres amis. L'aîné remarque comme il s'agit d'un garçon urbain, alors que lui-même se sent plus à l'aise à la campagne. Après quatre jours à Québec, ils marchent gaiement sur la route nationale. Gros-Nez rit en entendant l'autre se mettre à chanter à pleins poumons à l'approche d'une voiture. Quand les deux hommes ne rencontrent personne, ils poursuivent leurs échanges sur leur vie et leurs expériences. Gros-Nez se sent tellement en confiance, qu'il fait une entorse à son principe le plus ancré dans son esprit : il révèle sa véritable identité. « Ça, c'était avant. Maintenant, t'es Gros-Nez, le quêteux. »

Le grand moment du défi du chemin de fer venu, Ti-Nerf rate son coup. « T'étais pas assez concentré. On va être obligé d'attendre le prochain train. » Le jeune frappe dans les mains et jure qu'il réussira. Cours! Cours! Concentration! Bras tendus! Regard rivé à la barre de fer! Force des bras pour saisir! Appui sur les deux jambes! Ancrer le bras gauche! Pousser la porte ou déclencher le verrou avec la main droite! Victoire! Le problème est que Ti-Nerf ne sait pas si l'exécution convenait à son professeur. Hors d'haleine, il regarde à l'extérieur, à la recherche de Gros-Nez. Soudain, il l'aperçoit sur le wagon voisin. Va-t-il vraiment oser passer de ce wagon au sien ? « Esprit qu'il est casse-cou ! » Le temps de penser cette remarque qu'il entend des pas provenant du toit. Soudain, il voit cet homme immense, tel un acrobate du plus réputé cirque américain, se suspendre au rebord du wagon et se lancer à l'intérieur.

« Esprit ! Un jour, tu vas manquer ton coup et te tuer !

— Mourir comme un vrai quêteux ? Un véritable rêve !

— Je ne ris pas.

— T'as réussi, mon Ti-Nerf !

— Oui, mais je te jure que c'est la dernière fois.

— Cependant, je ne t'ai pas enseigné comment descendre.

— À la prochaine gare, tout simplement.

— On voit que t'as jamais affronté les employés du chemin de fer. Il faut toujours sauter quand le train ralentit, à l'approche d'une gare.

— Sauter ? Esprit, t'es tombé sur la tête ou quoi ? »

Cette fois, Gros-Nez ne peut même pas aborder la méthode. Le garçon sent son cœur battre encore trop suite à son exploit. L'aîné se contente de lui donner des conseils quand le train s'arrêtera. « Je vais sauter, car j'ai quelqu'un à aller voir. Le moment de se dire au revoir est venu, mon brave jeune ami. » Il doit retrouver la sourde-muette au village. Les deux vagabonds s'enlacent, se promettant une amitié éternelle. Gros-Nez lui laisse toute la nourriture qu'il a dans son sac.

Assis sur le rebord du wagon, les pieds bougeant sans cesse, le quêteux attend le bon moment, le terrain adéquat, avant de se lancer dans le vide, de rebondir au sol comme un chat tombant d'un balcon, puis de rouler un peu sur le côté. « Salut, Gros-Nez ! Bonne chance ! » de crier Ti-Nerf, tout en envoyant la main. Le concerné lui rend la pareille, frotte son fond de culotte et marche immédiatement, comme si ce saut avait été quelque chose de banal.

Soudain, Gros-Nez arrête, pensant que Ti-Nerf pourrait rencontrer de graves problèmes si un employé du chemin de fer le surprenait dans ce wagon de marchandises. Et s'il s'avisait de saisir un train à nouveau? Ce garçon est si craintif qu'il pourrait se blesser gravement. Après tout, la technique demande agilité et force physique, ce dont le jeune semble dépourvu. Le vagabond regrette alors de l'avoir quitté.

Avant de rejoindre le gros village pour revoir son amie, Gros-Nez croit qu'un beau présent serait du meilleur effet. En conséquence, il décide de travailler un peu. Il arrête à la première ferme sur son chemin. La jeune femme derrière la porte a vite fait de le reconnaître. « Nous nous sommes vus à quelques reprises aux Trois-Rivières. Vous étiez ami avec ce jeune homme du quartier Saint-Philippe. Mon mari l'a connu autrefois. Ils ont fréquenté la même école. Je ne sais pas s'il aura de l'ouvrage pour vous. Allez le rejoindre aux champs et pendant ce temps, je vais vous préparer à manger. Avez-vous des nouvelles des Trois-Rivières ? »

Rares sont les gens qui partent de la ville pour s'établir à la campagne. Le contraire est plutôt devenu la norme. Le citadin manie la charrue comme un homme d'expérience. « Responsable de mon bonheur ou de ma misère, c'est mieux que d'être l'esclave d'un patron anglais. » L'homme sourit en entendant le nom de Joseph. « Impayable, ce Ti-Jos! Comme il en a fait des bêtises, mais toujours involontairement. Si je me mets à raconter des souvenirs de lui, je vais devoir cesser de travailler. Gardons ça pour ce soir. Restez à souper avec nous, Gros-Nez. En attendant, vous me donnez un coup de main ? »

Le quêteux connaît maintes anecdotes sur Joseph. Ce dernier, cadet d'une famille de douze, serait étonné de les entendre. Les gens des Trois-Rivières ont toujours quelque chose à raconter sur cette famille, souvent à ceux qui demeurent loin de la ville. Joseph est le roi de la maladresse, de l'initiative vouée à l'échec dès le départ. Gros-Nez avait immédiatement aimé son esprit d'indépendance, comme s'il refusait systématiquement tous les courants conservateurs régnant sur la société de la province de Québec.

« Nous étions une dizaine de garçons et de filles dans l'écurie de son père. Joseph voulait faire une démonstration d'une machine à images qu'il avait inventée en copiant celle vue lors d'un spectacle à la salle de théâtre de l'hôtel de ville. N'ayant pas le gaz, il avait mis une chandelle dans sa machine. Je crois qu'il a accroché la boîte avec son coude et le feu a pris là-dedans, puis, en tentant de l'éteindre, il l'a lancée par terre et les étincelles ont abouti dans le foin. Le résultat a été que Joseph a mis le feu à l'écurie de son père ! » Le jeune homme s'étouffe de rire en racontant cette anecdote, prêt à poursuivre avec une autre.

Gros-Nez oublie l'argent, surtout après un excellent repas et une belle soirée à rigoler en compagnie de ce couple aimable. Le matin venu, le vagabond travaille encore un peu, avant de quitter, deux heures plus tard, poursuivant sa route. Il croise un cultivateur furieux, car une roue de sa voiture vient de le laisser tomber. Réparation parfaite de maître Gros-Nez ! L'homme, satisfait, donne cinq sous. D'autres menues récompenses l'enrichissent au cours des deux journées suivantes. Il atteint le village de la sourde et muette, puis se frappe le front en pensant à une réalité toute simple à laquelle il n'avait pas songé : le magasin général du lieu appartient au mari ! Le quêteux rebrousse chemin, rencontre d'autres gens. Histoires ! Mimiques ! Travail ! Le voilà plus riche, dans une petite ville où il trouvera une belle rareté à offrir à son amie et non pas tout ce qu'elle peut voir dans la boutique, en bas de chez elle. Le voilà de retour à son point de départ.

« Confortables, les souliers ?

— Parfaits, monsieur ! Je les ai mis à l'épreuve pour la peine.

— D'où viens-tu ?

— Des villages de la côte, certains de l'arrière-pays et un séjour à Québec.

— Québec, c'était la ville de mon voyage de noces.

— Ah oui ? Madame va bien ?

— Elle sera heureuse de te revoir. Elle raconte, par des signes, une de tes histoires aux enfants. Monte et elle te recevra avec joie. »

Quand il approche, le vagabond a l'impression de revivre la scène de la première rencontre. Cette fois, les enfants piaillent autour de lui, se souviennent de ses grimaces. La femme ouvre la porte, pour tout de suite la refermer. Quand Gros-Nez monte, elle arrive en lui offrant sa limonade et ses biscuits, sans oublier son plus beau sourire. « Je suis heureux de vous revoir. » Elle hoche la tête, puis se lance vers lui pour l'embrasser sur les deux joues.

Le soir venu, par signes, le quêteux a droit à sa propre histoire, traduite par le garçon. Gros-Nez le trouve fort savant de comprendre ce langage qui paraît si complexe. Le spectacle dure deux soirées. Au cours des après-midi, le vagabond se promène dans le village, constate, en effet, que les habitants lancent des regards méfiants à l'infirme. « Ils ont tort », de penser l'invité. « Cette femme est bonté, sensibilité et intelligence. »

« Encore s'en aller ? Ce n'est pas un reproche. Je comprends qu'un quêteux ne doit pas demeurer en place. Tu dois avoir des amis partout dans la province.

— Je connais beaucoup de gens, mais peu sont de bons amis.

— Si tu reviens, tu verras que t'en as ici. Je dois te dire que pendant ton absence, mon épouse a reçu la visite du médecin, pour confirmer son doute : elle est en route pour un troisième bébé !

— Merveilleux ! Me voilà content !

— Elle a exprimé le désir, si c'est un gars, de le faire baptiser en lui donnant ton nom.

— Je suis flatté, mais je ne dis jamais mon véritable prénom.

— Même à des amis ? T'as qu'à l'écrire sur un bout de papier et ainsi, tu ne l'auras pas dit. »

Le moment de l'adieu est empreint de gentillesse avec la promesse de revenir un jour. La femme donne à manger plus qu'il ne faut, sans oublier des chaussettes tricotées. Cette fois, Gros-Nez sent qu'il s'est comporté comme un homme, contrairement à la première occasion. Il se dit satisfait à l'idée qu'en plus de Joseph aux Trois-Rivières, il a maintenant un second port dans ce village, auprès de ce couple magnifique et de leurs deux beaux enfants. Viendra le jour où les maux du vieillissement se manifesteront et que cette vie de vagabond sera devenue plus difficile. Des amis véritables pourront alors lui offrir l'hospitalité d'un havre de paix.

« Toi, mon gros, je vais te saisir comme on aplatit une mouche et tu vas me mener dans le fond de l'horizon. Approche, mon train ! » Courir ! Saisir ! Force des bras ! Habileté des jambes ! Victoire ! Et… surprise ! « Gros-Nez ! Esprit, je ne pensais pas te revoir de sitôt ! » Le quêteux demeure abasourdi : « Pourquoi précisément ce wagon, à cette heure, en ce jour ? Une chance sur dix mille ! » Il ne se pose pas la question longtemps et enlace Ti-Nerf.

« J'ai essayé deux fois avec un train de banlieue et j'ai trouvé ça facile, sans mon professeur pour me regarder et me juger. Alors, j'ai tenté le grand coup avec cet express.

— Je ne sais pas si c'est bien, Ti-Nerf. Tu n'as peut-être pas le physique voulu pour faire ça.

— Tu sais ce que tu veux, à la fin ?

— C'est vrai que je t'ai encouragé, mais cependant…

— Suffit ! J'ai à manger ! Partageons ! »

La route 1897 avec Ti-Nerf a duré deux mois, jusqu'au moment où chacun décide que le vent ne soufflait pas dans le même sens. Quand

Gros-Nez avait faim ou se sentait épuisé, il pensait à la drôlerie de son jeune ami et les soucis disparaissaient. Le début de l'hiver venu, le mendiant décide de se rendre au village, certain que son ami le commerçant lui prêtera un coin de son écurie pour dormir, qu'il pourra l'aider dans le magasin. Quand les deux hommes se revoient, ils échangent un beau sourire, de brève durée pour le villageois.

« Il y a eu des complications. Elle ne se sentait pas bien et Dieu l'a rappelée près de Lui. Celle que j'aimais tant est partie de cette Terre, mais vivra à jamais dans mon cœur et par la présence de mon garçon et de ma fille. » Gros-Nez demeure abasourdi, silencieux, jusqu'à ce que des larmes mouillent abondamment ses yeux. Le soir venu, alors que la neige tombe, le quêteux marche seul sur une route déserte, tout en lançant avec une force inouïe sa balle de baseball, s'empressant de la rattraper afin de la projeter encore plus loin, toujours plus fort, comme s'il désirait se faire mal afin d'oublier son chagrin.

CHAPITRE 1907 : ANIMAUX

G ros-Nez siffle une mélodie, heureux, respirant le bon air de ce début d'automne, le ventre plein, les oreilles bourdonnantes de ses dernières rencontres. Soudain, il reçoit sur la tête un cadeau du ciel, œuvre d'un volatile non identifié, que le quêteux a peine à voir s'enfuir. Il met la main dans le gâchis, le regarde et, à vive voix, crie : « Pourquoi fallait-il que tu me choisisses, alors qu'il y a cent passants autour de moi ? » La remarque pourrait attirer des sourires, la sympathie, mais à Montréal, des gens qui lancent des paroles vers le ciel deviennent assurément signes de danger. Un policier, qui voit le vagabond mouiller un mouchoir dans une fontaine publique, ne met pas de gants blancs pour accomplir son devoir.

« Circulez.

— J'ai reçu une crotte d'oiseau sur la tête et je…

— J'ai dit de circuler ! T'es sourd, le pouilleux ?

— Je vous souhaite une bonne journée, monsieur.

— Et que je ne t'y reprenne plus !

— Une bonne soirée aussi. Mes salutations à madame et aux enfants. »

De toute façon, il a eu le temps d'imbiber son mouchoir. Gros-Nez s'éloigne, à la recherche d'une vitrine qui lui donnera un bon reflet et lui permettra de se nettoyer comme il faut. Il demeure stupéfait en voyant un mannequin féminin portant un énorme chapeau, orné de fleurs et d'un oiseau. « Les chapeaux ressemblent de plus en plus à des jardins. »

Après avoir délicieusement flâné en saluant les plus futiles passants, le quêteux décide qu'il est temps de quitter cette zone commerciale pour un quartier ouvrier, où il trouvera davantage d'humanité. Il marche quarante minutes avant de noter une rue étroite et des maisons à l'allure sordide. Les occupants de ces pigeonniers immondes ont cependant le cœur très propre. Face à une de ces maisons, il aperçoit un petit garçon qui aboie en poussant un canard à roulettes.

« Le canard fait coin coin quand il crie.

— Oui, mais celui-ci est un chien déguisé en canard.

— Tiens! Pourtant vrai! Réussi, ce costume! Ta maman est là?

— Non, elle jacasse comme une pie chez la voisine qui, selon mon père, est une grosse guenon. Qui êtes-vous, monsieur?

— Je m'appelle Gros-Nez.

— Ah! Ah! Ah! T'as entendu? Wouf! Wouf! Il a dit que c'est drôle.

— J'avais compris. Regarde comme mon nez est gros et tu comprendras pourquoi on m'appelle ainsi.

— C'est un nez d'éléphant, si je ne me trompe.

— Tu aimes les animaux, toi! Un canard! Un chien! Une pie! Une guenon! Un éléphant!

— La vie, monsieur, c'est le cirque. Mon père et ma mère m'y emmènent une fois par année. »

Pourquoi rencontrer cette pie de mère quand sa progéniture semble si réjouissante? Ne mérite-t-il pas une histoire? Gros-Nez la commence à peine quand surgit la maman, méfiante, prête à rappeler à l'enfant qu'il ne faut jamais parler aux étrangers, du moins jusqu'à ce qu'elle-même se sente intriguée.

« Un quêteux? Pourquoi pas le Bonhomme Sept-Heures?

— Un lointain cousin, mais je l'ai renié, car il représente la honte de ma famille.

— Et que quêtez-vous ?

— Des sourires, car à l'instant, mon ventre est plein et j'ai un dollar et quinze sous dans mon sac, sans oublier du bon tabac, de l'encre et du papier, ainsi qu'une balle de baseball.

— Heu… Oui. Que racontiez-vous à mon petit ange ?

— La légende de l'éléphant volant. Je l'ai vu de mes propres yeux, je le jure.

— Bien hâte d'entendre ça !

— Prenez place, cher public ! »

Depuis longtemps, Gros-Nez parle aux animaux, surtout aux vaches et aux chevaux, si souvent croisés dans les granges. Dans la nature, il se montre fasciné par l'attitude des oiseaux, par leur explosion de chants quand le soleil se lève. Très souvent, il a l'impression que les bêtes l'écoutent. Les animaux comprennent les tonalités de la voix humaine.

Il se souvient avec affection de l'éléphant Jumbo, dressé par un Canadien français employé d'un petit cirque croisé lors d'un voyage en Nouvelle-Angleterre, il y a quelques années. Au cours de sa jeunesse, il avait été enivré par un artiste de vaudeville tirant de ses trois caniches des tours d'habileté prodigieux. Les animaux, croit-il, sont tous fort intelligents. Certains deviennent imbéciles, reflets du caractère des humains qui les entourent. En principe, il y a moins de méchanceté chez les quadrupèdes et les ailés que chez les fils d'Adam.

Après cette rencontre, qui s'est terminée par un verre d'eau et un biscuit, Gros-Nez poursuit sa route, saluant tous les inconnus croisés. L'homme aime deviner les réflexions de ceux qui ne lui répondent pas. « Qui est cet homme ? Est-ce que je le connais ? » À la campagne, ce questionnement s'exprime toujours, alors qu'à la ville, il demeure secret. L'avantage de Montréal est qu'on peut assister à une partie de baseball et rencontrer des gens impossibles à voir ailleurs, comme ces trois chinois en costumes traditionnels, ou cette famille d'Italiens qui se disputent, crient et gesticulent en face d'une maison. Voilà un homme avec son orgue de barbarie, son singe tendant une tasse vide aux passants.

« Il connaît son rôle.

— Il sait que le tintement dans la tasse représente des arachides ou une banane.

— Au fond, monsieur, je suis certain qu'il adore montrer la tasse.

— Vous avez raison. Ce sont des petites bêtes très intelligentes. Vous avez quelques sous à déposer dans la tasse ? Il va lever son chapeau pour vous remercier.

— Je suis quêteux et n'ai point beaucoup d'argent, mais cependant, suite à cette belle musique, je peux vous…

— Quêteux ? Comme dans les légendes de la campagne ?

— Je suis une légende.

— Ne donnez rien, étranger. À ma manière, je suis aussi un peu mendiant, bien que j'aie un toit, trois repas par jour et l'amour d'une belle femme et d'un petit garçon.

— Vous oubliez le singe. Je voudrais certes le voir soulever son couvre-chef.

— Facile ! Je vais lui dire et il va le faire. »

Amusé, Gros-Nez observe l'animal, trouve qu'il ressemble un peu à un mécanicien de locomotive qui lui avait cherché noise lors de ses premières années de vagabondage. Beaucoup de petits animaux présentent parfois une physionomie humaine. Le musicien invite l'étranger à le suivre dans une autre partie de la ville. Le vagabond fronce les sourcils en constatant que le singe doit payer son passage dans le tramway. La somme accumulée dans une seule journée l'étonne. « Avant, j'étais menuisier, enchaîné à mon patron. Je gagnais un salaire de misère. Maintenant, tout va mieux. »

La jolie musique n'intéresse pas les bourgeois, mais les gens du petit peuple. Le singe, il va de soi, aiguise la curiosité des enfants, attire leurs parents vers l'orgue. Voyant leur progéniture sourire, les passants trouvent toujours quelques sous pour que le garçonnet ou la fillette les dépose dans la tasse et ainsi voir le singe de près, rire lorsqu'il remercie ou salue. L'homme explique que son répertoire musical est pris en note selon les coins visités, afin que les gens n'entendent pas les mêmes pièces trop souvent.

Gros-Nez tend au singe son salaire à manger. L'animal prend les cacahuètes une à une, semble sourire à chaque fois. L'invitation à souper est acceptée, mais le quêteux reprend la route au milieu de la soirée, jugeant que le temps est venu de retourner à la campagne. Les paysages merveilleux du début de l'automne dans les Cantons de l'Est! À moins que les montagnes des Pays-d'en-Haut… Non! Fidèle à sa tradition : petit doigt levé? Le vent décide que ce sera le sud. « Merci, vent. De toute façon, c'est bel et bien le sud que je désire visiter. »

Ce train montréalais, lorsqu'il se dirige vers le pont Victoria, ne roule jamais à toute allure. Un jeu d'enfant d'y monter et de s'y installer. « Des barils de clous et des cruches d'huile… J'ai déjà eu de meilleurs compagnons de voyage. » Un peu de repos, la satisfaction de belles rencontres, des yeux fermés pour mieux rêver, imaginer une nouvelle histoire. Quand, plus tard, il entend des chiens aboyer, il sait qu'un village se trouve près et qu'il vaut mieux sauter, avant qu'un quelconque employé du chemin de fer vérifie si rien n'est tombé dans les wagons de marchandises.

Quelle noirceur! À cette heure du jour, le quêteux sait qu'il ne trouvera pas un endroit où coucher. Il marche tout de même et a la surprise de voir un village, ronronnant comme un vieux chat, sauf dans le cas d'une des dernières maisons, laissant voir une faible lueur à la fenêtre du second étage. Il entend une douce mélodie jouée au piano. Cela lui semble envoûtant et étrange, si bien qu'il s'assoit sur le trottoir pour mieux écouter. Il imagine une jeune fille en tenue de nuit, effleurant les blanches et les noires avec tendresse pour inviter le sommeil à la conquérir. La dernière note soupirée, le fanal s'éteint et le vagabond reprend sa marche, doucement, en fredonnant. Il aperçoit un boisé et le désigne comme sa chambre d'auberge.

Témoin de son réveil : un écureuil curieux l'observe de loin, mais fuyant au premier geste amical. Animal fragile qui, comme tous les autres éloignés de l'emprise de l'homme, affronte quotidiennement le défi de trouver à manger, leur seule raison de vivre. « Moi aussi, j'ai faim. » L'homme décide de retourner au village, porté par le vain espoir d'entendre de nouveau le piano.

« Vous donner à manger en retour d'un service ? Je peux bien. Allez tuer le chat et je vais vous préparer des œufs et du bacon. C'est un vieux chat. Vous le trouverez dans l'écurie.

— Je ne peux pas faire une telle chose, madame.

— Pourquoi ?

— Je ne saurais répondre à cette question. Je vous remercie tout de même.

— Un quêteux sensible avec un grand cœur qui a peur d'étouffer un chat de quatorze ans qui n'est même plus capable d'attraper une souris.

— Je vous souhaite une bonne journée, madame. »

Gros-Nez se sent pris d'un mal de ventre en songeant à cette demande inhabituelle. Les humains disposent de la vie des animaux quand bon leur semble. « Aberration ! Je dois cesser d'y penser. » Repassant devant la maison au piano, il aperçoit une jeune fille distinguée promenant, au bout d'une laisse, un caniche qui ressemble à une décoration de Noël d'un salon bourgeois. Pas de doute : voici l'habitation d'une autorité locale.

Après une heure de marche, le mendiant monte à bord d'une voiture conduite par un vieillard et tirée par une jument pas très jeune non plus et qui porte un chapeau à fleurs. « La vieille devient coquette. En fin de vie, c'est permis », d'expliquer le vétéran en rigolant ferme. Il évoque la vie de l'animal, dont ses nombreuses maternités. « Quand elle va mourir, je vais la suivre six mois plus tard. J'aimais beaucoup ma défunte, mais ma jument n'était pas trop loin dans mon cœur. » En guise de bouquet de ce parcours distrayant, Gros-Nez a droit à une invitation pour le souper, avec un rituel qu'il connaît si bien : donner des nouvelles du lointain, de la ville ou d'un canton voisin, puis raconter une histoire et coucher dans la grange, profiter d'un bon déjeuner, puis reprendre la route.

Une forte odeur organique empeste la grange. Gros-Nez en a vu de toutes les couleurs dans le domaine. Même les plus propres présentaient un bric-à-brac particulier. Des outils neufs côtoyant de vieux fers accrochés à un mur, comme souvenirs de certains chevaux. On y trouve toujours un calendrier face à la table de travail du cultivateur et, à l'occasion, une multitude de calendriers jaunis donnant au quêteux l'impression d'habiter le temps.

Voilà qu'à la clarté du nouveau jour Gros-Nez aperçoit un objet inhabituel : un fauteuil ! Pas un meuble éventré et poussiéreux, ou une antiquité tachée de larmes de peinture, mais un fauteuil presque neuf, comme un curieux trône doré dans un palais caduque. Le vagabond, doigt sur le menton, réfléchit à son utilité, pense que c'est le vieillard qui l'utilise pour tenir compagnie à sa jument.

Après le déjeuner, Gros-Nez se serait cru dans un salon privé, goûtant au thé offert par l'aînée des enfants, dans le rôle de la domestique de son grand-père. Tout en sirotant le breuvage, l'invité lance des compliments au cheval, sous le sourire ravi du vieux. « Habituellement, je lui lis les nouvelles de la gazette agricole, mais aujourd'hui, elle doit comprendre que j'ai de la visite. » Délicieux moment! Gros-Nez terminera-t-il un jour la liste de ces douces exceptions rencontrées depuis tant d'années? Ils représentent la richesse du petit peuple.

L'errant reprend la route et laisse le brave homme à ses intimités amoureuses. Après un arrêt à Sherbrooke, Gros-Nez a le goût de la beauté des paysages de la Beauce. Une pause dans les Bois-Francs sera aussi la bienvenue. Il s'installe près du chemin de fer de la Rive-Sud, le plus ancien tracé du Canada. L'homme s'est un peu étiré les muscles des bras en saisissant le wagon, mais il sait que la douleur sera passagère. Il s'installe contre le mur, prêt à manger un morceau, quand soudain, un sifflement, telle une plainte, le fait sursauter. Il voit approcher un chien. « Qu'est-ce que tu fais là? Tu es le gardien de ces boîtes? T'as faim, n'est-ce pas? Approche et partageons. Je m'appelle Gros-Nez. Et toi? Sans nom? C'est en quelque sorte un nom. Le menu est frugal mais délicieux. Approche, n'aie pas peur, Sans-Nom. »

Le chien régalé, il pose sa tête contre les jambes du mendiant pour, une minute plus tard, répéter le même geste contre son bras, comme s'il devinait que son bienfaiteur a mal à cette partie de son corps et que son affection l'aidera à oublier sa douleur. En réalité, cette bête semble aussi avoir besoin d'affection, car ses yeux toujours humides débordent de larmes qui s'incrustent dans son poil. Gros-Nez le caresse gentiment et le chien s'endort. L'homme se demande de nouveau comment cet animal a réussi à grimper dans ce wagon. Peut-être appartient-il à un passager. Quoi qu'il en soit, il se sent calmé par la présence de Sans-Nom. Soudain, il a le goût de regarder le contenu des boîtes. Des conserves! En voler une seule pour nourrir le chien? Le quêteux se sent tiraillé par la question. Non! Il vaut mieux oublier cette idée.

« Mon vieux Sans-Nom, j'ai été heureux de te rencontrer. Je dois te quitter. Ne t'inquiète pas, car ton maître va venir te chercher quand il sera rendu à sa destination. Au revoir, gentil chien! » L'animal suit l'homme jusqu'à la porte. « Retourne là-bas! » Têtu... « Couché! » Il ne veut pas. Voilà le mendiant au bord du vide, cherchant l'endroit idéal pour sauter. Opération parfaite et, en se relevant, il voit que le chien l'a imité, qu'il semble blessé. « Cet idiot s'est sûrement cassé une patte ! » Gros-Nez court le chercher, le garde dans ses bras, l'invite au repos dans un boisé. « M'ouais… J'aurais dû chaparder une boîte de conserves… Où suis-je ? Pas de ferme aux alentours. Il faut se mettre en route, Sans-Nom, trouver un village et signaler ta présence à un chef de gare. »

Le vagabond fait quelques pas, mais le chien demeure sur place, aboyant vers lui. L'homme croit que l'animal a encore mal à une patte et qu'il désire être transporté. Sans-Nom entre les bras, le quêteux a droit à une séance impromptue de pleurs. Il décide de le remettre au sol et le chien marche péniblement dans la mauvaise direction. « Les Bois-Francs, c'est par l'est et tu t'en vas vers l'ouest et… Mais pourquoi est-ce que je raconte tout ça ? Comme si un chien pouvait connaître la géographie ! »

Gros-Nez sent la nécessité d'un second adieu, mais les aboiements et sifflements ne cessent de mettre le cœur de l'homme en bouillie. Rendu face au chien, celui-ci se remet à marcher vers l'ouest. « Peut-être a-t-il flairé quelque chose ? Présence d'humains, de nourriture, que sais-je ? Il vaut mieux lui obéir. » Constatant sa victoire, l'animal se met à marcher avec fermeté, comme s'il avait oublié sa souffrance. Lorsqu'il réalise que l'homme a cessé de le suivre, il s'assoit et l'attend. Le quêteux pense alors que Sans-Nom désire se rendre à un endroit précis, qu'il n'est pas la propriété d'un passager du train. Comme le quadrupède ne quitte pas le tracé des rails, le vagabond croit qu'une personne a tenté de perdre ce chien en le faisant monter de force dans ce wagon.

« Ça n'empêche pas qu'il retourne d'où j'arrive… Ah non ! Cesse de me regarder comme ça ! On dirait que tu me traites de lambin ! Tu as deux pattes de plus que moi, n'oublie pas ! » Le chien plante son regard dans le fond de l'horizon et pleure. « Si on mangeait ? Je commence à avoir faim. Tu veux ? Miam miam ? » Après avoir marché quinze minutes, Gros-Nez croit deviner la présence de maisons dans les parages, mais il a tout le mal du monde à inciter le chien à le suivre.

« Mon nom est Gros-Nez et je suis quêteux. J'ai voyagé toute la journée et n'ai pas mangé depuis ce matin. En retour d'un modeste repas, je vous rendrai service. Je peux laver vos…

— Et lui ?

— Vous avez déjà vu ce chien ? Non ? Je crois qu'il est autant vagabond que moi. Il s'appelle Sans-Nom.

— Je n'ai pas d'ouvrage pour vous, étranger. Cependant, refuser la charité à un quêteux me porterait malheur. Allez voir ma femme à la maison et dites-lui que je l'autorise à vous donner du pain ou des fruits.

— Je vous remercie, monsieur.

— Sans-Nom… J'aime bien ça. »

Le quêteux se délecte d'un bol de soupe et Sans-Nom a droit à un os. Trois enfants les surveillent, dont une fillette et son ours de peluche entre les bras. Un quatrième, au début de la jeunesse, se présente avec un colosse canin à ses côtés. Sa présence ne fait pas sourciller Sans-Nom. Gros-Nez s'empresse de leur demander s'ils ont déjà vu son chien.

« Je vais vous dire ce que je pense, les petits. Je crois que cet animal a été volontairement perdu et qu'il cherche à retrouver son maître.

— Ce n'est pas correct de faire ça à un chien, monsieur

— Non, et ce n'est pas correct de le faire à un ours en peluche, monsieur !

— Tais-toi donc, niaiseuse ! »

Le paysan change d'idée et croit que le mendiant pourrait l'aider à faire un peu de rangement dans la grange. Pendant le travail, Sans-Nom ne cesse de regarder en alternance Gros-Nez et l'extérieur, comme s'il lui disait de ne pas perdre de temps dans ce lieu et qu'il faut marcher. « Tu sais où aller. Tu n'as pas besoin de moi. » Réponse : le chien se couche, ne perdant pas son regard quémandeur. « Tu as eu ton os et moi, ma soupe. Je travaille en retour. Point ! Nous partirons demain matin. »

La grange est remplie de chatons, dernière portée d'une grosse blonde couchée sur la table de travail, battant de la queue en zyeutant Sans-Nom. La fillette à l'ours informe l'étranger que la chatte est friande de souris et d'oiseaux, mais que « ce n'est pas correct de faire ça aux oiseaux et aux souris ». Gros-Nez regarde cette chasseuse, avance, tend un doigt, que la nouvelle maman renifle, afin de décider s'il y a acceptation ou pas. L'homme sait surtout qu'il ne faudra pas toucher aux petits. La scène où ils décident de prendre un repas à même leur maman charme le vagabond. « Au fait, es-tu marié, Sans-Nom ? Père de nombreux chiots ? J'espère qu'ils sont moins braillards que toi. »

Le matin venu, le chien s'impatiente, alors que Gros-Nez se délecte d'un œuf et de tranches de bacon. L'animal prend l'initiative de presser le pas au moment du départ et se dirige avec précision vers la voie ferrée. Deux heures plus tard, l'homme décide de s'asseoir un peu pour reposer ses pieds. Le chien l'imite, le regarde, insatisfait. Après une semaine, la relation devient plus intime, le partage davantage profond. L'animal a compris que son compagnon aime parler et perdre du temps. « Quand ce chien aura retrouvé son maître, cet homme-là va goûter à ma façon de penser et je ne ferai pas dans la dentelle ! »

Cette pensée ne quitte pas le quêteux et, deux semaines plus tard, le voilà consterné de marcher sur les routes de l'Ontario, où les chances de trouver à manger et un coin chaud pour dormir seront plus rares que dans la province de Québec. Tradition paysanne canadienne-française, d'accord ! Tradition canadienne-anglaise, pas du tout ! « T'es un chien anglais, Sans-Nom. Très surpris de l'apprendre. » Malgré l'anglais parfait de Gros-Nez, l'homme hésite à employer le mot « Vagabond » pour se désigner. Il préfère dire qu'il est travailleur itinérant et demande à manger avant de se rendre à Toronto où un emploi l'attend dans une manufacture. « Tu réalises que tu me fais mentir, chien anglais ? »

Par contre – ô quelle joie ! – il semble que toutes les campagnes ontariennes aient un champ emménagé pour les parties de baseball. Quand jugés trop vieux pour jouer, les hommes acceptent d'engager l'étranger comme arbitre, après ses vantardises habituelles sur ses séjours aux États-Unis. « Tu te rends compte, Sans-Nom ? Le grand avec des moustaches lançait avec la même force que les professionnels américains. T'as vu comme ses lancers courbaient ? De plus, il… Heu… Non… En effet, tu ne peux t'être rendu compte. Au fond, t'aimes bien le son de ma voix. C'est tout ce que tu entends depuis toutes ces semaines. Alors, je vais t'en parler de sa balle courbe ! »

Sans-Nom joue le rôle d'un infirmier à chaque coucher, déposant son museau soit sur une jambe ou sur les pieds de son ami. Le quêteux passe difficilement des nuits complètes, l'animal se levant avec le soleil, prêt à partir. De plus, il aboie à chaque bruit entendu.

« Dis-moi avec sincérité, Sans-Nom : est-ce que t'as l'intention de me faire traverser le Canada au complet ? Parce que je réalise qu'on s'enfonce profondément dans des zones pas très populeuses et que j'ai de plus en plus de mal à trouver à manger. Je sais que tu avales quelques insectes et gruge des bouts de bois, mais je t'assure que tes menus ne font pas partie de mes habitudes alimentaires. Si je travaille deux jours, tu chiales parce que je te retarde. Si je marche dix heures, t'en exiges trois de plus. Si je… ça va ! J'ai compris ! On continue ! »

Cette route sans fin est agrémentée de chants maladroits, Gros-Nez ayant l'impression que le chien sait rire. Il bouge la queue à chaque refrain et cesse à la dernière note. Les arrêts sont toujours relativement courts. Le quêteux sort sa pipe et l'autre s'assoit pour le regarder fumer. Il a, depuis, compris le temps nécessaire à ce délassement. Contrairement à ce que le mendiant croyait, les Ontariens se montrent réceptifs à ses demandes, surtout dans les petites villes et villages. Le chien profite de ces moments pour se reposer ou jouer avec des enfants.

Au milieu d'août, Sans-Nom surprend Gros-Nez en bifurquant, avec précision et sûr de lui, vers un embranchement secondaire. Le vagabond ne bouge pas, réfléchissant. Il retourne sur ses pas, vers le village qu'il vient de dépasser, ignore les protestations du chien. La bête dépose les armes, le suit, la queue immobile, les oreilles repliées. L'homme désire savoir où mènent ces rails. Deux cents milles et une quinzaine de villages, deux petites villes. « Tu ne me feras pas marcher une telle distance. À partir de tout de suite, on va fonctionner à ma façon. » L'intelligence du chien se manifeste par un formidable instinct et celle de l'humain par une basse logique. Étape par étape ! Personne n'a vu ce chien dans le premier village. Même conclusion pour les deux suivantes. « Je ne peux pas croire que tu habites le dernier village ! » Non : la première ville. Gros-Nez a senti son cœur prêt à bondir hors de son corps quand il a vu son compagnon se diriger précisément vers une rue, puis une seconde, une troisième afin de s'asseoir devant une maison. Il aboie et une femme sort, lève les mains au ciel, court pour se précipiter vers l'animal, suivie de deux jeunes enfants, les larmes aux yeux, n'en finissant pas de donner de l'affection à leur King. « Il fallait marcher tout ça pour apprendre que je viens de servir un King anglais… » La confession de Gros-Nez estomaque la femme. « J'ai franchi tout ça en le nourrissant, en le protégeant. Parfois, nous avons pris le train, mais votre chien semblait préférer la marche. »

La femme garde silence, éberluée, rougissante. Le quêteux attend l'invitation à entrer, qui tarde à venir. « Il a gravement mordu une petite fille du quartier. Il y a eu plainte à la police, qui voulait le tuer. Mon mari a juré qu'il le ferait, mais ne s'y est pas résolu. Il l'a mis dans un wagon de train. » Gros-Nez hoche la tête, satisfait de la confession. « Maintenant, il ne mordra plus. Il n'a d'ailleurs pas du tout cherché à le faire depuis toutes ces semaines. C'est un bon chien. Reste à savoir si la petite victime l'est tout autant. Les chiens sont les reflets de leurs maîtres et je vois que vous êtes d'aimables personnes. Vous avez un animal d'une extraordinaire fidélité. » L'épouse propose d'attendre le retour de son époux pour mettre tout ça au clair.

Gros-Nez se rafraîchit, assis confortablement sur le meilleur siège de la cour, regardant Sans-Nom jouer comme un fou avec les gamins. La femme a demandé ce que l'étranger désirait manger et Gros-Nez ne s'est pas privé pour commander un repas consistant. Il aimerait enquêter auprès de cette fillette mordue, mais préfère attendre l'arrivée du chef de famille. Ce moment venu, l'homme demeure bouche bée en voyant son chien. Gros-Nez croyait qu'il allait maugréer, mais, au contraire, il fait preuve d'une réaction émouvante, presque enfantine.

Cette nuit-là, Gros-Nez dort dans un lit confortable, rêvant au déjeuner royal dont il se délectera. Au cours de la matinée, il réclame un baquet d'eau très chaude et du savon. « Nous avons une baignoire. » Rien n'arrête le progrès ! Voyant que tout va bien, le vagabond indique qu'il doit retourner dans la province de Québec. « La saison des récoltes est très belle, dans les Bois-Francs. » L'homme s'éloigne, sans regarder, agitant sa main droite au-dessus de sa tête, quand arrêté par un aboiement. Gros-Nez avale un sanglot, en recevant l'affection de Sans-Nom.

Même s'il a touché l'argent nécessaire à son retour par le train, l'errant décide de marcher la distance entre la ville et le point de jonction du chemin de fer. Quand il se couche dans la forêt, le vagabond ressent une profonde solitude. Il lui manque l'ami de toutes ces dernières semaines. Il pleure discrètement, puis se relève, se disant avec fermeté que Sans-Nom a de bons maîtres. Le lendemain, il oublie ces pensées en croisant une partie de baseball sur le point de débuter. Après avoir frappé la balle avec la force d'Hercule, il la capte et la relance à ses coéquipiers. Sa précision rendrait jaloux les professionnels américains.

Enfin à la ville, quelques jours plus tard, Gros-Nez se paie le luxe de belles chaussures neuves, d'un repas chaud dans un restaurant, puis envoie tout le reste de sa fortune à Joseph, ne conservant que deux dollars. Le voilà en marche vers la gare, afin de regarder comme il faut la direction que prendra le train, la grosseur des wagons. En retrait, à la campagne, l'homme attend le bon convoi quand soudain, un chien aboie en sa direction. « Ah non ! Une fois suffit ! » L'animal approche, le regarde d'un air triste. Heureusement, le jeune maître ne tarde pas à surgir, tout juste à temps pour voir cet étonnant spectacle : un homme immense court sur les rails, s'accroche à un wagon, se recroqueville et ouvre la porte d'un coup de pied.

« Salut, les poules ! Content de vous voir ! Nous pourrons jacasser ensemble et passer du bon temps ! » Le vagabond rit tant avec ces poulettes qu'il oublie la première prudence : se méfier quand le train ralentit. Gros-Nez sursaute, avance prudemment, se croyant dans une gare villageoise, alors que dehors, la forêt dessine un paysage. Il voit approcher des contrôleurs, se frappant l'intérieur des mains avec de longs bâtons.

« *Hey you ! Get out !* » Le physique imposant du passager clandestin fait parfois son effet, même si Gros-Nez n'a jamais bousculé personne, encore moins frappé. Les contrôleurs semblent agressifs. Le quêteux marmonne quelques mots en français, ce qui fait sursauter un des employés. « C'est le vagabond canadien-français qui a marché plus de quatre cents milles pour redonner un chien à deux enfants ! » Le concerné sursaute, ignorant que le père de famille travaille comme journaliste et qu'il s'est empressé d'écrire un article sur l'exploit inhabituel du mendiant. L'histoire est passée rapidement du modeste journal régional à un plus grand quotidien, si bien que tous les Ontariens parlent de cette histoire.

Voilà Gros-Nez félicité par les contrôleurs, applaudi par les passagers et même embrassé par une belle dame. Il a droit à un siège confortable dans le train, à des repas tant qu'il en voudra. L'homme regarde l'illustration de lui-même et du chien dans le journal. « J'allais être frappé par des bâtons, insulté et humilié, et me voilà traité comme un souverain. Tu m'as sauvé, Sans-Nom ! C'est donc vrai que le chien est le meilleur ami de l'homme. »

CHAPITRE 1911 : FÊTES

❧ ❧

« Cinq ! Quatre ! Trois ! Deux ! Un ! Minuit ! Bonne année ! »
Les femmes s'activent aussitôt vers la cuisine, les hommes
s'installent à la table pour une partie de cartes, les enfants se précipitent
vers les jouets neufs reçus au cours de l'après-midi ou à Noël, les
jeunes hommes regardent avec embarras les plus belles demoiselles
présentes. Dans un coin, un patriarche, portant de grosses moustaches
blanches, se berce avec vigueur, en tirant de sa pipe des nuages de
tabac. Un joyeux oncle astique son violon, tout en donnant des conseils
impromptus à son neveu, l'apprenti guitariste. Parents proches et
lointains, voisins et amis ! Parmi cette faune : un étranger de passage,
un quêteux. Il a cogné à la porte de la maison voilà deux jours, clamant
sa pauvreté, même s'il avait le ventre plein de la bonne nourriture de
l'épouse de Joseph. Malgré l'attachement de Gros-Nez pour la famille
de son ami, il ne peut résister à l'appel des fêtes de Noël et du jour
de l'An, « excellentes pour la générosité », avait-il précisé avant son
départ, tel un homme d'affaires parlant d'une période d'or pour le
commerce.

Depuis toujours, en ces moments, Gros-Nez a l'impression de faire
partie d'une toile qu'un artiste habile aurait peinte pour immortaliser
les traditions canadiennes-françaises. Il n'existe alors plus de crainte
ni de méfiance : un quêteux frappe à la porte ? Entrez, brave homme !
C'est le temps de l'amour du prochain. Pas profiteur pour autant, le
vagabond ! Gros-Nez respecte son principe de vouloir aider. Il y a alors
tant à faire ! Son coin chaud pour dormir, la riche nourriture, il les

aura gagnés en pelletant l'entrée, en nettoyant, en allant aux courses, en prenant soin des animaux. Tant d'autres tâches! Alors l'étranger devient l'ami que l'on présente fièrement aux invités : « C'est un quêteux. En ce moment de l'année, il ne faut laisser personne dehors. Il n'y a que des personnes méchantes pour jeter leurs semblables dans le froid. Il connaît cent histoires extraordinaires! »

Les jeunes, qui se rendent deux fois par mois à la ville la plus proche pour un spectacle de vues animées, se sentent peu impressionnés par ces histoires du siècle passé. Malgré son art de raconteur développé depuis tant d'années, son répertoire de mimiques mille fois applaudi, Gros-Nez sent de plus en plus qu'il s'adresse aux gens de plus de quarante ans et, à l'opposé, aux jeunes enfants. Il a si souvent eu le goût de tout écrire, sans jamais se décider à le faire. Quand l'homme revient aux Trois-Rivières, le jeune fils de Joseph a toujours des histoires à lui faire lire et Gros-Nez reconnaît facilement des paraphrases de ses propos.

Ayant eu sa part d'applaudissements et sentant son ventre prêt à exploser, Gros-Nez fait preuve d'humilité et dit qu'il va aller se coucher dans la grange. Il juge plus sage de laisser les gens de la parenté fêter entre eux. Malgré l'insistance, le vagabond ne démord pas de cette décision. En poussant la porte de la grange, il a la surprise de surprendre deux jeunes tourtereaux s'embrasser avec passion.

« Monsieur, ne le dites pas à ma mère!

— Pourquoi le dirais-je, jeune fille? Je ne suis point une pie.

— Parce que… Parce que! Je ne sais pas!

— Baisers de la pénombre, de la solitude, de l'intimité, baisers cachés. Les plus beaux! La meilleure façon de débuter l'année, n'est-ce pas? Comptez sur ma discrétion, jeunes gens, mais ayez la bonté de me laisser me coucher. Cette grange est ma chambre d'auberge.

— Merci, monsieur! Vous êtes bon, pour un vieux! »

Gros-Nez rigole seul devant la maladresse de la jeune fille, surtout qu'elle ne s'est pas rendu compte de l'insulte. Le vagabond sait qu'il paraît beaucoup plus âgé que ses quarante-six ans. Il sent de plus en plus une différence entre le monde de sa jeunesse et le vingtième siècle. « Qu'on me mette un bâton et une balle entre les mains et je prouverai ma jeunesse à mes détracteurs. T'as entendu, ma bonne vache ? Pas trop bruyant, le réveillon entre tes copines et toi... Je sais que tu aimerais mieux brouter dans les pâturages. Ici, ça sent la vache ! Je te souhaite une bonne année 1911. Tu ne sais pas ce que ça veut dire, n'est-ce pas ? Qu'importe ! Ce souhait, aimable demoiselle, vient du fond de mon cœur. Bonne nuit et réserve-moi un bon grand verre de lait dès mon réveil. »

Le son du violon s'estompe à mesure que les paupières du quêteux s'alourdissent. Gros-Nez sait qu'il sera tiré de son sommeil très tôt, malgré la courte nuit des fêtards, d'autant plus que le poulailler se situe aussi dans la grange. Il entend entrer la fille éperdue d'amour ; elle marche sur le bout des pieds et sursaute quand il la salue.

« Vous vous rendez parfois à la ville, monsieur ?

— Souvent. J'ai un bon ami aux Trois-Rivières et j'habite chez lui à l'occasion.

— Mon futur mari prétend qu'à la ville, les salaires sont réguliers.

— Aussi réguliers que la misère. Les gages ne sont pas très élevés pour les ouvriers non spécialisés.

— Il doit quand même y avoir de bonnes choses, à la ville.

— Ce qu'il y a de plus merveilleux, que ce soit à la ville comme à la campagne, c'est la paix du cœur. Vous parlez de ce garçon d'hier comme d'un futur mari ?

— Il l'a promis !

— Je vous le souhaite, mademoiselle.

— Ma mère a dit que vous pouvez entrer pour déjeuner avec nous.

— Encore manger ? Je n'ai pas faim. Par contre, si cette bonne amie la vache veut m'offrir un grand verre de lait que je lui ai demandé hier, je serai comblé. »

La température se montre vivifiante et Gros-Nez décide de marcher un peu, de cogner à des portes voisines, où il court surtout la chance de rencontrer les joyeux de la veille ou des personnes au courant de sa présence. Il ricane secrètement en voyant des hommes, un sac de glace sur la tête, marcher péniblement. « Entrez, entrez, étranger… » Le quêteux fait remarquer qu'il est en dedans depuis dix minutes. « Entrez encore plus. »

À la fin de la journée, il rencontre une rareté : une jeune fille maniant l'archet comme un violoneux chevronné. Très gracieuse à regarder, même s'il n'y a pas trace de sourire sur son visage. Un homme réclame une histoire au vagabond. Certes ! Gros-Nez pige dans son répertoire, désireux de ne surtout pas répéter ce qu'il a raconté ailleurs, ces derniers temps. Cette fois, au lieu de la grange, il a droit à une paillasse dans le grenier, à deux pas d'une antique photographie au zinc d'un quelconque ancêtre décoré de moustaches énormes.

Au petit matin, Gros-Nez est sorti du lit par le son du violon. La jeune fille semble incapable de s'en passer, comme si l'instrument devenait une extension de son corps. Il aimerait enquêter, lui poser des questions, mais elle semble très distante. Quand le visiteur s'en va, elle sort et offre une gigue. Au village, un homme lui parle de ce phénomène. « Son grand-père jouait comme personne d'autre. Ça a sauté deux générations et c'est retombé sur elle. Vous ne me croyez pas, quêteux ? » Comment refuser de le croire ? Le vagabond vient d'ajouter la source d'une nouvelle histoire à son sac de mots : la légende de la fille-violon. Le fils de Joseph sera heureux de se délecter de ce récit.

« J'ai fait de bonnes affaires, mon Jos. Tu sais, les gens veulent encore entendre parler de l'incendie des Trois-Rivières. Ça les impressionne. En premier lieu, en 1908 et 1909, c'était pour avoir des témoignages. Depuis, c'est devenu comme une légende. J'ai raconté ça à une famille entière lors du réveillon du jour de l'An et c'était comme si je les entretenais de feux follets, d'un loup-garou, de la chasse galerie. »

Gros-Nez se la coule douce pendant quelques semaines : il rend des services au restaurant de Joseph et fait les commissions des familles aidées jadis suite à l'incendie. Depuis cet événement, il ne sent plus le besoin de travailler au cours de l'hiver. Si certains de ces postes étaient agréables, l'homme n'a jamais tellement aimé avoir une autorité à laquelle obéir sans poser de questions. Il considère que chaque homme est une autorité en soi, que ce soit dans la sagesse ou la bêtise, l'habileté ou la maladresse, l'ignorance ou la connaissance. Toute conversation entreprise entre deux hommes débute avec la conviction que chacun a raison.

Après ce temps, la piqûre des grands chemins le reprend et il part sur les routes. Brièvement au cours de cet hiver et plus longtemps à la fonte de la neige. Le goût de défier les trains de marchandises le tenaille comme au premier jour, même si depuis quelques années, le quêteux a la sagesse de s'abstenir quand le terrain paraît trop humide. Les gens de la gare des Trois-Rivières connaissent son manège et le saluent de la main quand il enjambe la clôture et se dirige vers les rails. Ces hommes savent que le vagabond est foncièrement honnête et que ces légers larcins envers la compagnie ne sont pas trop graves. Cette fois, dans le wagon, Gros-Nez a une pensée pour les deux amoureux de la grange et décide de les visiter.

« Bonjour, mademoiselle. Vous souvenez-vous de moi ?

— Comment oublier ? Mes parents parlent encore des histoires que vous avez racontées pendant le Temps des Fêtes, surtout celle sur l'incendie des Trois-Rivières.

— Ce fut un beau réveillon et j'ai beaucoup apprécié la générosité de votre parenté et de leurs amis. Est-ce que vous voyez encore ce jeune homme que vous embrassiez dans la grange ?

— Je vais rougir, monsieur Gros-Nez… Eh bien, nos parents sont au courant de nos fréquentations, qu'ils approuvent selon les convenances de la bonne morale.

— N'est-ce pas plus délicieux en se cachant ?

— Je vais encore plus rougir…

— Allez-vous fêter la Saint-Valentin ?

— Mieux que la Sainte-Catherine ! Mes parents disent que la Saint-Valentin n'est pas une fête canadienne et catholique. Ma mère va tout de même préparer un gâteau et papa permettra à d'autres jeunes de veiller à la maison.

— Comme cette jolie étrange qui joue du violon ?

— Ah non ! Pas elle !

— Pourquoi ?

— C'est une snob !

— Je vous souhaite bonne Saint-Valentin et mes salutations à votre amoureux.

— Venez à la maison ! Papa et maman seront heureux de vous revoir.

— Je suis attendu au prochain village. »

L'image romantique du jeune couple s'embrassant dans la pénombre n'a pas quitté Gros-Nez. Il devait en avoir le cœur net, mais trop insister n'aurait pas été poli. Il poursuit son chemin vers une autre destination en espérant que la froidure ne devienne pas trop intense. Il ne pensait pas se retrouver à Québec le lendemain, pris à bord d'une voiture conduite par deux joyeux drilles, dont le plus grand ne pouvait passer dix minutes sans jouer de l'harmonica. Ils se sont tant amusés des histoires du voyageur qu'ils lui ont donné trois dollars, lui recommandant de louer une chambre d'auberge pour ne pas trop prendre froid.

Précieuse perte de temps dans cette ville qu'il aime beaucoup, fréquentée tant et tant de fois, comme un oasis au milieu de ses errances. Avec cet argent en poche, il décide de manger un délicieux repas dans un modeste restaurant, mais l'incorrigible quêteux ne peut s'empêcher de proposer ses services pour payer cette nourriture. Laver la vaisselle à la place de l'employée qui ne s'est pas présentée? Avec joie! Impeccables assiettes et scintillante coutellerie. Gros-Nez se voit ainsi engagé jusqu'à l'heure du souper. Le lendemain, il se dirige vers le quartier ouvrier, car il se souvient de maisons visitées jadis avec son ami Ti-Nerf.

« Demain, ce sera l'anniversaire de mon plus jeune. Neuf ans. Alors, je vais lui préparer un gâteau pour son retour de l'école. Il aura aussi un beau cadeau. Ses amis sont au courant, mais ont promis de garder le secret.

— Le temps passe rapidement! Je l'ai peut-être déjà vu quand il était bébé, ce garçon.

— Restez avec nous, Gros-Nez. Vos histoires pourraient plaire aux enfants et vous aurez droit à votre part du gâteau.

— Chaque homme est né pour avoir sa part du gâteau, madame. J'accepte avec joie. »

Cette brave mère de famille doit penser que le vagabond n'a pas de parole, car il disparaît aussitôt le dîner avalé. Cependant, l'homme revient deux heures plus tard, avec un plein sac de friandises. La femme sourit, hoche timidement la tête pour remercier.

Le garçon, mauvais comédien, revient de l'école en semant des « oh! » et des « ah! » maladroits que seule la maman croit, bien que la grande sœur, à l'œil malicieux, regarde de façon suspecte les camarades de classe tout autant malhabilement surpris. Gros-Nez arrondit les yeux en voyant le contenu de la boîte du présent d'anniversaire : un gant de baseball. Les garçons surveillent l'étranger, ce géant vêtu de vieilles hardes et portant une barbe aux poils inégaux. Son histoire devient rapidement l'événement de la fête.

« Très beau cadeau que tu as eu là, garçon.

— J'en rêvais depuis longtemps.

— Voilà le plus joli rêve d'entre tous. Moi, j'ai une balle dans mon sac. Une balle utilisée par les professionnels de l'équipe de Boston! Je vais te la montrer, puis, si tu veux, je vais t'enseigner la bonne façon d'attraper avec ce gant et... Malgré qu'en février, hein... Au fond, ça n'a pas d'importance! Le baseball, c'est l'été continuel et le secret de la jeunesse.

— Vous êtes drôle, monsieur! »

De retour aux Trois-Rivières, quelques jours plus tard, le quêteux doit subir l'interrogatoire habituel du fils de Joseph, désireux de tout savoir sur les déplacements et les gens rencontrés par son ami. En premier lieu, Gros-Nez racontait n'importe quoi et maintenant, seule la vérité compte, bien que le jeune homme flaire des mensonges. « J'ai une mission pour 1911 », de faire le vagabond, sans ajouter quoi que ce soit. Le garçon, depuis longtemps, croit que l'homme a plusieurs ports d'attache dans les principales villes de la province. « Ports d'attache? M'amarrer, tu veux dire? Personne ne peut enchaîner l'être de liberté que je suis. Je reviens souvent ici à cause de ton père, des gens de l'incendie de 1908 et aussi pour toi. »

Pâques suivra et le fils sait que le vagabond va partir, n'ayant jamais passé une seule période des Fêtes aux Trois-Rivières. Sa raison répond à une pure logique : lors d'une célébration, il y a débordement de sentiments, moments idéaux pour l'amitié et la générosité. L'humanité de chacun s'exprime alors en feux d'artifice. Le garçon croit que Gros-Nez enquête sur cette fille qui joue du violon. Où habite-t-elle? « Ailleurs. »

Ailleurs! Toujours ailleurs! Gros-Nez se demande parfois s'il devrait troquer les wagons de trains de marchandises pour la cale d'un navire afin d'apporter un peu d'exotisme aux Français, aux Italiens, aux Grecs, aux Africains, s'il ne devrait pas se rendre jusqu'en Chine pour voir si ses grimaces auraient autant de succès et si ce peuple sert à autre chose qu'à ouvrir des buanderies en Amérique du Nord. Peut-être a-t-il trop d'amis chez les Canadiens français pour penser à voyager plus loin. Trop d'amour, de plus ! « Je connais les miens cent fois mieux que les savants, ces auteurs des livres sur l'histoire des Canadiens. » raconte-t-il à un joli poney, rencontré dans un wagon.

« Oui, monsieur, je me souviens de vous, d'autant plus que ma blonde m'a parlé de votre visite, en février. Vous venez quêter dans le coin ?

— Je suis de passage. Comme j'avais gardé un bon souvenir du réveillon du jour de l'An et des bonnes personnes rencontrées dans le canton, j'ai décidé d'arrêter pour saluer ces gens, avant de poursuivre ma route. Ça va toujours bien, les amours avec mademoiselle ?

— Parfait ! Nous nous rendons danser aux soirées et on veille les jours permis.

— En trichant un peu parfois, non ?

— L'amour est bien meilleur quand on triche.

— Voilà une parole sage, jeune homme !

— Venez à la maison ! Mon père a invité la parenté et les voisins pour un bon repas de Pâques. Le carême a été long et on va pouvoir enfin se sucrer le bec. Ce sera une belle fête ! Me voici d'ailleurs au village pour acheter de la farine.

— Merci pour votre invitation, mais je suis réellement attendu ailleurs. Mes salutations distinguées à votre belle. »

Gros-Nez saisit le premier train et retourne aux Trois-Rivières. En approchant de la maison de son ami, il change d'idée et prend la route du nord, profitant d'une magnifique température printanière. Le voilà dans la grisaille industrielle de Shawinigan Falls. Il arrive trop tard pour croiser quelque célébration de Pâques. Deux jours plus tard, il reprend le chemin du sud, arrêtant quelques heures chez Joseph pour manger un morceau, avant de s'installer au quai pour attendre le traversier.

Il va de soi qu'à la Saint-Jean-Baptiste, Gros-Nez poursuit son investigation sur les amours du garçon et de la fille de la grange, mais le jeune couple est parti avec d'autres de leur âge pour applaudir le feu d'artifice à Québec. Tout de même, il profite de cet arrêt pour raconter quelques histoires à des familles réunies dans une cour, autour d'un feu de joie.

Depuis le début du vingtième siècle, les temps nouveaux s'imposent, sans pourtant arriver à entièrement chasser les traditions, particulièrement à la campagne. Gros-Nez sait qu'il fait partie de ces traditions, ce qui étonne toujours les plus jeunes : « Un quêteux ? Comme dans l'ancien temps ? » Ce soir-là, l'homme raconte une légende connue et une histoire de son cru, imaginée suite à ses nombreuses rencontres. De plus, il chante et ne refuse pas une danse, quand invité par la maîtresse de maison, avec la permission du mari. En se couchant, Gros-Nez pense aux jeunes partis à Québec. Le feu aura-t-il été aussi beau qu'ici ? Sans doute ont-ils profité de cette fuite pour s'amuser dans une salle de vues animées. Ont-ils entendu un vrai musicien ou ont-ils tendu l'oreille vers le cornet d'un gramophone ?

Le vagabond pourrait s'attarder jusqu'à leur retour, mais il sait ce qu'il voulait apprendre : un grand amour est né dans une grange le soir du jour de l'An. Le travail ne manquera pas dans les campagnes qu'il croisera. Il se passe donc six semaines avant son retour aux Trois-Rivières, où l'été étale ses splendeurs sur cette ville neuve, malheureusement envahie par les relents chimiques des usines de pâte et papier, sans oublier une eau « potable » qui ferait gémir de honte les rivières et ruisseaux ruraux.

L'incontournable fanfare de l'Union musicale se produit en toute occasion et malgré l'entrain de certaines mélodies, seule la jeunesse tape dans les mains, bat du pied et bouge la tête. Gros-Nez ne manque pas de se rendre applaudir les équipes de baseball, se produisant sur un terrain de fortune situé un peu au nord. Les spectateurs cuisent sous le soleil de plomb, inconfortablement assis sur des bancs de bois. La bienséance demeure de mise pour tous et seul le quêteux, au col de chemise ouvert, se permet de bondir librement et de crier que l'arbitre a besoin de lunettes. Parfois, il invite le fils de Joseph à lancer quelques balles, s'adonnant à cet art avec une précision de géomètre.

L'espoir de la population grandit à mesure que passent les jours : ce sera bientôt l'ouverture de l'exposition agricole annuelle. Gros-Nez y croisera sans aucun doute un cultivateur visité au cours des derniers mois. La fierté de gagner un ruban, pour une bête exemplaire ou un produit de la ferme, deviendra une flatterie qui apportera gloriole à l'homme dans sa communauté. Une petite exposition de comté, c'est bien, mais un prix à la grande exposition des Trois-Rivières, c'est mille fois mieux. Le quêteux trouve souvent du travail chez les forains américains pour monter les tentes, faire leurs courses au centre-ville.

Joseph, pour sa part, ne pense qu'au pavillon industriel, débordant d'objets modernes. Le voilà flamboyant, aux côtés de l'épouse vêtue de sa plus jolie robe, veillant sur ses enfants pour qu'ils se comportent avec civilité. Cette famille est imitée par des dizaines d'autres, marchant à petits pas vers le terrain du coteau. La respectabilité reste de mise pour un tel événement, alors que les forains vivent dans des trains, des roulottes usées, mal vêtus, ayant peut-être des enfants illégitimes ou s'adonnant à des vices effroyables. Ils apportent de la joie à ceux de l'autre clan.

« Toi, *Big Nose*, *big* aussi avec *the* bras.

— Alors là, tu me lances comme un compliment, petite.

— Petite ! *I like* ça ! Moi, petite, toi, *big* bras. Moi dire *because what is swell* est *swell*. Moi pas… heu… heu… *Make* romance, *you know*.

— Une bague au doigt ? Tu es mariée, petite ?

— *Yes*! Beau *man too*! Lui, travailler *Dime Museum* New York. J'ai *picture* pour montrer toi. »

Gros-Nez se promènerait certes au bras de cette jolie naine, mais elle est aussi minuscule que lui trop grand. Sur le placard coloré et criard devant sa tente, elle est désignée comme la princesse de Lilliput. Elle porte d'ailleurs une couronne qu'elle dit avoir payée deux dollars à Philadelphie, sa ville natale. Tous ces êtres inhabituels deviennent, dans l'univers forain, des princes, marquis, reines, généraux de pays fictifs, mais aux noms si délicieusement exotiques que le public n'y voit que du feu.

La princesse de Lilliput, fort distinguée, chante un air d'opéra de son pays en s'accompagnant sur une harpe à sa mesure. Cette femme de sang royal a promis à sa « petite » sœur, trois fois plus grande qu'elle, un joli souvenir du Canada. Gros-Nez, qui a aidé ce concessionnaire forain à dresser trois tentes, veut certes accompagner la naine au centre-ville, même si le patron interdit à ses *freaks* de trop se mêler à la population. « Toi, petite, c'est différent : tu es une princesse. »

De loin, les gens croient que le quêteux se balade avec une fillette. À mesure qu'ils avancent, la surprise se mêle au dégoût. Une naine sous une tente : d'accord! Mais pas dans la rue, tout de même! Gros-Nez connaît la souffrance cachée de tous ceux qui ne répondent pas aux normes acceptables. Il se souvient avec émotion d'une femme à barbe, hautement intelligente, qu'il avait rencontrée aux États-Unis au cours de sa jeunesse, et qui était obligée de vivre loin de la foule et des plaisirs de la liberté. Les photographies que ces artistes des tentes vendent d'eux-mêmes les représentent toujours dans des décors riches et de bon goût, comme pour illustrer qu'ils sont comme tout le monde.

Au grand magasin Fortin, la petite cherche ce qui pourrait être typiquement canadien, mais conclut que c'est la même chose que dans les commerces américains. Une poupée? Banal! « T'as qu'à lui dire que la poupée parle français et ce sera canadien. » Bonne idée! Au restaurant de Joseph, la naine sème l'effroi chez l'aînée. Quelques badauds, ayant vu entrer l'étrangère, regardent par les fenêtres. Joseph ne s'en offusque pas et prend la relève de sa fille. Heureux de recevoir une princesse, même s'il se demande où est situé Lilliput. « Vingt milles au nord de Philadelphie, mon Ti-Jos. » Peut-être que le jeune restaurateur s'attend à voir la princesse se lever pour danser et chanter. « Sans sa harpe, elle ne fera rien de tel, Jos. »

Pour la rigolade, il faut compter sur l'homme tronc, qui ne fait jamais rien à moitié, spécialiste des pirouettes les plus incroyables. Il peut aussi jouer de l'harmonica en enfouissant l'instrument dans sa bouche, puis parler à haute vitesse. D'ailleurs, l'affrontement de mimiques entre cet homme et Gros-Nez a provoqué des rires incessants dans l'équipe, jusqu'à ce que le patron arrive pour rappeler au Canadien qu'il a été engagé pour faire les courses et tenir la tente propre. L'homme ordonne au quêteux de le suivre pour, en toute intimité, le sermonner, car il a osé transgresser son ordre en sortant du terrain de l'exposition avec la naine. Gros-Nez, qui n'a jamais accepté ce type d'autorité, décide de s'en aller. Informée, la princesse assure qu'elle va déclencher une grève. Le Canadien conseille de ne pas mettre ce projet à exécution. « Vous avez votre univers, tout comme moi. Nous sommes les troubadours de la bonne humeur pour les gens qui se contentent de faire partie de la masse. Nous avons fait une belle promenade, petite ? Mangé un bon repas chez Joseph ? Voilà ce qui importe. »

Le soir même, Gros-Nez se mêle au public, aux côtés de Joseph et de son fils, désireux d'entendre la princesse jouer de la harpe. L'épouse et les deux filles ont refusé d'entrer sous la tente et attendent en faisant les cent pas. « Pour les gens des tentes, la normalité ce sont eux. Tout ce qu'il y a à l'extérieur devient anormal, méchant, rempli de préjugés et moqueries. Au fond, je les envie. Tu m'imagines faisant partie d'une troupe comme celle-là, Ti-Jos ? Je deviendrais le Prince Slovito, l'homme au plus gros nez de l'Univers. Bon ! Salut, Joseph ! Je pars dès ce soir. » Les lumières foraines s'éteignent une à une pour signifier la fin de la fête, alors que le quêteux marche en équilibre sur les rails, sifflant une mélodie de la petite harpiste, dans l'attente d'un train de marchandises. Dans une baraque, une jeune américaine verse une larme : « *Princess* Petite... *I like that*! »

Joseph n'est pas surpris par cet autre départ. Mille fois Gros-Nez lui a raconté la splendeur des récoltes du début de l'automne, de l'enthousiasme qui fait battre le monde rural. Fête de la joie et préparation des mois d'hiver, saison du repos pour les plus prospères, alors que d'autres n'ont d'autre choix que de passer les mois froids dans un chantier de coupe de bois.

Après les premières approches romantiques du Temps des Fêtes, les roucoulades du printemps, le partage estival, la fête des récoltes devient une occasion idéale pour des fiançailles, précédant un mariage qui ne tarde jamais. Gros-Nez se réjouit de voir ce qu'il souhaitait pour les amoureux de la grange : une fête de fiançailles !

Avant ce grand rassemblement, l'homme ayant passé une semaine à aider l'un et l'autre, avoue avoir mangé comme un goinfre. Chacun dans le voisinage connaît maintenant très bien le vagabond : celui qui les fait rire jusqu'à étouffement. Il plaît aux femmes par ses délicates politesses et fait retomber les grands enfants au cœur de leur petite enfance. Les hommes savent qu'il est travaillant et le Louis Cyr du coin lui aura lancé un défi de force. Quelle belle fête ! Chacun a chanté, mangé, dansé, sans oublier la rasade d'alcool local très vivifiant que les hommes s'échangent en parlant de chevaux et de l'incompétence des agronomes du gouvernement.

Gros-Nez revoit l'étrange jeune fille violoniste. Invitée, elle se tenait loin des autres, jouait doucement, les yeux fixés vers le sommet d'un arbre. Elle s'est éloignée sans dire un mot quand le quêteux a tenté gentiment de lui parler. Lors de toutes ces visites, il a cherché à en savoir davantage, mais s'est buté à l'évidence : personne n'aime cette demoiselle.

De retour aux Trois-Rivières, Gros-Nez vide son sac devant l'épouse de Joseph : des tomates, des fèves, des pois, des carottes « comme jamais vous n'en aurez mangé ». La femme trouve amusant que ce soit le vagabond qui apporte à manger au lieu d'en réclamer. L'homme raconte la fête des récoltes à la famille urbaine réunie dans le salon. Le jeune fils croit que cette célébration a sans doute été plus simple que son ami ne veut le laisser croire. Depuis longtemps, Gros-Nez lui a raconté comment écrire la même phrase vingt fois de façon différente.

Le lendemain, un homme vient le chercher pour obtenir de l'aide afin de réparer une clôture. Joseph a déjà exprimé l'idée que ses concitoyens exploitaient son ami en le faisant besogner en retour d'un repas. Le quêteux avait éclaté de rire et Joseph s'était jugé honteux d'avoir porté un tel jugement. L'entraide ne se monnaie pas, tout comme les relations humaines. De plus, les gens de ce quartier sont tous de petits salariés des usines anglaises et ne peuvent donner de l'argent en retour d'un service.

Trois-Rivières, depuis l'incendie de 1908, est devenue le port de Gros-Nez. Personne parmi les victimes n'a pu oublier cet imposant gaillard, sorti de nulle part, qui travaillait du chant du coq jusqu'à la brunante, sans rien demander en retour, et qui terminait le tout par ses drôleries tordantes, de quoi faire oublier les soucis. Chacun le salue quand il déambule dans les rues des quartiers ouvriers. Le fils de Joseph lui a demandé s'il était traité de la même manière dans d'autres localités. « Depuis tout ce temps, j'ai de bonnes adresses. » Il avait alors énuméré des noms et des lieux sans pouvoir s'arrêter et le garçon fronçait les sourcils, se demandant quelle était la part de fantaisie et de vérité. « Ma richesse, ce sont les gens de ce peuple, mais il n'y a qu'un seul Joseph. »

En retour du travail, Gros-Nez croyait pouvoir être invité pour le souper, mais l'homme lui propose de lui payer le billet pour une soirée aux vues animées. Sur le petit écran carré s'agitent des Américains sans couleurs, dansant au son d'un orchestre qu'ils n'entendent pas. Tout le monde au théâtre Bijou tape dans les mains, au cœur de cette fête étrange, leur permettant de vivre loin de la ville pour quelques heures.

Après les mois d'automne aux Trois-Rivières, le quêteux devient agité, impatient. Voilà les signes d'un autre départ. L'homme sait qu'il doit assouvir sa curiosité. Voir les tourtereaux de la grange se préparer pour la noce? Il en avait été question, lors de la fête des récoltes. Du baiser caché jusqu'à la bague au doigt lui semble le déroulement d'un magnifique scénario, qu'il se plaira de modifier pour raconter aux jeunes romantiques d'autres localités. Il est cependant un peu tôt pour se rendre là-bas.

Un détour par Québec sera le bienvenu. Avec joie, il retrouve ce garçon qui, pour son anniversaire, avait reçu un gant de baseball. « Oui, monsieur. J'ai joué tout l'été et chaque gars voulait que je lui prête mon gant. Grâce à ce que vous m'avez montré, je suis devenu le champion de mon équipe. J'ai frappé quatre-vingt-neuf circuits! » Gros-Nez veut tout connaître de ces rencontres palpitantes. Afin de prouver qu'il ne ment pas, le garçon réunit son équipe. Ils piaillent comme des moineaux et se perdent dans des vantardises amusantes.

Après ce séjour et à l'approche de Noël, Gros-Nez se rend dans le village des amoureux. L'accueil avait été si chaleureux pour le jour de l'An 1911, pourquoi ne le serait-il pas pour la Nativité? Rencontrant les parents, il leur promet dix nouvelles histoires. Mais où est la jeune fiancée? « Elle a eu beaucoup de chagrin… Les amoureux se sont chicanés, puis ce fut la rupture. On n'a jamais su pourquoi. Il est parti travailler comme bûcheron et ma fille a trouvé un poste de domestique à Québec. » Pas tout à fait ce que le quêteux souhaitait…

Chansons et danses! Violon et accordéon! Histoires drôles! Dans un coin, le patriarche retrouve ses vingt ans et gigue en oubliant ses rhumatismes. Les enfants rient, courent et pleurent. Les hommes parlent fort, s'enivrent, deviennent prêts à tout, comme lancer un défi de tir au poignet à Gros-Nez. Les femmes, quand elles ne sont pas à la cuisine à préparer trop de nourriture, bavardent entre elles de la mode des grandes villes ou du plus récent sermon du curé. Ces gens, si paisibles et soumis, se laissent aller à leurs émotions, le temps d'une fête. Au cœur de la nuit, Gros-Nez entre dans la grange, ferme les yeux pour revoir la scène des tourtereaux s'embrassant dans la pénombre.

Le lendemain, il part après avoir salué la compagnie. Marchant dans le silence de la route enneigée, Gros-Nez a la surprise d'entendre de loin le son du violon de la fille sauvage. Devant la maison, il la voit jouer de son instrument, son vieux chien près d'elle. Il regarde à peine, serre les lèvres, puis se presse vers le chemin de fer afin de retourner aux Trois-Rivières pour tout raconter au fils de Joseph.

CHAPITRE 1902 : TERRE

❦

Gros-Nez voit approcher une voiture surchargée et devine ce dont il s'agit : une famille partant pour la ville ou pour les États-Unis. En constatant que le véhicule est conduit par un jeune homme de seize ans, le quêteux a maintenant la certitude qu'il s'agit du pays voisin et que le père, ayant déjà un parent là-bas, les a précédés pour s'assurer d'un emploi stable dans une filature ou une autre usine. Un salaire régulier, même modeste, représente un Eldorado pour les Canadiens français. Le vagabond sait que la vie dans ces manufactures infectes représente une routine mortelle pour l'âme, mais il n'est pas sur Terre pour faire la morale à qui que ce soit.

« Vous y tenez ?

— Pas de mal à recevoir un bon conseil, surtout si vous avez déjà vécu là-bas au cours de votre jeunesse.

— N'envoyez pas les enfants et les jeunes filles dans les usines de coton. Ça vous brûle les poumons en moins de deux ans.

— Pourtant, des filatures, il y en a partout.

— Ce sont des dangers publics. Pires que tous les autres types d'usines. Regardez le joli minois de votre jeune sœur. Vous voulez la voir ravagée dans dix ans ? »

Cette fille est la seule de la famille à ne pas avoir parlé, pas plus qu'elle n'a souri. Gros-Nez devine sa peur à l'idée de devoir apprendre l'anglais et sa tristesse de laisser les paysages de la campagne pour la grisaille urbaine, d'un autre pays, en plus.

« Je n'irai pas dans ces usines, monsieur le quêteux. Je vais devenir une demoiselle importante. Au Canada, je n'ai qu'un choix : me marier et travailler avant le mariage. Aux États, je peux apprendre un vrai métier et devenir quelqu'un. Ça vous fait rire, hein ? Vous verrez !

— Je n'ai pas ri, mademoiselle. »

Les gens veulent toujours devenir quelqu'un, s'élever, être les meilleurs. Cette fille a dû lire quelques articles de journaux clamant qu'aux États-Unis, un être sans envergure a l'occasion de devenir une personne très en vue. « Pas tout à fait vrai, de penser le quêteux, mais pas entièrement faux. » Dans la province de Québec, les cloisons sociales sont profondément distinctes, basées sur une mentalité archaïque, héritage poussiéreux de l'univers britannique et du lointain système social des trois ordres de la vieille France.

L'homme devine la saga des générations précédentes de cette famille : modeste terre seigneuriale, rachetée à vil prix lors de la mise au pilori de ce système, bonnes récoltes les premières années et héritage laissé au plus âgé des garçons. Puis : routine, routine, routine, et terre usée, de moins en moins productive. Pauvreté et impossibilité de renouveler quoi que ce soit. L'oncle ou les plus jeunes garçons, exilés aux États-Unis, écrivent qu'ils touchent salaire chaque semaine. Terre à vendre pour une bouchée de pain, la plupart du temps achetée par un cultivateur à l'aise qui les collectionne et les met en location, ou les revend à profit.

« Bonne chance à vous tous et merci pour le déplacement. » Gros-Nez regarde où il se trouve et reconnaît le paysage vu mille fois : mêmes vaches, même clôture chancelante, même petite maison et grange délabrée. Le vent pousse les odeurs fécales, surprenantes en premier lieu, mais qui, au fond, valent mieux que la fumée urbaine des usines. Le quêteux aperçoit un homme peinant aux champs, derrière un vieux bœuf et une charrue ancestrale.

« Besoin d'aide, monsieur ? Je vous offre un après-midi de travail en retour d'un petit repas.

— Qui êtes-vous, étranger ?

— Gros-Nez, le quêteux.

— 'Faut jamais rien refuser à un quêteux. Ça porte malheur. Prenez ma relève quelques minutes que je m'éponge le front. »

Au fil des années, le vagabond a appris comme il faut la plupart des tâches paysannes. Il a aussi pris conscience des aléas de cet univers, présentant autant d'inégalités que les classes commerçantes et bourgeoises. À la campagne, une zone se situe nulle part, ni prospère ni misérable, et qui est celle de la majorité. Lorsqu'il se rend travailler dans des chantiers de coupe de bois, au cours de l'hiver, Gros-Nez côtoie les campagnards de cette catégorie, qui préféreraient demeurer près de l'épouse et des enfants que de se casser les reins pour un entrepreneur anglais. Il faut gagner le surplus que la terre ne leur permet pas. Cependant, tous se gonflent d'orgueil en se proclamant propriétaires et maîtres de la terre et de la ferme. « Si j'habitais la ville, je ne serais le patron de rien », assurent-ils souvent. Quand les premiers signes du printemps se manifestent, l'impatience gronde, car bientôt, la véritable vie va recommencer, dans les champs. « Si je me lève à six heures, c'est très bien. Si je me lève à six heures et demie, personne ne m'en voudra. En ville, on m'aurait enseveli sous les insultes, avant de couper mon salaire ou de me congédier. » Depuis longtemps, Gros-Nez n'a pu oublier toutes ces remarques de ces hommes des chantiers.

« T'as bien fait ça, quêteux. Pas très neuve, ma charrue… Ça prend du nerf et un gars costaud comme toi pour la manier avec plus d'aisance qu'un maigre de mon genre.

— Qu'allez-vous semer ?

— Du blé. Pas les blés d'or que les ronds-de-cuir de la ville chantent, mais du bon blé. Va à la maison et ma femme te donnera du pain.

— Du blé et du pain, rien de mieux ! »

Les fermes de la province de Québec semblent toutes pareilles : une maison solide, mais pas du tout élégante et, à ses côtés, une grange ou une étable donnant l'impression de vouloir s'effondrer au premier coup de vent. Derrière la maison : de magnifiques arbres géants, puis un jardin coquet, un peu le garde-manger de la famille et la fierté de la paysanne. Il y a souvent un chien, de jeunes enfants, un grand-père ou une grand-mère qui se berce sans cesse, pipe à la bouche.

« Êtes-vous marié, quêteux ?

— À la liberté, madame.

— Je dis ça parce que souvent, les hommes de votre genre ont perdu une épouse lors d'une délivrance et qu'ils ont pris la route, morts de chagrin.

— Ce n'est pas mon cas.

— Tant de mystères, dans la vie… Voilà pourquoi elle est captivante. Délicieux, mon pain ?

— Excellent, madame.

— Donnez-moi un coup de main dans le jardin et vous pourrez demeurer pour le souper. C'est difficile de s'occuper d'un jardin et de trois enfants en même temps. »

Ces gens n'ont sûrement pas atteint la trentaine, même s'ils paraissent beaucoup plus âgés. La femme porte une robe de toile rude, comme cela se faisait il y a cinquante ans. Les enfants vont pieds nus et… Enfin : le seul qui sait marcher, car les autres se déplacent comme des chiots. L'arrivée d'un étranger semble les exciter. « Laissez-moi faire quelques minutes. » Le spectacle des grimaces les cloue tous trois sur place et ils demeurent sages, car le gaillard a promis qu'ils en auront davantage un peu plus tard.

Gros-Nez siffle une mélodie, tout en créant avec précision un trait dans une terre brune et épaisse. La femme vante ses récoltes passées, en parle avec amour. Le mari revient une heure plus tard, réclamant un gobelet d'eau. Le quêteux sent que cet homme n'a pas le physique idéal d'un vrai laboureur et qu'il se fatigue rapidement. Le visiteur offre à nouveau ses services, si bien qu'il demeure sur place trois journées. Cette ferme modeste ne sert qu'à nourrir la famille et à tirer un très mince profit. D'ailleurs, le paysan ne semble pas en demander davantage à la vie. « Manger, dormir, travailler, rire, regarder se coucher le soleil. Que vouloir de plus ? Je n'ai pas de dettes, pas de gros problèmes et même mes enfants ne pleurent pas. » Il est le cinquième fils d'une famille de treize enfants, a travaillé à la ville afin d'acheter à rabais cette terre mise en vente par une famille exilée aux États-Unis.

« Salut, mon Gros-Nez ! Tu reviendras nous voir ! Tes histoires, on les a trouvées très drôles et je vais m'en souvenir longtemps ! » Le vagabond fait tourner sa main au-dessus de sa tête, marche d'un pas décidé et le couple devine un sourire qu'ils ne voient pas. L'errant retire une certaine vanité en pensant que son hôte a dit la vérité. Il sait que sa présence dans certaines familles n'a pas été oubliée, des années après son départ. Que pourra-t-il tirer de ces gens ? Peu, à vrai dire. Personne ne veut entendre des histoires de bonheur et de simplicité, préférant les larmes et l'effroi, sans oublier les effets comiques.

Le vagabond marche une journée entière, s'arrête parfois près d'un ruisseau pour y puiser une tasse d'eau ou pour rafraîchir son visage. Il cherche un coin confortable pour passer la nuit et lire le journal trouvé sur un banc de parc d'une petite ville traversée en fin d'après-midi. Sombres nouvelles ! Ce papier, conservateur, passe son temps à dire du mal des libéraux. Mais on y lit aussi l'inverse. « Que de fautes de français là-dedans ! » Dans un coin : *Annonce de la venue d'une compagnie de vues animées et partie de croquet.* « Et le baseball ? Croquet ! Peuh ! Nous serons toujours des colonisés britanniques au lieu d'être un peuple de l'Amérique du Nord ! Vraiment mauvais, ce journal ! »

Il avait prévu une journée ensoleillée, mais voilà de la pluie. Cela devient plus sage de retourner sur ses pas et de cogner à la porte de quelques maisons croisées. Gros-Nez voit un agriculteur qui ne se laisse pas impressionner par l'eau et travaille aux champs. « Non, étranger. Pas besoin d'aide. Si c'est pour vous abriter, allez sur le perron de la maison. Ma fille ne dira rien. »

Dans beaucoup de familles, l'aînée remplace la mère décédée en couches. La plupart acceptent ce rôle, même s'il les éloigne de quelques années d'un mariage. D'autres arborent un air de condamnées. Quand les jeunes enfants sont devenus grands, la remplaçante est devenue trop vieille pour des épousailles, à moins de trouver un veuf plus âgé, poursuivant alors la tâche de mère dans une autre famille. Celle de cette maison regarde fixement le visiteur. L'explication de Gros-Nez ne la fait pas changer d'attitude, alors que s'accrochent à sa robe des jeunes enfants qui ne sont sûrement pas les siens. Elle disparaît, alors que les petits demeurent pour dévisager l'étranger. Le vagabond sent que le moment est mal choisi pour les amuser. Les gamins s'envolent quand la fille revient, une tasse de thé entre les mains. Gros-Nez remercie, mais l'autre n'ajoute rien, croisant sévèrement les bras sur sa poitrine.

« Mauvaise température, n'est-ce pas ? Votre père a du courage pour travailler sous cette pluie.

— Il faut ce qu'il faut.

— Notez bien que la pluie ne devrait pas faire sourciller un quêteux, mais j'ai un trou dans une de mes chaussures et…

— Enlevez-la.

— Quoi ?

— Enlevez-la, je vais la réparer. »

Gros-Nez demeure planté devant la porte, sa tasse vide entre les mains. La pluie cesse progressivement et le paysan, mouillé comme un épouvantail, revient en frappant son chapeau contre le revers de son pantalon.

« Tu as perdu un soulier ?

— Votre fille est en train de le réparer.

— Elle sait tout faire. Entre, entre… On va fumer un bon coup et parler. »

Aussitôt les deux hommes à l'intérieur, la demoiselle sort, panier à la main. Gros-Nez croit qu'il lui inspire beaucoup de méfiance. Sans doute croit-elle les multiples superstitions associées aux vagabonds des grands chemins. Très souvent, ce sont les femmes qui le craignent, surtout si elles sont plus âgées. Les hommes, pour leur part, traitent les mendiants selon les deux extrêmes : l'hostilité et l'amitié.

Les enfants observent encore l'invité, jusqu'à ce que le père, d'un seul geste de la main, les fasse reculer en ajoutant qu'ils ne se montrent pas très polis. La grande sœur revient avec son panier plein d'œufs. Les fillettes approchent pour l'aider alors qu'un garçon, courageux, montre à Gros-Nez un vieux cheval de bois.

« Ça va être difficile, cette année. Les récoltes n'ont pas été très bonnes, l'automne dernier. L'hiver a été long. La terre est fatiguée. Je n'ai pas beaucoup d'animaux pour l'engraisser. C'est toujours pareil. Plus jeune, ça pouvait aller, mais depuis la mort de ma femme, j'ai perdu de l'enthousiasme.

— Quand est-elle décédée ?

— Il y a deux ans, pendant l'hiver. Je n'étais même pas là. Je travaillais au campement de l'anglais, afin de gagner quelques piastres pour quatorze heures d'ouvrage par jour. Ma fille assistait la sage-femme et elle a vu mourir sa mère. Ce n'est pas drôle pour elle, depuis ce temps-là. T'as vu l'écart qu'il y a entre elle et mon garçon ? Neuf années et quatre occasions ratées par mon épouse. La pauvre… Quand la malchance s'installe, c'est pour régner.

— Tout ce que je vois ici est à vous, monsieur.

— J'allais le dire. Mon frère s'est installé à la ville et il appartient au propriétaire de son immeuble, à son patron, à son usine, alors que moi, je n'appartiens qu'à moi-même. De toute façon, petit à la ville ou petit à la campagne, ça demeure pas très gros.

— Je peux voir vos installations ?

— Si ça t'amuse. »

Aux yeux de Gros-Nez, tout paraît usé et mal entretenu. Le cultivateur présente ce matériel de façon évasive, jusqu'au moment où il réalise qu'il laisse une mauvaise impression. Alors, l'homme se redresse et du fond de sa mémoire surgissent les traditions familiales, le courage du grand-père, du paternel, les récoltes généreuses, les heureux jours de l'enfance. Gros-Nez a entendu ce type de discours mille fois à la campagne et pas du tout à la ville. Jamais un urbain ne l'a entretenu de la fierté de travailler pour son usine.

« Au fond, si tu veux me donner un coup de main, je ne dis pas non, mais je ne peux te payer. Par contre, je peux te nourrir raisonnablement et te laisser un coin de la grange pour dormir. On a du savon, si tu désires te laver.

— J'accepte avec joie.

— Mon fils est trop petit pour m'aider vraiment aux champs. Il faut que je trace de belles raies pour préparer les semences. »

Ce qui tient lieu de grange pue jusqu'à se faire mal aux narines. En principe, ces odeurs n'incommodent pas Gros-Nez, sauf que cette fois, ça sent mauvais profondément, si bien que l'homme préfère coucher à la belle étoile. Le matin venu, il avance vers la grange pour voir ce qui peut provoquer une telle odeur. Rien de particulier. Délabrée et négligée, voilà tout. Pourtant, la maison paraît fort propre.

Le paysan arrive d'un pas décidé pour inviter le quêteux à déjeuner. Les enfants se tiennent très tranquilles à la table. L'aînée sert le repas et son regard ordonne le silence. Le père de famille semble pressé de travailler. L'homme connaît les trucs de son métier et parle avec l'assurance d'un vieillard. Comme trop de laboureurs de cette province, il s'amuse sans retenue de la venue d'un agronome du gouvernement, ainsi que des associations agricoles, « qui ne servent qu'aux riches ». Gros-Nez se garde bien de révéler que les agronomes ont profité des sages conseils de la science et qu'en Ontario, les fermiers les écoutent et peuvent ainsi améliorer leur sort. Le vagabond passe quatre jours sur cette ferme.

« J'ai aimé travailler avec toi. C'est encourageant, avoir de l'aide. Tu m'as bien fait rire, avec tes histoires. T'es un homme avec du cœur, Gros-Nez.

— Heureux que ma présence ait pu te rendre service, mais un quêteux étant ce qu'il est, je dois partir, car ma destinée se situe ailleurs, toujours ailleurs.

— Je comprends. Bonne route, mon ami ! »

Après avoir marché toute la matinée et une partie de l'après-midi, le vagabond attend son train, désireux de descendre une cinquantaine de milles plus loin. Dans l'opération toujours spectaculaire de sauter du wagon en marche, il se tord une cheville. Le blessé se trouve un coin paisible et dépose des feuilles sur sa blessure. Il ouvre son sac et met la main sur les sandwichs préparés par la grande fille, à la demande de son père. « Elle est malheureuse. Je n'ai jamais vu quelqu'un dégager autant de tristesse. On aurait dit qu'elle respectait avec rigueur cet adage clamant que les femmes sont nées pour souffrir. »

Le lendemain matin, Gros-Nez se laisse envoûter par le calme du lieu, puis se remet en route, à la recherche de la nourriture pour la journée. Les premières fermes croisées semblent riches : maisons cossues et animaux gras. Il arrête et regarde une laitière qui le dévisage tout autant, donnant des coups de queue dans le vide pour exprimer sa satisfaction de se sentir ainsi admirée. Des chants d'enfants s'en allant à l'école invitent le voyageur à regarder ailleurs et à cogner aux portes.

Premier essai : le fermier a tous les journaliers dont il a besoin. Deuxième : le cultivateur compte sur deux grands garçons et un neveu. Troisième : « Va donc te faire engager par une usine de la ville, pouilleux ! » Décidément, il y a peu à tirer des gens qui affichent leur confort. Au village, l'étranger trouve un rentier qui s'ennuie. Il y en a tant ! Ces hommes ont travaillé toute leur vie, laissé la terre à l'aîné des garçons et se sont établis au village, pour s'approcher des services. Parfois, ils demeurent avec une sœur vieille fille ou une nouvelle épouse tardive. Celui de cette fin de matinée est un costaud, sans doute un ancien champion bûcheron du temps de sa jeunesse.

« Ma terre ? Troisième en prenant le cinquième rang. Ça va très bien. Mon gars nourrit les siens, fait de bonnes affaires au marché de la ville et ses animaux gagnent des rubans aux expositions. Il en vend à de riches éleveurs des Cantons de l'Est et de l'Ontario.

— Vous vous ennuyez d'elle ?

— Viens voir, quêteux. »

D'un pas décidé, l'homme marche jusqu'à la cour de la maison, tend fièrement la main vers un espace de terre brune où seront plantées les graines qui le nourriront en fèves, tomates, concombres, pommes de terre. « Je pourrai même ajouter des fleurs, pour faire plus beau », assure-t-il, en laissant glisser la terre entre ses doigts. Gros-Nez devine qu'il s'agit d'un peu du sol de la ferme transportée dans cette cour.

« Tu connais la différence entre un cultivateur qui réussit et un autre qui échoue ?

— Je vous écoute.

— Une femme. Quand l'épouse appuie l'homme avec amour, la terre produit. Tant va la femme, tant va la terre.

— Parole sage, monsieur.

— Viens manger un morceau ! Après, j'attelle et je vais te montrer ma terre, te présenter à mon gars. »

La fierté du vétéran fait oublier l'embarras du fils de se retrouver devant le mendiant qu'il a chassé violemment ce matin en lui ordonnant d'aller travailler en usine. Les petits-enfants, en nombre imposant, dansent autour de leur grand-père, qui a du mal à se souvenir des prénoms des plus jeunes bambins. « En comptant ceux de mes autres enfants, j'ai ai trente-six. Ou trente-sept, peut-être… Comment veux-tu que je me rappelle de tout ça, Gros-Nez ? » Selon la tradition, seul l'aîné a eu droit à la riche terre paternelle. Deux autres garçons sont aussi cultivateurs, un troisième travaille à la gare Windsor de Montréal et un autre s'est exilé aux États-Unis. Les filles sont autant mariées à des paysans qu'à des hommes de la ville.

La grande fille, bras droit autoritaire de sa mère, rappelle sévèrement les plus jeunes à l'ordre. Le quêteux ne peut s'empêcher de penser à la tristesse de celle rencontrée il y a quelques jours, tenant le même rôle malgré elle. « Vous savez, monsieur, quand vous vous êtes présenté ici, je n'étais pas tellement de bonne humeur. » Gros-Nez sent l'embarras de l'homme, se cherchant une excuse, alors que lui-même ne réclame rien.

« Ça m'est arrivé mille fois, depuis 1890. Je suis habitué.

— Qu'est-ce que vous faisiez avant ?

— La jeunesse, mon ami ! La jeunesse !

— Pas de métier ?

— J'ai vécu quelques étés chez mon oncle, à Manchester, au New Hampshire, où je lui donnais un coup de main dans son épicerie. J'y ai aussi travaillé dans une filature de coton. Ici, c'est vraiment très bien, monsieur. Une terre riche, de superbes animaux.

— Et une épouse sans pareille ! de préciser le vieillard en riant. Retournons au village. Tu sais jouer aux dames ? J'ai aussi un petit blanc dont tu me diras des nouvelles. »

Le lendemain, Gros-Nez hésite à partir, le vieux s'étant montré très sympathique. Après une matinée de marche, le quêteux décide de retrouver l'homme, fort heureux de ce volte-face. Ensemble, ils parcourent le village pendant l'après-midi. Le vieillard connaît tout le monde, même si le mendiant remarque qu'on ne le salue guère. Peut-être parce que ce retraité est riche, que son fils possède la meilleure terre du canton. Les Canadiens français se montrent souvent jaloux les uns des autres.

Revenant à la maison, les marcheurs voient le fils faire les cent pas sur le trottoir. Il prépare quelques bêtes pour l'exposition du comté et demande à Gros-Nez de l'y accompagner pour prendre soin des animaux, entre deux jugements. Le mendiant accepte avec joie et ne proteste pas quand il est question de salaire. Il pense surtout que cet argent servira au cultivateur malheureux et à sa fille.

Depuis la récente apparition des expositions agricoles régionales dans les capitales de ces territoires, les rendez-vous parrainés par les petites associations agricoles ont perdu beaucoup de lustre et servent surtout à préparer les bêtes et les produits pour la grande exposition. Depuis longtemps, Gros-Nez sait que les événements les plus modestes sont essentiellement au service des riches cultivateurs et éleveurs. La convivialité paysanne s'y manifeste avec chaleur et simplicité, selon le modèle des traditions, alors qu'à la ville, ce sont des forains américains qui font rire, chanter et danser. Gros-Nez se souvient du succès qu'il avait obtenu lors d'une de ces expositions en se joignant à une équipe de baseball de fermiers alors qu'il séjournait chez son oncle au New Hampshire.

« Que faites-vous de tous ces rubans ?

— Ils servent à faire augmenter les prix quand je vends un veau. Le plus beau de tous les rubans demeure le premier. Mon père en avait gagné beaucoup et je voulais lui montrer que j'étais aussi bon que lui.

— L'agriculture, dans la province de Québec, c'est…

— C'est comme dans tout autre domaine, Gros-Nez. Il y a les bons, les moyens et les ratés. Je sais que des jaloux envient ma réussite, mais je travaille fort et je donne de l'ouvrage à cinq hommes, dont quatre pères de famille. Il n'y a pas de chance, dans la réussite. Il y a du travail.

— Je vais vous raconter ce que j'ai vu, il n'y a pas longtemps. »

Tout semble en place pour une belle fête rurale, sur un vaste terrain aux limites d'un gros village qui se donne, pour l'occasion, des airs de capitale. Les animaux auront leur place désignée, tout comme les produits de la terre. Les femmes ont leur coin pour mettre en compétition leurs conserves, leur artisanat. Gros-Nez note un plus grand chapiteau, qui servira sans doute pour les réjouissances et les remises de prix. L'homme tient son rôle et prend le plus grand soin de la vache, du veau et du poney de son patron. Il note la présence de jeunes hommes occupés à rendre le même service à leur père..

Pendant que monsieur dort à l'auberge, Gros-Nez amuse son entourage avec ses histoires et ses nombreuses grimaces. Le matin venu, il peut laisser les bêtes, prises en main par l'éleveur. Le vagabond s'en va au village, curieusement désert, comme si la population entière avait convergé vers le lieu de l'exposition. L'aubergiste prend un peu d'air devant sa maison, sans doute pour se reposer d'avoir servi tant de clients. Après lui avoir parlé brièvement, Gros-Nez décide de retourner sur le site. Son supérieur l'y attend, le félicite pour avoir bien toiletté les trois animaux. Il s'en dit étonné. « J'ai plus souvent couché avec des animaux de la ferme qu'avec des êtres humains. » Le quêteux reçoit les deux dollars promis pour chaque journée d'ouvrage. Dans quelques heures, les juges vont examiner les veaux. Ruban ? L'éleveur sourit brièvement, montre le revers vide de son veston. Il conseille à son employé de se reposer comme il faut, en vue de la nuit suivante.

Gros-Nez se rend plutôt du côté du chapiteau, où il présente aux passants ses numéros de magie et de mime désarticulé, avant de suggérer une histoire. Devant tant d'applaudissements, il aurait le goût de tendre sa casquette, mais le patron ne le lui pardonnerait pas, surtout qu'il le paie adéquatement et lui fait confiance.

Les grandes réjouissances sont prévues pour le dernier soir, avec une danse du bon vieux temps. Gros-Nez repère les musiciens et leur demande s'il ne pourrait pas raconter une histoire, entre deux gigues. « C'est propre à la campagne, des histoires de quêteux. Ça nous ressemble. Bien sûr, que vous pourrez. Venez vers huit heures et demie. »

Le poney termine quatrième, mais son propriétaire garde le même sourire. « Tu sais, quatrième ici, mais peut-être premier à la grande exposition de Sherbrooke, surtout que le gagnant d'aujourd'hui ne s'y rendra pas. Il reste la vache. Prends-en le plus grand soin cette nuit, mon ami. »

Hélas! Dixième! Cette fois, monsieur redevient un enfant, se demandant : « Qu'est-ce que papa va dire? » Quoi qu'il en soit, le poney lui permet de parader devant le public. Gros-Nez applaudit chaleureusement, tout en se sentant un peu ridicule. Sous le chapiteau, le soir même, le quêteux déride un large public. Les musiciens lui font cadeau d'un écu pour le remercier. Les éleveurs et cultivateurs se donnent la main, parlent du rendez-vous de Sherbrooke. Le village retrouvera son calme bucolique.

« Mon petit a gagné un seul ruban?

— Un très beau ruban, par contre.

— Ce n'est pas encourageant en vue de la grande exposition.

— Là-bas, les juges le connaissent moins.

— T'as peut-être raison, Gros-Nez. Mon gars avait gagné douze rubans, ces dernières années, et les juges ont dû se dire qu'il était temps d'encourager un autre.

— Sans compter qu'un vote, ça peut s'acheter.

— Là tu parles! Dans mon temps, les juges étaient plus droits que la droiture alors que par les temps fous qu'on vit, hein… Une partie de dame? Ça te dit quelque chose, mon quêteux? »

La rumeur de cet échec parcourt les rues du village et le vieillard se fait poser des questions sur le déclin de son héritier. L'homme répète les explications de Gros-Nez, pour tenter de sauver l'honneur de la famille. Ayant gagné la confiance de l'homme, le vagabond peut travailler quelques jours à la ferme. Le patron sait que cet argent sera donné à ce pauvre cultivateur et à sa fille malheureuse. Il aime que l'étranger lui enseigne une leçon sur la tradition de l'entraide paysanne, que son aisance lui a sans doute fait oublier. Le vieillard fera partie du voyage, en compagnie du fils de quatorze ans. Le richard fournit quelques sacs d'engrais, des graines. « Aider un inconnu ne me dérange pas, car je crois sur parole tout ce que tu as raconté, Gros-Nez. » Le vagabond prend plaisir à travailler dans un lieu aussi propre et étincelant, lui tant habitué au bric-à-brac des petites fermes vétustes. Les autres engagés vantent les lieux de la région, assurance de toujours y trouver de l'emploi.

Le jour du départ, il pleut légèrement. Gros-Nez assure qu'il peut attendre au lendemain. Le vieillard s'offusque, jurant qu'un peu d'eau ne l'a jamais effrayé. Le garçon prend les rênes, excité de se rendre aussi loin. La voiture déborde de dons avec, symboliquement, un peu de la belle terre qui a fait le succès de la ferme. Le quêteux débute le voyage par une chanson, amusant ses deux amis. Cependant, tout le monde rit un peu moins quand les quelques gouttes se transforment en orage. Il vaut mieux arrêter, même si le grand-père proteste.

« T'as dû en voir de la pluie, de la grêle et du vent, dans ta vie.

— Ajoutez la gadoue, le tonnerre et les éclairs. On s'y habitue.

— Alors, pourquoi arrêtes-tu?

— Parce que je n'ai pas soixante-quinze ans.

— Tu parles de moi? J'ai vingt ans, aujourd'hui, petit gars.

— On dit ça, on dit ça. J'en ai connu un ayant tout le temps vingt ans, mais il est vite devenu malheureux. Il avait signé un pacte de jeunesse éternelle avec le diable et…

— Bon! Ça y'est! Une histoire avec le diable!

— Moi, je veux bien l'entendre, monsieur Gros-Nez », d'assurer l'adolescent.

La bouderie du vieillard dure moins longtemps que l'orage. Le mendiant a pu bénéficier de la faible clientèle de ce modeste restaurant villageois. Son histoire était sans cesse interrompue par les remarques du vieux. Cette pluie retarde le voyage et le jeune se demande s'ils devront coucher dans une auberge. « Une auberge? Vous ne connaissez pas Gros-Nez. Je vais nous trouver une belle grange confortable. Ça ne coûtera pas un sou. » Résultat boiteux : le vieux couche dans la voiture, le quêteux et le garçon sous un arbre. « C'est bizarre, mais grand-père n'a pas parlé de ses rhumatismes. »

Le réveil ravit le garçon. Gros-Nez met la main sur sa tasse de fer blanc, empreinte de l'humidité de la nuit. Il fait tourner quelques herbes à l'intérieur et les passe sur son visage, imité par les deux autres, surpris par la fraîcheur de cette méthode. « Les Indiens m'ont montré ça. Ils font tout, avec la nature. » Le jeune réclame une histoire à propos des Sauvages. Traversant une petite ville, Gros-Nez arrête chez un marchand pour acheter une robe et des jouets. Le voyage se poursuit maintenant trop rapidement aux yeux du garçon et de son grand-père. Le trio arrive à destination vers deux heures de l'après-midi.

La jeune fille sourit en voyant la robe, alors que les enfants sautillent autour des jouets, pendant que le cultivateur se gratte le cuir chevelu, embarrassé. « Vous êtes pauvre, mais vous m'avez donné à manger, vous m'avez abrité. Voilà la raison de ces présents, venant d'un confrère plus aisé, qui m'a fait travailler et m'a apporté la même amitié que la vôtre. Bonne chance, mon frère de l'humanité, et dites à votre fille de toujours garder ce magnifique sourire. »

Gros-Nez tourne les talons et tous lui crient de revenir. Le quêteux fait tourner sa main droite au-dessus de sa tête, tout en criant : « Il y a d'autres gens au fond de l'horizon. J'entends leur appel et ne peux lui résister. Bonne chance à vous tous ! »

CHAPITRE 1899 : AMOUR

꙳⬧ ⬧꙳

Han! Han! Et de la vigueur, en voilà! Gros-Nez a toujours pensé que les chantiers de coupe de bois étaient d'interminables démonstrations de vanité masculine : toujours celui qui coupera le plus d'arbres, en transportera le plus grand nombre, qui mangera davantage que tous les autres afin de donner naissance à des légendes futiles et propres à un seul hiver. Avec un peu de chance, une de ces légendes, sur une centaine, franchira quelques saisons et sera déformée avec le temps. Beaucoup d'hommes aiment à raconter les exploits d'un bûcheron géant de 1850, mais il a sans doute grandi au fil des décennies, si bien qu'on en parle aujourd'hui comme mesurant huit pieds.

La nuit venue, les gros méchants loups se transforment en chiots et ceux qui parlent en dormant – leur nombre est impressionnant ! – deviennent des conteurs de romans mélodramatiques pour la plus grande joie des insomniaques. Le matin venu, il n'en reste plus rien. « T'es malade dans la tête ? Je n'ai jamais dit une telle chose ! Tu me prends pour une femme ? » Ces récits involontaires présentent la sensibilité féminine, laissant deviner à Gros-Nez que les hommes, tous les hommes, ont des cœurs aussi fragiles que ceux des épouses et fiancées laissées dans les maisons de ferme ou dans les villages.

Ceux qui n'ont pas honte de leurs sentiments sont les analphabètes; ils doivent faire lire leur courrier par les autres, bien qu'ils choisissent un seul lecteur, avec le plus grand soin. Rien de mieux que l'homme qu'ils ne reverront pas l'an prochain ou dans le canton : Gros-Nez. Le quêteux est ainsi devenu le secrétaire romantique de six hommes, qui se montrent sous leur vrai jour, même si quatre d'entre eux rougissent lors des séances de lecture ou d'écriture.

« Écrire une lettre à ta blonde dans les bécosses ! Honnêtement, hein !

— Est-ce qu'elle va le savoir, où ça a été écrit ?

— Non.

— Alors quoi ? On est tranquilles, ici, quêteux. Tu comprends, je ne veux qu'aucun gars ne soit au courant et dans les bécosses, on est certains d'avoir la paix.

— À moins qu'un homme ait une envie de…

— Écris, écris, Gros-Nez.

— Que veux-tu lui dire ?

— Que je l'aime. Cependant, que ça reste entre toi et moi ! Ne le dis pas aux gars !

— Ça va demeurer entre nous et les bécosses.

— Commence par : Cher amour. C'est bien, ça ?

— Très beau.

— Ensuite, tu donnes de mes nouvelles : je travaille très fort, j'économise pour notre futur mariage, le contremaître est content de moi, je…

— Sauf hier.

— Ça, t'en parles pas. Écris ! Pendant ce temps, je vais penser à des mots sucrés qui vont lui faire plaisir. »

Le courrier n'arrive qu'à toutes les deux semaines. La distance est longue à franchir et une tempête peut ralentir l'Indien engagé pour faire la navette entre la côte et le camp de bûcherons. Les lettres sont attendues avec plus d'envie que les paies. Que peuvent faire ces hommes avec de l'argent au cœur d'une forêt ? Par contre, des nouvelles « d'en-bas » réchauffent les cœurs refroidis.

« J'ai reçu une lettre, Gros-Nez. Elle a répondu à celle qu'on a écrite dans les bécosses.

— Tu veux que je te la lise ?

— S'il te plaît, mais dans un coin discret. »

L'amoureuse parle de la vache familiale très malade, de son grand-père courbant de plus en plus, de son petit frère qui a mis la main sur un rond de poêle. Elle recommande au jeune homme de ne pas prendre froid, de se chausser comme il faut, de ne pas répéter les blasphèmes que les bûcherons se permettent quand éloignés de la douceur féminine.

« Ça fait du bien en tabarnaque, une lettre comme ça.

— Je n'ai pas terminé. Il y a un post-scriptum.

— Hein ? Du latin ?

— Il s'agit d'une petite note additionnelle. Elle écrit : « *Je panse à toé avec toute mon keur pis mon amourre.* »

— Hostie que je suis content ! Qu'est-ce que je ferais sans toi, Gros-Nez ?

— Pourquoi est-ce qu'un grand garçon de vingt ans comme toi ne sait ni lire ni écrire ? On n'est plus à l'époque de nos grands-parents.

— Mon père m'a retiré de l'école parce que la maîtresse l'avait traité de cochon. Je te demande pas comment ça se fait qu'un quêteux sait lire, écrire et parler avec des grands mots savants ?

— Privé, mon ami ! Un quêteux doit garder ses secrets.

— D'accord ! Ah là, je me sens plein d'amour ! »

Les loups soupirent, silencieux, la plus récente lettre serrée dans leurs mains. Ceux qui en sont dépourvus font les cent pas, jaloux, y allant de mensonges surgissant du néant. « Si je voulais, j'en aurais trois ou quatre, des blondes! » « Toutes les filles du canton m'aiment! » « Je ne suis pas né pour les chaînes. » Le lendemain, à l'ouvrage, les chanceux qui ont reçu une lettre murmurent entre eux quelques nouvelles, sans oublier de souligner les mots doux.

« Mon petit porcelet parfumé ?

— Répète ça à un autre et je t'égorge, le quêteux !

— Je ne le dirai pas. J'ai été un peu surpris par ce compliment.

— J'aurais dû fermer ma gueule.

— C'est beau, un porcelet. Pour le parfum, ils savent très bien se débrouiller entre eux. Elle te le dit à l'oreille ?

— C'est arrivé.

— Chanceux! J'ai déjà entendu : mon gros nounours de magasin.

— Ridicule! Je t'ai dit ça en toute confiance, Gros-Nez. Ne me trahis pas.

— Tu veux te marier ?

— L'an prochain, si tout va bien. Elle a déjà un beau trousseau. Tout ce qu'il faut pour tenir maison. J'économise. Bon ! Travaillons, maintenant! »

La vie redevient normale jusqu'à l'arrivée du prochain sac de lettres. Cependant, quand les premiers signes du printemps se manifestent, les hommes deviennent intenables, nerveux, particulièrement ceux dont l'épouse était au début d'une attente lors de leur départ, en novembre dernier. Les célibataires font la drave, observés avec envie par les fiancés et les mariés. L'épouse ou l'amoureuse ne veut pas que son homme prenne le risque de danser sur les billots flottant dans l'écume de la rivière.

Selon son habitude, et à la grande surprise de plusieurs, Gros-Nez distribue la presque totalité de son salaire d'hiver, garde quelques dollars pour des chaussures neuves et fait parvenir des billets à Joseph.

« Allons donc ! Ça ne se fait pas !

— Je fais beaucoup de choses interdites, d'où la saveur de la vie. Mon vrai salaire a été les rires de chacun, la satisfaction après une belle journée de travail. Au salaire que la compagnie vous paie, quelques dollars de plus ne feront pas de mal à ceux qui en ont plus besoin que moi.

— T'as l'air convaincu ! Hé, j'ai une idée ! Descends avec moi et viens à la maison. Ma femme va te préparer un repas qui va te faire oublier notre lard, nos *binnes* et les biscuits en ciment du dernier hiver.

— Voilà une offre irrésistible ! J'accepte ! »

La joie de retourner enfin chez soi fait chanter et rire chacun, jusqu'au moment où une fébrilité silencieuse s'installe, alors que le train approche du chapelet de petites gares campagnardes, avant d'atteindre la grande ville. Gros-Nez passe son temps à recevoir des coups de coude dans les côtes, pimentés de « On approche ! » « On approche ! » enfantins.

La reine du foyer ouvre les bras et le bûcheron tombe dans ce sanctuaire d'affection, alors que derrière, une fillette de quatre ans semble gênée de revoir son papa. Les garçons se montrent plus frondeurs : ils sont déjà de vrais bûcherons ! Pendant que l'ami de Gros-Nez embrasse sa fille, l'épouse toise d'un air méfiant ce géant barbu qui se délecte de la scène des retrouvailles. Les présentations effacent cette attitude.

Ce repas du retour a été pensé voilà un mois, préparé avec amour depuis une semaine. Tout ce qu'il aime ! Que Gros-Nez partage le festin ne faisait pas partie du plan rêvé par l'épouse. Le mari a montré avec enthousiasme le dix dollars que lui a donné le vagabond. Une fortune ! Le salaire gagné est déjà dépensé pour du tissu, les semences, quelques outils, tout ce qu'il faudra pour espérer une belle récolte automnale. Le vagabond sait que son cadeau ne s'envolera pas en frivolités.

« Tu t'en vas déjà ?

— As-tu besoin de ma présence quand t'as le goût complètement fou d'embrasser ton épouse ?

— T'es le bienvenu, Gros-Nez.

— L'attirance des grands chemins m'a autant tourmenté tout l'hiver que l'amour que tu réservais à ta belle pour aujourd'hui.

— Je comprends. T'as bien deviné. Ma femme, ce soir, je vais l'embrasser et puis…

— Je connais la suite. Belle année 1899, mon ami ! »

Cette chère Maîtresse la Liberté ! D'abord : un train ! Gros-Nez meurt d'envie d'en poursuivre un, de le saisir et de le vaincre. À la ville, il y aura les nouvelles chaussures à acheter et une lettre à Joseph, avec le mandat-poste. Quand le vagabond travaille dans un lieu fixe au cours de l'hiver, l'ami des Trois-Rivières peut lui écrire. Trois lettres lui sont parvenues ces derniers mois. Le vagabond les a reçues avec autant d'émotions que ses compagnons mettant la main sur l'enveloppe tant espérée.

Joseph n'a jamais manqué d'écrire que son plus jeune fils, bien que fragile, n'a pas souffert d'afflictions dangereuses depuis que le quêteux l'avait guéri, il y a deux ans. Il parle aussi avec affection de son premier fils, de sa grande fille et assure le vagabond que d'autres enfants viendront plus tard. Bien que Gros-Nez sache que l'épouse de son ami ne l'aime pas, il avait apprécié la présence de cette petite femme. Malgré son aversion, elle avait fait preuve de générosité à son endroit. Une jeune femme ancrée dans les traditions canadiennes-françaises, mariée à ce fanfaron de Joseph qui ne parle que de progrès ! Curieux couple ! Le Trifluvien ne s'est jamais caché pour dire comme il aimait sa belle, la seule fréquentation de sa jeunesse.

« *Un bon hiver, mon Ti-Jos. Tu sais ce que c'est, les camps de bûcherons… J'ai cependant déjà vu pire. Les gars étaient tous joyeux et les fins de soirée étaient plutôt drôles. Je t'envoie un peu d'argent, sachant que tu as peut-être fait exploser quelque chose dans ton magasin ou dans ton atelier de réparateur, en tentant d'inventer un objet moderne. Sinon, je sais que ta petite épouse saura disposer comme il faut de cette somme. Ah ! les mères économes canadiennes, hein ! La vie de tous les hommes serait une faillite, sans elles. Surtout toi ! T'aurais tout dépensé en visites dans les cirques ou pour te rendre à l'autre bout de la province afin de voir un quelconque objet miracle.* »

La belle température printanière rend Québec sale, même si les jeunes filles sont en fleur, après avoir remisé les bottillons et les lourds manteaux d'hiver, sans oublier les foulards. Elles vont par les rues le pas léger, le regard émerveillé, parlent de leurs projets en vue de l'été ou d'un garçon qui les a invitées à danser. « Il a de belles mains. Voilà ce que j'aime, chez les hommes : leurs mains. C'est le reflet de l'âme. » Le quêteux aimerait certes savoir pourquoi cette partie de l'anatomie masculine… Conséquemment, il espionne en douce cette conversation entre deux demoiselles, plus jolie que tout ce qu'il vient d'entendre depuis novembre dernier. « Il a de beaux yeux, mais un gros nez. Voilà ce qui me chagrine. »

Le mendiant se redresse. Il aimerait les convaincre qu'un nez volumineux est autant un reflet de l'âme que les mains. Sa réaction incite les jolies à fuir, n'appréciant pas cet intrus mal élevé. Les longues robes cachent les pas saccadés se pressant vers l'autre côté de la rue. Le quêteux rougit et prend la direction opposée, comme s'il cherchait à s'innocenter.

« C'est vrai qu'il déborde de charme, mon nez. Il attire les femmes. Par contre, les compliments viennent des épouses d'ouvriers ou de cultivateurs, et non des célibataires. Plus jeunes que moi, mais je ne suis pas si vieux. Trente-quatre ans, c'est la force de l'âge, pour un homme. Les femmes non mariées, au même âge, sont déjà des vieilles filles. Si pointilleuses qu'elles ne voudraient pas d'un gars comme moi, même si je connais plus de jolis compliments que mes confrères. Pas que je désire me marier ! Ma chère liberté et puis je… Il vaut mieux ne plus y penser… Ça n'empêche pas que le sentiment d'amour paraît si beau. Complexe aussi ! Je comprends tant de choses, maintenant. Mais l'amour ? Vraiment compliqué ! Bon, dans quelle direction le vent va-t-il me pousser ? L'est ? Merci, vent ! Chaussé de ces belles chaussures neuves, je sens que je vais connaître une magnifique récolte d'amitié au cours de 1899. »

Quelle joie de retrouver l'effervescence à l'approche de la saison des semences ! Gros-Nez déniche facilement un peu de travail, de ferme en ferme. Un régal de renouer avec les insultes et les humiliations ! Quatre maisons plus loin, la jeune paysanne, fort jolie, vient de trouver le candidat idéal pour laver les carreaux de fenêtres du deuxième étage. Les maris ont toujours mal aux reins quand arrive le moment de cette tâche.

« Tiens ! Gros-Nez !

— Bonjour ! Je me souviens de toi. J'étais venu dans le coin, il y a deux ou trois années.

— J'étais célibataire, à ce moment-là. Je me suis marié depuis.

— À la belle fille de la maison ?

— Oui, votre honneur le Quêteux ! J'ai eu cette ferme pour une bouchée de pain, car la famille devait partir pour les États-Unis. Ma poulette t'a offert à manger ?

— Après le travail.

— Je l'aurais bien fait, mais j'ai un de ces maux de reins. »

La poulette va pondre dans quelques mois. L'homme fait l'annonce en lui prenant les mains, les yeux clignotant de bonheur. « Nous aurons une vraie famille canadienne : quatorze enfants ! » Gros-Nez précise qu'avec un mal de reins, sept serait un objectif plus réaliste. Derrière le dos de son mari, la belle, avec ses doigts, réduit le nombre à cinq.

Le mendiant aurait aimé raconter une histoire à un public plus imposant, mais le couple, côte à côte, s'est montré réceptif. Ils n'ont pas plus de vingt ans et déjà, ils ressemblent à des vieux mariés campagnards. La photo du grand jour traîne au salon et… C'est-à-dire qu'elle était au salon et qu'elle a été apportée jusqu'aux yeux de Gros-Nez comme un trésor des mers du Sud. Quand le vagabond reprend la route, le lendemain matin, le couple salue de la tête, car leurs mains sont trop soudées pour pouvoir servir à cette tâche.

Journée venteuse ! Une soudaine pluie permet de constater que les chaussures seront étanches et chaudes. Gros-Nez rechigne un peu, car la première voiture tarde à passer sur la route, pour le délivrer du déluge.

« Je peux vous laisser au village, à quatre milles d'ici. Moi, je dois aller veiller avec ma blonde.

— Veiller un mardi matin ?

— Je travaille le soir. Dans ce cas, le matin devient ma soirée de congé.

— Tu lui donnes un joli surnom affectueux, à ta blonde ?

— Ma petite citrouille rose.

— Très beau !

— Montez, montez, étranger. »

L'apparence du village rappelle à Gros-Nez sa première visite. Sa présence d'alors avait été fort remarquée par les citoyens. « Vous souvenez-vous de l'histoire que vous aviez racontée ? » Ne surtout pas répondre oui ! Cependant, quelques bribes font surgir la fable de la mémoire de son répertoire, bien que le temps ait déformé des passages, initiatives involontaires du public d'autrefois. Voilà Gros-Nez servant son récit. De l'autre côté de la rue, une dame d'un certain âge écoute avec un peu de retenue, comme si elle attendait son tour pour approcher de cet homme singulier. « J'étais la postière », annonce-t-elle à Gros-Nez, ajoutant que cette carrière est maintenant terminée. Pour prouver qu'elle dit la vérité, la femme avance sa main et montre sa bague.

« Jeune épouse de cinquante-quatre ans. Il y aura bientôt une année. Vous m'aviez assurée que je trouverais un mari un de ces jours.

— C'est que j'avais sans doute vu chez vous de belles qualités de femme.

— Je me suis mariée à un de mes clients. Devenu veuf il y a trois ans, il a commencé à me servir des compliments. Je l'avais alors jugé odieux, puis, soudainement, je me suis souvenue de ce que vous m'aviez dit. Venez à la maison, monsieur ! Car j'ai maintenant une maison ! Je vous servirai du gâteau et du thé.

— Avec joie, madame. En retour, je vous rendrai service et…

— Le service est déjà rendu. »

En majorité, les vieilles filles refusent de faire entrer le quêteux dans leur lieu de résidence, même si la religion leur conseille de se montrer généreuses envers les pauvres. Une fois, une seule, une catherinette avait accepté d'ouvrir sa porte. Gros-Nez avait alors constaté jusqu'à quel point un intérieur reflète la personnalité de chacun. Tout était foncé, austère, presque sinistre. Cette fois, la rescapée montre avec enthousiasme son aménagement, le décrivant avec joie tout en marchant à pas saccadés. Il y a des fleurs, des couleurs gaies, une peinture de paysage canadien accrochée au mur du salon. Dans cette dernière pièce : la berçante géante du mari, avec le cendrier et la pipe à portée de main. « Il est parti travailler », précise-t-elle. Gros-Nez remarque la photographie d'une jeune fille. « Je suis devenue grand-mère trois fois, sans avoir enfanté. C'est la fille de mon mari. Elle est gentille et intelligente », assure-t-elle en prenant le petit cadre, regardant la photographie avec affection.

« Les hommes et les femmes ne sont pas faits pour vivre chacun de leur côté. Ce n'est pas naturel. J'ai perdu ma jeunesse à ne pas être chanceuse. Mon mari, à mon anniversaire de naissance, a mis vingt chandelles sur le gâteau. Il en sera ainsi jusqu'à la vieillesse, si bien que j'aurai toujours vingt ans.

— C'est joli, ce que vous me racontez, madame. Je suis persuadé que votre époux est un homme de cœur.

— Il ne sera pas jaloux parce que je vous ai fait entrer. Pas du tout. Il sera de retour à six heures. J'ai hâte de vous le présenter. Pourquoi êtes-vous seul, Gros-Nez ? Ne préféreriez-vous pas rencontrer une femme aimable pour partager votre vie ?

— Il y a des gens qui appartiennent à tout le monde, qui portent de l'amour à des milliers de femmes et d'hommes. Je crois que je suis un de ceux-là. J'ai des amis dans tous les coins de la province de Québec.

— Et les femmes ?

— Les femmes font partie de ces amis.

— Je suis certaine que vous êtes un homme triste, comme tous les célibataires.

— Mon bonheur est aussi sincère que le vôtre, gentille dame. »

Le mari, grassouillet et ressemblant à un notaire fauché, a la poigne aussi ferme que sa voix est douce. Il s'informe des errances de l'étranger, sans porter de jugement. Il s'assoit dans la berçante, prend mollement sa pipe, alors que l'épouse accourt pour frotter l'allumette. L'homme parle à Gros-Nez comme à un invité de marque. La femme tient son tricot sur ses genoux, tout en écoutant. Il assure que le vagabond va coucher dans la maison. Elle s'active immédiatement pour préparer la chambre des visiteurs. Le mari profite de cette fuite pour confier : « Maison toujours propre, excellents repas, bon cœur et bel esprit et, gardez ça secret : fort réceptive aux douceurs. Je n'ai cependant pas marié une aventurière ! »

Nuit bercée de rêves, déjeuner copieux, Gros-Nez se sent roi. Il s'éloigne un peu avec l'homme, qui en profite pour faire observer que

« les vieilles filles s'enferment dans leur cocon parce que personne ne leur offre de compliments. Vous l'avez fait, vous le mendiant, et elle a cessé d'être vieille fille à ce moment-là. » Gros-Nez n'aurait jamais pensé qu'il aurait pu tant changer la vie d'une personne. Après tout, des compliments, il les distribue à la volée afin d'avoir des repas et un coin pour dormir. Après des salutations à la jeune mariée, Gros-Nez reprend la route, le cœur léger.

Malgré le bel accueil de la population de cette région, l'homme ne peut résister à l'attirance du train et à l'envie de partir loin. Pas perdu la touche, malgré ces mois d'inactivité ferroviaire. « Salut, les caisses! Bonjour, les barils! Je suis de retour! » Dix minutes plus tard, le train freine, causant un éboulis des caisses, indication qu'elles ne contiennent pas d'objets trop lourds. Gros-Nez se cache derrière les fauchées, puis le train repart, ralentit à l'approche d'une gare. Il sursaute en voyant la porte s'entrouvrir et a l'étonnante surprise de voir grimper une jeune fille. Problèmes en perspective…

« Que faites-vous là, mademoiselle?

— Que vous importe?

— Qui êtes-vous?

— Que vous importe?

— Bonjour, Que-Vous-Importe. Je suis Gros-Nez.

— Gros-Nez, ce n'est pas un nom.

— Regardez ce que je porte au milieu du visage et vous comprendrez.

— Je ne fais rien de mal!

— Non, mais je vous signale que les employés de gare ont l'habitude de vérifier si rien n'est tombé dans les wagons avant de repartir et qu'ils n'apprécieront sans doute pas deux passagers clandestins. Alors, suivez-moi derrière ces caisses.

— Je n'ai pas peur.

— À votre place, je retournerais chez vos parents.

— Que vous importe ?

— Gros-Nez. Enchanté. Vite, derrière les caisses. »

Pourquoi cette remarque moralisatrice ? Pas dans ses habitudes ! Peut-être parce que Gros-Nez sent que quelque chose cloche, qu'une fille ayant à peine seize ans ne doit pas monter dans un wagon de marchandises. À l'écouter parler avec une certaine froideur abrupte, le vagabond se rend compte qu'il n'a pas affaire à une naïve, que cette fuite n'a rien d'un coup de tête. Elle connaît fort bien sa destination : « Loin des parents. » Elle n'est pas la première jeune personne à s'insurger contre l'autorité familiale.

Gros-Nez ne pose pas de questions, sachant qu'elle brûle de les entendre. Les aveux viendront de sa part. Il lui donne à manger, son sac étant plein de mets délicieux offerts par la nouvelle vieille mariée du village. La fille croque tout, telle une affamée d'une histoire de Dickens. Le quêteux doit mettre un frein à cette gourmandise. « Il faut se montrer raisonnable, se rationner. Si mon sac se vide aujourd'hui, qui me dit si je ne mettrai pas des jours avant de trouver quoi que ce soit à me mettre sous la dent ? » Elle hoche la tête, alors qu'il pense : « Tiens ! Moi aussi, je fais du Dickens. »

La jeune fille se lance alors dans un questionnaire impromptu, mais l'homme ne répond pas à tout coup. Le mendiant sent que le train roule depuis longtemps, éloignant trop cette enfant de son foyer. Le chat sort du sac à ce moment : ses parents ont refusé qu'elle fréquente un garçon dont elle se dit très amoureuse. Les deux ont décidé de fuir et de se retrouver à Ottawa. Gros-Nez trouve curieux que la capitale canadienne puisse devenir un rendez-vous romantique, d'autant plus que le train file dans la mauvaise direction. Elle a pensé à tout, sauf à regarder l'horaire du chemin de fer.

« Vous mentez.

— Je t'assure que je dis la vérité.

— Ce train s'en va à Ottawa. C'était écrit sur le tableau dans la gare.

— Le train de voyageurs, peut-être, mais celui-ci est un convoi de marchandises qui se perd dans de nombreux embranchements pour livrer le contenu des wagons dans des villes et villages. Il s'arrêtera sans doute à Sherbrooke pour remplir d'autres wagons et je ne peux dire quelle sera sa destination par la suite. Les États-Unis ? Montréal ? L'Ontario ?

— Aidez-moi, Gros-Nez ! Si je ne suis pas au rendez-vous à Ottawa, il pensera que je ne l'aime plus !

— Bien… Cette histoire est si touchante. Je vais t'aider, Que-Vous-Importe. Il faut sauter et trouver une gare où tu attendras le train de passagers.

— Sauter ? Pourquoi ne pas descendre au moment où ce train sera en gare ?

— Trop risqué ! Les passagers clandestins pris sur le fait sont arrêtés, mis à l'amende, emprisonnés. Il y a des chiens méchants avec les employés du chemin de fer, il…

— Vous n'exagérez pas un peu ?

— Non ! Moi, je suis toléré. Les premières années, j'ai goûté à cette médecine. Je ne descends jamais dans les gares.

— Je ne peux pas sauter de ce véhicule en marche ! Je vais me tuer ! »

L'homme passe trop de milles à tenter de la convaincre de s'accrocher à son dos, de se tenir fermement et de fermer les yeux. En réalité, Gros-Nez ignore si ce poids additionnel ne le fera pas déraper davantage, ne lui cassera pas les os des pieds en touchant le sol. Porte ouverte et la fille s'agrippe avec violence au cou du quêteux, crie en voyant défiler le sol. « J'ai dit de fermer les yeux ! À trois, je saute. Un ! Deux ! Trois ! » « Aille ! » Le vagabond penche trop vers l'avant, mais a le réflexe de se redresser, tout en courant. Cependant, le poids de la belle a raison de ses acrobaties et il tombe sur le côté, la jeune fille toujours accrochée à lui, si bien que la jouvencelle écrase Gros-Nez, lui servant de matelas pour amortir sa propre chute. Il a mal partout, alors qu'elle a remplacé les cris d'effroi par un rire percutant.

« Je n'ai jamais vécu quelque chose de si extraordinaire !

— Comme moi…

— C'est vrai ?

— Relève-toi, tu m'écrases.

— Oh ! C'est vrai ! »

Gros-Nez ignore par quel miracle il arrive à marcher sans douleur. Les chaussures neuves lui ont sans doute épargné une blessure. Il prend la direction inverse, sans qu'elle ne s'en rende compte, décidé à déposer cette fille à la porte de la maison de ses parents, même s'il se jugera odieux de le faire. Il faudra sans doute marcher toute la journée et passer une nuit chez un cultivateur. Il vaut mieux l'égayer pour qu'elle ne réalise pas la trahison. Chansons, grimaces et mimiques ! Histoires, fables et souvenirs ! Elle clame qu'il n'y a rien de mieux que la liberté. Il réplique avec le froid, la faim, les maux, la tristesse, le jugement et le mépris.

« Et l'amour ?

— Je ne le connais point tel que tu pourrais me l'évoquer. Les sentiments sont souvent futiles, vont et viennent, se contredisent selon les saisons. Un être humain peut profondément détester ce qu'il a adoré deux années plus tôt.

— Pourtant, Gros-Nez… Tu parles encore mieux qu'un curé. Tu es généreux et bon, bel homme. Ces épaules gigantesques qui…

— Je suis costaud, soit. Sais-tu que j'aurais pu devenir un joueur de baseball professionnel ?

— Les femmes sont attirées par les hommes qui ont l'air si masculins.

— Et mon nez ? Ma candidate ne trouverait pas ma bouche pour m'embrasser, car mon nez fait de l'ombre sur la moitié de mon visage.

— Le nez ! Le nez ! Grands pieds, oreilles battantes, yeux enfoncés ! Qui ne porte pas sa petite imperfection ? Le cœur triomphe de tout. L'intelligence aussi. Tu sais, je suis intelligente.

— Je n'en doute pas.

— Alors, cesse de me prendre pour une imbécile. Je sais très bien que tu me mènes chez mes parents. J'ai cependant tant vécu depuis que je suis montée à bord de ce wagon !

— Je t'aiderai auprès de tes parents et à leur faire comprendre les sentiments qui bercent ton cœur. »

Après tant d'heures de marche, l'amoureuse se plaint d'avoir mal aux pieds. Gros-Nez consent à un moment de repos, même si le soir arrive et qu'il serait temps de trouver un endroit où coucher. Il n'a, jusqu'à présent, pas beaucoup croisé de fermes, mais sait qu'en retournant vers la voie du chemin de fer, un village surgira nécessairement. Après quinze minutes, la jeune fille se lève hardiment, prête à poursuivre, cherchant à prouver son courage à son ami.

« Je ne sais rien de ton prince charmant.

— Il n'est pas un prince, mais le fils du notaire.

— Je comprends. Toi, fille d'un simple cultivateur et lui, garçon d'un notable. Cette comédie des conventions sociales !

— Je crains surtout qu'il ne soit parti pour Ottawa.

— J'irai le chercher.

— Vrai ?

— Je le jure.

— Tu es un brave homme, Gros-Nez. Puis, il n'est pas si gros, ce nez. »

Elle le tient par le bras, jetant ainsi le quêteux dans l'embarras. Trouvant enfin une maison, la jeune personne ouvre sa trappe avant celle de l'homme, disant qu'elle est la fille de ce journalier. Le subterfuge permet au vagabond de dormir dans la maison au lieu de la grange.

La distance à franchir n'est plus considérable aux yeux du mendiant, mais énorme pour la belle. D'autres histoires et davantage de rires permettent au temps de filer rapidement. Au début de l'après-midi, le couple atteint le village desservant la terre paternelle. La présence de la fille sème l'émoi et révèle ainsi que tout le monde est au courant de sa fugue. Un homme approche à grands pas et, sans annoncer ses couleurs, frappe d'un puissant coup de poing la mâchoire de Gros-Nez. Le boxeur s'empare du bras de la fille, l'insulte vertement. Le quêteux a vite fait de comprendre que son agresseur est le père en colère. Il sursaute quand il l'entend crier : « Papa, cet homme m'a sauvé des loups ! »

La fable n'est pas de Gros-Nez, cette fois. Le voilà témoin d'un récit abracadabrant, auquel il répond pourtant par de brefs gestes positifs de la tête. « Vous m'excuserez, monsieur. En vous voyant, je vous ai pris pour un malfaiteur. Vous me ramenez ma petite écervelée et vous lui avez sauvé la vie. Vous êtes mon ami ! » Larmes de joie de la mère ! Petites sœurs et frérots fous de joie ! Voisins applaudissant le héros ! À genoux, l'adolescente demande pardon à sa maman. Le mendiant ne dit rien, se demande où se cache le fils du notaire, dans cette histoire.

« Il n'y a pas de notaire au village.

— Mais… ce garçon dont elle se dit folle d'amour ?

— Ma fille n'est pas courtisée, je vous l'assure. Elle est partie parce que sa mère l'avait punie à cause de sa fainéantise ; elle refuse de l'aider dans les tâches ménagères, préférant passer ses journées à lire les feuilletons d'amour dans les journaux et…

— N'en ajoutez pas. J'ai compris.

— Qu'est-ce qu'elle vous a fait croire ?

— Je ne vous le dirai pas. C'était une merveilleuse façon de commencer l'année 1899. »

Gros-Nez envoie la main, sort sa balle de son sac, la lance dans les airs, la rattrape, jusqu'à ce qu'il entende son nom ânonné par cette délicieuse menteuse romantique.

« Fâché, Gros-Nez ?

— Pourquoi le serais-je ? Me voilà avec une histoire qu'il me plaira de raconter à celles de ton âge que je croiserai.

— Tu es un amour, Gros-Nez ! »

La baiser rapide sur les lèvres ébahit le vagabond, si bien qu'il échappe sa balle. Vingt pas plus loin, il sourit et rougit tel un collégien.

CHAPITRE 1910 : COLÈRE

⁍ ⁌

La balle bondit avec fracas contre un mur de briques et s'écrase au sol, à quelques pas, alors que Gros-Nez s'y précipite, inquiet, le cœur battant, regrettant son geste d'impatience. Il passe précieusement la main dessus, la retourne en tous sens, espérant que le choc n'a pas fait éclater les vieilles coutures, tenant tout de même le coup avec force et endurance depuis 1894. Celle qu'il possédait précédemment était en piteux état, même s'il l'a trimballée beaucoup moins longtemps. Ouf ! Rien de grave.

Gros-Nez soupire, se demande pourquoi il ne remplace pas la balle. Il y en a maintenant dans toutes les boutiques de Montréal. Avec un peu de chance, il pourrait en trouver une dans l'entourage du petit stade qui accueille l'équipe des Royals. « Peut-être que je suis trop sentimental… Cette balle m'a tant aidée lors de moments de doute. Puis, c'est une vraie de vraie, utilisée par les professionnels de Boston. Mille excuses, jolie balle… Qu'on ne me chasse plus jamais en me donnant des coups de pieds ! Jamais ! Saleté de grosse ville ! Il y a ici tant de gens cruels et… Du calme, du calme, mon vieux… Viens près de moi, ma toute belle, tu me sauveras de l'écueil de la colère. »

Le vagabond s'éloigne, poursuivi par l'écho des insultes. C'était pourtant dans le quartier ouvrier que, jadis, il trouvait le meilleur accueil à Montréal. Il faut croire qu'il y a de plus en plus d'urbains, que les déracinés de la campagne, respectueux des traditions, sont devenus profondément montréalais. Ce n'est pas ainsi à Québec, ni dans les autres villes importantes. Aux Trois-Rivières, plusieurs personnes ignorent que Gros-Nez est quêteux, croyant qu'il s'agit d'un vieil oncle excentrique de Joseph.

Autrefois, il acceptait les insultes comme monnaie courante de son existence librement choisie. Elles étaient là comme la pluie, le vent, la nuit et le jour. Il pardonnait toujours, donnant ainsi une leçon d'humanité à l'interlocuteur. Aujourd'hui, les mots et les gestes injurieux le blessent davantage. Les colères deviennent ainsi plus fréquentes. Chez l'être humain, l'impatience est l'apanage de la jeunesse. Il semble que ce soit le contraire chez Gros-Nez.

Ayant retrouvé son calme, l'homme se dirige vers le nord de Montréal afin de chasser ses idées sombres. Il ne sait pas trop pourquoi, quinze minutes plus tard, il bifurque vers l'ouest. Soirée agréable, mais nuit très froide! Le matin venu, après quelques milles, le fleuve Saint-Laurent le salue. « Tiens! Me voilà dans le sud! Je perds tous mes sens cardinaux. » Il a vu toutes les berges du Majestueux et rien ne l'empêchera de saluer le cours d'eau avec le plus profond respect. Le quêteux reprend sa marche, arrête en voyant la silhouette ingrate du pont Victoria, laideur absolue du Canada. Qui peut avoir le goût de retourner à Montréal? « Hein? Que dis-tu, le vent? Les montagnes? Bonne idée et… Oui, je sais, le nord, c'est vers le haut. »

Le fils de Joseph lui a souvent demandé quel était le plus beau coin de la province. « Celui où on se sent heureux » n'avait pas suffi, comme réponse, tout comme : « N'importe où, sauf à Montréal. » Gros-Nez avait cherché la bonne réponse en se remémorant toutes les régions parcourues. Toutes! Combien de fois? Sa mémoire ne peut comptabiliser. Cependant, avec émotion, il pense aux belles montagnes des Pays-d'en-Haut. Elles protègent du vent les moindres hameaux. Ces lieux semblent bâtis comme au creux d'une main géante et ont un charme paradisiaque. Le petit train du Nord est l'un des plus faciles à attraper au passage.

« Sortez de là! Aucune résistance!

— Je sors… Je sors…

— J'ai dit : aucune résistance !

— Est-ce que parler est une forme de résistance ?

— Les mains en l'air ! »

« Idiotie », de penser Gros-Nez. Ce jeune employé lui semble désireux de faire du zèle afin de bien se faire voir par ses employeurs et de toucher une augmentation de salaire. Quand le quêteux atteint le plancher des vaches, le jeune recule d'un pas, étonné par le physique imposant du passager clandestin.

« Votre nom ? Occupation ?

— Je m'appelle Gros-Nez et je suis quêteux.

— Ne faites pas le malin !

— Je dis la vérité.

— Votre nom ? Occupation ?

— Je ne parlerai qu'à vos supérieurs. Pas à un petit employé imberbe qui réalise son rêve de travailler sur un tchou-tchou.

— J'ai dit…

— J'ai compris ce que t'as dit, garçonnet ! »

Voilà Gros-Nez enfermé dans le compartiment à bagages, en compagnie d'un petit chien blanc à poil frisé qui aboie continuellement. « Tu ne pourrais pas être un vrai chien, non ? Un noble compagnon de l'homme ? Intelligent, affectueux et protecteur, au lieu de produire sans cesse ces sons stupides dont un perroquet ne voudrait même pas ? » Parfois, le jeune contrôleur vient voir sa proie, la narguant en faisant balancer son bâton sous son nez. Destination : poste de police de Saint-Jérôme. L'agent de service, un vétéran, écoute la plainte. Le jeune homme exige le remboursement d'un billet et l'emprisonnement du voleur.

« Pourquoi fais-tu encore ça, Gros-Nez ? T'as plus vingt ans.

— Mais pas encore cinquante.

— Vrai que t'es un sacré gaillard. Je dis ça parce que t'avais l'argent pour payer le billet. C'est tellement plus simple de…

— Plus simple, mais moins drôle. Un quêteux ne voyage ni en première ni en dernière, mais dans un wagon de marchandises.

— Ne te fâche pas ! Je te garde ici ou tu repars tout de suite ?

— Est-ce qu'il y a à manger ?

— Au pain frais et à l'eau limpide.

— Alors, je reste.

— De plus, la couchette est très confortable. On les a remplacées il n'y a pas un mois. Il y a quelques compagnons qui…

— Qui sont sans doute plus sympathiques qu'un petit chien blanc frisé. »

Il vaut mieux se sentir confortable en cellule que d'errer sur la route, alors que la pluie torrentielle débute son règne. Le policier se transforme en majordome du prisonnier. Gros-Nez réclame un savon et l'obtient à la minute près, sous les applaudissements des deux autres pensionnaires.

« Mon épouse a préparé des cretons délicieux. En voici un pot.

— Très aimable et je la remercie.

— Voici maintenant le temps de te libérer. Es-tu repenti ?

— Mille fois.

— Sans blague, Gros-Nez : essaie d'éviter ce petit jeu avec les trains.

— Je vais réfléchir à votre conseil.

— Bon séjour dans les Pays-d'en-Haut. »

Destination : chemin de fer ! Cours, cours, cours, glisse et rate. Assis dans la poussière, le quêteux regarde le train s'éloigner, ayant l'impression que ce tas de ferraille lui fait des grimaces en riant. Se relevant, l'homme se demande ce qu'il fait là. « C'est vrai : les montagnes et le paysage ! » Après quelques heures de marche, le voilà saoulé de montagnes et prêt pour les cretons. Par la suite : le repos, puis le hasard des rencontres, pour préparer la prochaine nuit. Voilà un homme en voiture; il se déplace lentement, signe qu'il prend le temps de vivre.

« Monter ? Tu peux monter, étranger.

— Merci.

— C'est dix sous.

— Bonne route.

— Quoi donc ? Ce n'est pas coûteux. »

Gros-Nez poursuit sa marche et marmonne: « Dix sous ! Dix sous ! » maugréant contre cet appât du gain nettement exagéré. Il se demande s'il ne vaudrait pas mieux flâner chez Joseph. « Il y a aussi des montagnes, au nord des Trois-Rivières. » Le quêteux atteint une petite ville où il fait rire des enfants et une femme. Elle lui refile une pomme tout bonnement délicieuse. Goûtant le fruit en se léchant les lèvres, il voit approcher un homme, une guitare en bandoulière. Il se met à jouer et à chanter. Les passants se rassemblent. « Je suis le mendiant mélodieux, bonnes gens ! » Joli titre pour cet homme à la voix agréable de ténor.

« Je me nomme Gros-Nez. Je suis aussi quêteux et…

— Quêteux ? Vous me traitez de quêteux ?

— Eh bien, vous chantez avec un chapeau à vos pieds et…

— Je n'ai pas à être insulté par un va-nu-pieds !

— Oh, ça va, hein ! Je voulais me montrer aimable et faire connaissance. Quêteux, c'est un mot superbe, issu d'une profonde tradition canadienne-française. Je suis un quêteux et une tradition.

— Et moi, un artiste. »

Quel prétentieux! Gros-Nez ne bouge pas, l'autre non plus. C'est le jeu de celui qui cédera le premier pouce, afin de détaler du territoire établi par l'autre, tels deux matous ne tolérant aucun adversaire. Les deux hommes se regardent droit dans les yeux et Gros-Nez finit par s'évaporer, parce qu'il a pensé que jadis, il aurait réussi à charmer un homme de ce genre. « J'ai moins de patience qu'avant. » Il a pourtant vécu des moments difficiles, des insultes suprêmes, des humiliations féroces. Jamais ces épreuves ne faisaient ombrage aux moments de bonheur.

Le vagabond marche en regardant droit devant lui, décidé à ne s'arrêter qu'au moment où on lui fera signe de vie. Comme cela semble vouloir le mener très loin, il arrête, penche la tête, laisse choir ses bras, avant de fouiller dans son sac pour en extraire sa balle.

« Elle est vieille, votre balle, monsieur.

— Précieuse avant tout, jeune homme. Elle a été utilisée par les professionnels de l'équipe de Boston alors que vous étiez très petit.

— J'ai un beau bâton, à la maison. Mon père l'a fabriqué. On dirait la sculpture d'un maître. C'est gênant de l'utiliser pour frapper une balle.

— Vous êtes joueur de baseball?

— Les gars d'ici ont formé une équipe et on lance des défis à d'autres des villages voisins. »

Le quêteux impose un discours impromptu sur ses connaissances du sport et de ses règles, ses souvenirs de jeunesse et ces parties jadis applaudies aux États-Unis. Le garçon écoute avec attention, jusqu'à ce qu'il décrive une situation particulière. Gros-Nez lui cite le règlement et explique sa logique en profondeur.

« On joue demain soir. Avec un arbitre comme vous, la partie va devenir palpitante pour les deux équipes.

— Je serai honoré de vous rendre ce service.

— Je dois en parler aux autres, cependant… Venez avec moi ! On a le temps de rencontrer deux ou trois gars de l'équipe. »

Extraordinaire ! Gros-Nez ne peut imaginer plus séduisant paradis : être au cœur d'une partie de baseball par une belle journée d'été, dans le décor magnifique de ce coin de pays et en compagnie de jeunes hommes fort gentils. Alors que le soleil se couche, le mendiant fait une démonstration de ses talents, donnant aux garçons des conseils sur la science de frapper et d'attraper.

Après avoir dormi confortablement dans un lit douillet et déjeuné tel un souverain, l'étranger aide la famille en rendant de petits services autour de la maison. Après le dîner, tous ces gens prennent la route vers un autre village, afin d'encourager leurs athlètes en herbe, racontant à Gros-Nez les faits d'arme des plus récentes rencontres. Quel terrain idéal ! En réalité : le site d'une exposition agricole de comté, avec une grange envahissant une partie du champ droit. Pas de clôture pour créer des limites. Une balle frappée au-delà de la grange devient un circuit. Il y a des estrades de bois défraîchi, où des adultes et des enfants s'installent, en parlant fort et en riant. Gros-Nez rencontre immédiatement l'arbitre désigné, un type dans la quarantaine, une énorme chique de tabac dans la bouche. Après une brève discussion, les deux hommes s'entendent cordialement pour se partager le travail. Ils jurent fidélité à l'intégrité des règles du sport.

Quand l'équipe adverse arrive, Gros-Nez a la surprise de voir surgir le jeune zélé de la compagnie de chemin de fer, protestant immédiatement qu'un voleur et un bandit ne peut agir comme arbitre. Le partenaire jure que le quêteux connaît les nuances du jeu mieux que quiconque. « Comment peux-tu savoir ça ? Tu le connais depuis dix minutes ! Si ce malfrat demeure ici, mes gars vont refuser de jouer ! » Gros-Nez tend les bras vers la cinquantaine de personnes qui se sont déplacées pour assister à la rencontre.

« Tes hommes vont jouer ou c'est une défaite automatique.

— Selon quelle règle?

— Insubordination contre l'autorité que représente l'arbitre.

— Tu ne sais même pas ce que ça veut dire, maudit pouilleux!

— Peut-être que t'as raison, mais l'impolitesse, je connais très bien. Prends place avec tes joueurs, tu retardes tout le monde avec tes enfantillages. »

Les spectateurs remarquent vite cet étranger sculpté dans le physique de douze bûcherons, se déplaçant avec agilité entre les buts pour ne rien rater des coups frappés. Il soutient son partenaire, prêt à lui venir en aide s'il y a un doute. Quand Gros-Nez voit arriver le garnement du train, il sait trop bien qu'il y aura des arguments inutiles. Officiant maintenant derrière le marbre, le quêteux ne se laisse pas perturber, même si le rebelle entraîne les partisans de son village avec lui.

« Bandit de grand chemin!

— Retiré, jeune homme. Laissez votre place à votre coéquipier.

— Évadé de la prison de Saint-Jérôme!

— Dépêchons. Il ne faut pas retarder le déroulement de la rencontre. »

Quarante minutes plus tard, le jeu recommence, sans oublier que le jeune n'a pas perdu un seul de ces instants pour sans cesse insulter Gros-Nez, appuyé à grands cris par ses partisans. Cette fois, il bouscule l'arbitre, vite secouru par l'homme à la chique. Une insulte de trop et le vagabond lève le voyou de terre, comme s'il était un caillou, lui donne un coup de poing au menton et le lance au loin, le pointant du doigt, du feu dans son regard. Les spectateurs, incrédules, assistent à l'impressionnante démonstration de force.

« J'ai honte! J'ai frappé un de mes frères de l'humanité!

— Il a eu ce qu'il méritait, cet imbécile ! Il cherche toujours des problèmes ce gars, mais cette fois, c'était pire. Il fait la grosse tête depuis qu'il a été engagé par la compagnie de chemin de fer.

— Je vais aller me cacher.

— Allons donc, Gros-Nez ! Tu t'en fais à cause de cet idiot ? Viens à la maison ! Tu auras à manger et un bon lit.

— Merci pour ta générosité, mais je dois me terrer dans la solitude. Tu joues très bien au baseball, ainsi que tes amis. Ne laisse jamais tomber. Le baseball est l'essence de la sagesse.

— Pas chez nos adversaires, hein ! »

Après une demi-heure, l'ermitage de Gros-Nez est interrompu par un nid de guêpes tombant à ses pieds, provoquant une attaque intense des locataires contre cet homme, qui n'a pourtant rien à voir avec leur tragédie. Il ne faut surtout pas chercher à s'expliquer avec des guêpes colériques. « Cochonneries ! Vous ne pourriez pas être des papillons, non ? » Une heure plus tard, un chien confond le fond de culotte du quêteux avec une tranche de jambon.

« Oui, vous pouvez coucher dans la grange.

— Vous en êtes certain, monsieur ?

— Bien sûr. Cependant, laissez-moi quelque chose en gage.

— C'est honnête. Mon sac ?

— Ça ira. Il y a du bon foin, vous serez confortable.

— Comme je vous ai dit, je vous rendrai service.

— Nous verrons demain. »

Quelle journée éprouvante ! L'homme désespérait de trouver un coin pour dormir quand il a soudain aperçu une faible lueur émanant de la fenêtre de cette modeste ferme. Le matériel éparpillé çà et là dans la grange laisse deviner que le propriétaire du lieu est un réparateur de voitures.

GROS-NEZ, LE QUÊTEUX

Le matin venu, il y a de l'ouvrage pour Gros-Nez : sabler le bois de deux voitures. La besogne terminée, le quêteux salue, remercie, réclame son sac, quand interrompu : « Ce n'est pas tout. Allez chercher des poches de pommes de terre chez le quatrième voisin. » « Bien ! »

« J'aurais un autre service à vous demander.

— Ce que vous voudrez.

— Laver les fenêtres des lucarnes. Mon épouse va vous fournir un seau, de l'eau, un chiffon. Quand ce sera terminé, vous reviendrez me voir.

— Heu… Oui ! Cependant, bien que j'aie apprécié dormir dans un coin de votre grange pour la nuit, je crois que…

— Vous le voulez, votre sac, oui ou non ?

— Oui, mais je suis attendu à Saint-Jérôme et…

— Menteur ! Faites ce que je vous demande et vous aurez votre sac. »

Après les fenêtres, il y a les mauvaises herbes à arracher. À ce moment, Gros-Nez commence à avoir faim. Sa remarque selon laquelle tout ce travail mériterait un morceau à grignoter provoque un éclat de rire.

« Ces services que vous me rendez, fort adroitement, d'ailleurs, c'était pour la nuit dans la grange. Si vous voulez manger, ce sera en retour d'un autre genre d'entente. Qu'avez-vous à me laisser en gage ?

— Tout est dans mon sac.

— Le sac, c'était le gage pour la nuit. Pour un repas, vous…

— Je ne ris plus ! Vous abusez de moi ! Donnez-moi mon sac immédiatement ou je vais le chercher sans cogner à la porte et sans porter de gants blancs !

— La colère ? La révolte ? Des va-nu-pieds de votre genre devraient tous être en prison.

— La police de Saint-Jérôme est mille fois plus honnête que vous. J'exige mon sac !

— Terminez votre journée de travail et vous l'aurez. »

Gros-Nez tourne les talons, presse le pas vers la grange, d'où il sort les bras chargés d'outils. « Dans une minute, je pars avec tout ça et je vous souhaite bonne chance pour les retrouver. Mon sac et je laisse tout tomber à vos pieds. » La victoire devient de courte durée, alors que le quêteux est poursuivi avec furia. Il se raidit, plante ses chaussures dans le sol et se met en position d'attaque. L'autre n'a d'autre choix que d'arrêter devant ce mur de muscles.

Devinant que la victime organiserait une vengeance dans les plus brefs délais, Gros-Nez s'enfonce là où il n'y a pas de route. Il demeure dans la forêt le reste de la journée, parlant à sa balle et s'adonnant à un inventaire des gens méchants rencontrés depuis 1890. Il fut un temps où il y en avait peu, mais leur nombre ne cesse de s'accroître depuis une dizaine d'années. « Je devrais être aux Trois-Rivières avec Joseph et les siens, et pourtant… Le goût de repartir me tenaille après deux mois de tranquillité et d'aisance. Suffit ! Je dois dormir puis retourner là-bas. Cette fois, j'aurai beaucoup de choses à raconter au fils de mon ami. »

Voilà le début de la nuit interrompu par la dernière chose que le vagabond désire entendre : un homme ivre et qui, inévitablement, lui racontera tous ses soucis en les amplifiant. Au fond, si cela lui fait du bien de parler…

« Prends une longue gorgée à ma santé !

— Non, merci. Je ne bois pas, et…

— Je t'ai dit de boire, mon maudit ! »

L'ivrogne s'élance et assène un puissant coup de poing à la mâchoire de Gros-Nez. Le mendiant se redresse, mais change aussitôt d'idée. Se battre une seconde fois ? Il vaut mieux s'éloigner, même si l'écho des insultes de cet homme lui cogne dans le dos. Le vagabond accélère la cadence en direction du chemin de fer, décidé à ne plus quitter Trois-Rivières. Cent fois il se l'est dit, au cours des récentes années : quêteux, c'est bon pour un jeune homme, mais avec le temps qui passe et ce siècle d'égoïsme, cela devient de plus en plus ardu et il n'a plus la patience nécessaire.

Marche! Marche dans la nuit! D'ailleurs, elle n'existe plus, tant il se sent décidé de mettre fin à sa carrière d'errant. Voilà le petit train du Nord. Hop! Et… Non, pas tout à fait… « Aille! » Il se relève de peine et de misère. Il a l'impression d'avoir avalé un baril de sable et de cailloux. Le train disparaît dans la pénombre et pourtant, l'homme sent un ralentissement. Gros-Nez ne peut pas croire qu'on l'a vu et que quelqu'un a fait arrêter le convoi pour lui chercher noise. Peut-être est-il arrivé un accident… La curiosité étant plus forte que la raison, le vagabond avance, d'abord avec prudence, puis en pressant le pas en voyant tout le bazar immobilisé et plusieurs personnes descendues.

Arrivé sur place, il voit un groupe d'hommes tentant d'apaiser une jeune fille. Elle crie et pleure avec violence. Le quêteux a vite fait de capter quelques mots : tentative de suicide! Il voit le conducteur, les yeux exorbités, le cœur battant fort. Qu'il ait réussi à freiner avant d'écraser cette pauvresse tient du prodige et mériterait une décoration.

« Gros-Nez? Vous êtes Gros-Nez?

— Oui, mademoiselle. Parlons, si vous le désirez et…

— Je ne veux plus vivre! Je ne veux plus vivre!

— Mais oui, vous le désirez, afin d'entendre cette histoire que j'avais racontée chez vos parents quand vous étiez petite et qui vous avait tant impressionnée.

— Comment pouvez-vous savoir ça?

— Venez, mademoiselle. Laissez-la moi, braves gens. Je m'en occupe. »

Les employés du chemin de fer semblent confus : abandonner cette folle entre les mains d'un inconnu surgi de nulle part dans la nuit ? D'un autre côté, que le train ait passé à deux doigts d'écraser une jeune fille serait une nouvelle très malsaine à faire connaître. Gros-Nez n'écoute personne et la jeune fille ferme elle-même le clapet à un preux chevalier prêt à la défendre contre cet inconnu qui n'était même pas un passager. Elle presse le pas et le quêteux, tout comme la malheureuse, n'écoute pas les interjections qu'on leur lance. Dix minutes plus tard, le train se remet en marche.

« Regardez… Pleine noirceur et pourtant, nous voyons droit devant nous. La lune ! Un astre à luminosité très puissante !

— Je vais recommencer et cette fois, je ne raterai pas mon coup !

— Quelle histoire ai-je pu vous raconter pour que vous vous souveniez de moi ?

— Une histoire d'amour entre un ermite et une villageoise.

— Je m'en souviens très bien.

— Pouvez-vous me la dire une autre fois ?

— Pourquoi avoir voulu poser un tel geste insensé ?

— Parce que mon histoire d'amour était moins belle que celle de votre fable.

— Je l'ai peut-être rendue jolie pour plaire à la charmante fillette que vous étiez.

— Oh… elle serait peut-être… triste ?

— Je vais vous dire la vérité, mais avant, je veux mieux connaître la raison de votre acte. »

Gros-Nez écoute la colère de l'amoureuse éperdue, ses mots accentués par des gestes amples et un va-et-vient nerveux sur les rails de la voie ferrée, jusqu'à ce qu'elle s'essouffle, trébuche, s'érafle une main et pleurniche. Si tout ce qu'elle raconte est véritable, la jeune fille a certes raison de se sentir révoltée, mais sûrement pas au point de commettre un suicide. Les hommes se montrent parfois si vains devant l'amour d'une femme.

Comme promis, Gros-Nez raconte ce qu'elle désire entendre, mais l'émotion l'étreint rapidement, si bien qu'il a du mal à mener à bon port son récit. Le quêteux soupire, dit qu'il faut rentrer à la maison. Elle s'ancre au sol, comme si cette suggestion le transformait en traître. D'autres bons mots et confidences arrivent à l'amadouer. Le spectacle du lever de soleil, accompagné du concerto des oiseaux, couronne le tout.

La bonne action du quêteux lui redonne la paix de l'âme et fait oublier les soucis des derniers jours. L'accueil chez les parents est d'abord agressif, puis compréhensif après l'explication : un beau mensonge pieux assurant que l'étranger a trouvé la jeune fille évanouie près de la voie ferrée. « Je m'étais blessée à la main », assure-t-elle, en bougeant sa droite et insistant sur l'éraflure récoltée il y a quelques heures. Gros-Nez passe la journée en compagnie de la petite et de sa famille, reconnaissante.

« Un quêteux peut toujours surgir dans votre vie, tout comme un bon garçon.

— J'ai compris. Je vous remercie. J'ai agi stupidement.

— Nous voilà enrichis. Qui sait si dans quelques années, je ne cognerai pas à votre porte pour demander un peu à manger et que j'amuserai vos enfants avec mes grimaces?

— Revenez souvent, Gros-Nez.

— Je serai là au moment où vous ne m'attendrez plus. »

Content, le vagabond s'attarde dans le coin deux journées et dix milles plus loin, distance suffisante pour que la rumeur, colportée par quelques distraits ou rêveurs, surgisse sous plusieurs formes : un ancien aventurier du Klondike aurait sauvé la fille des griffes d'un meurtrier, d'un ours gourmand ou d'un millionnaire américain. On dit aussi que la belle a donné un coup de pelle dans les reins de son amoureux. Quoi? Un coup de pelle? Pas question d'aller vérifier! Le quêteux se met en marche, fermement décidé à passer le reste de l'été aux Trois-Rivières.

Train du Nord dans la nuit! Cette fois, s'il y a des problèmes, les employés, le reconnaissant, ne lui chercheront pas noise. « Wagon… viens, mon wagon… Cette fois, je vais t'attraper. » Décidément, le quêteux perd de plus en plus la touche… Gros-Nez a tout de même réussi à grimper, après des culbutes peu gracieuses et sans doute dangereuses. Il demeure assis sur le plancher; il a le goût de pleurer. Mais voilà que le train s'arrête de nouveau.

« Encore ce bandit pouilleux? Ce voleur, ce tricheur?

— Toi? T'es pas censé travailler le jour?

— Descends de là!

— Viens me chercher, petit impoli!

— Je t'ai ordonné de descendre!

— Je répète de venir me prendre!

— Je vais trouver de l'aide! Si tu te sauves, on va te rattraper, te casser les os du dos et on va donner tes restes à la vraie police, celle de Montréal. Pas les mous de Saint-Jérôme!

— Je les attends, tes petits camarades! Ils seront heureux de me revoir, je t'assure, après le service que je leur ai rendu! De plus, tu… Qu'est-ce que t'as? T'es blessé?

— Ça ne te regarde pas, pourriture! »

Gros-Nez fronce les sourcils en voyant le jeune homme se déplacer avec peine, comme si son dos était prisonnier d'un carcan. Soudain, son esprit s'illumine. « Ce ne serait pas une fille qui t'aurait donné un coup de pelle dans le dos? » Le garçon arrête sec, se retourne vivement, grimace de douleur, puis marche avec peine jusqu'au wagon et demande au quêteux comment il se fait qu'il soit au courant de cette histoire.

« Elle a du caractère, hein ! Quand la princesse se fâche, elle va dans les extrêmes.

— Mon salaud ! Tu vas me dire pourquoi tu sais ça !

— T'as entendu l'histoire de la fille qui a tenté de se faire écraser par le train, il y a quelques jours ? Tes confrères t'en ont parlé ?

— Et alors ?

— Cette fille, c'est celle qui t'a frappé pour se venger parce que tu la traitais d'idiote. C'est moi qui l'ai prise en main, l'ai reconduite chez ses parents et lui ai parlé pour qu'elle ne recommence plus.

— Je ne l'ai jamais traitée d'idiote ! Et… Je ne te crois pas ! Elle n'aurait jamais essayé de se tuer pour une petite prise de bec entre amoureux !

— Appelle tes amis et ils vont me reconnaître tout de suite. »

En effet, le mendiant est vite accueilli par le sourire des employés du convoi. Les chaudes poignées de main ne tardent pas quand Gros-Nez assure que la jeune fille est de retour chez ses parents, calmée et repentante. Le chef décide qu'un tel héros ne doit pas voyager dans un wagon de marchandises, mais dans le meilleur coin réservé aux premières classes. Gros-Nez assure qu'un vrai quêteux se contente très bien de la compagnie de caisses de clous. On lui apporte tout de même du pain, une pomme, une cruche d'eau froide et un bon cigare. Le train repart aussitôt, mais arrête cinq minutes plus tard.

« Quoi encore ?

— Aidez-moi à monter. Je dois vous parler.

— Tiens ! Te voilà devenu poli !

— Vous savez, en qualité d'employé de la compagnie de chemin de fer, je dois faire respecter les règlements.

— Mais ça ne regarde pas les règlements du baseball.

— Je voulais fouetter mes coéquipiers et nos partisans.

— Menteur !

— Je dois monter et vous parler d'elle. »

Gros-Nez ignore qui est le plus menteur : elle ou lui. Quoi qu'il en soit, le jeune homme semble sincère, mais le vagabond hésite à lui donner le conseil demandé. Soudain, d'abondantes larmes mouillent ses yeux. À la gare de Montréal, il enlace Gros-Nez, mais le surprend par un coup de poing dans le ventre. « Je n'étais pas retiré ! Tu ne connais rien au baseball, vieux quêteux du diable ! Salut, mon ami, et bienvenue en tout temps dans les Pays-d'en-Haut ! »

CHAPITRE 1891 : RICHESSE

❧ ❧

« Pas mauvais, mon Gros-Nez ! Trois autres mois à mon service et je ferai de toi le meilleur assembleur de voitures. » Le jeune quêteux sourit du compliment. Comme s'il avait besoin d'un métier ! Cependant, la bonté et la générosité de ses semblables, il ne veut pas s'en passer, même si, jusqu'à ce jour, il a vécu des moments difficiles qui sauront, après réflexion, faire grandir son cœur pour le rendre plus sage.

Ce maréchal-ferrant lui a ouvert sa porte alors que le mendiant grelottait profondément. Le « service rendu en retour d'un repas » dure depuis deux mois. En toute honnêteté, son idée première d'aller sur les routes douze mois par année se heurte à la dent dure de l'hiver canadien. Cependant, il aime partir deux ou trois jours, puis revenir sans que son hôte ne sourcille.

L'artisan a désiré le payer, mais Gros-Nez a insisté pour qu'il n'en soit plus jamais question, bien qu'il accepte parfois quelques sous pour son tabac et une tasse de café dans le restaurant de la petite ville. L'épouse lui sert trois repas par jour et l'atelier le garde au chaud chaque nuit. Que demander de plus ? Les jeunes enfants du couple réclament des histoires, même si le vagabond a un peu de mal à raconter comme il faut, sans doute parce qu'il a trop vu de numéros de vaudeville quand il habitait au New Hampshire, au cours de certains étés de sa jeunesse.

« Ça, je trouve que c'est nettement exagéré ! Scandaleux !

— Je ne juge pas les clients, Gros-Nez. Je fais ce que cet homme demande et il va me payer en conséquence.

— Oui… heu… En effet, je viens de juger un peu aveuglément et j'ai honte…

— Cette voiture a plus de cinquante ans, construite pour durer une éternité. L'homme qui l'a créée était un artisan très consciencieux. Je sais de qui il s'agit. Avec des confrères, on en parle encore. Regarde la signature : « E.T. » C'était un petit bossu, maréchal aux Trois-Rivières.

— C'est vrai ? J'ai entendu parler de cet homme. Un de ses petits-fils est mon meilleur ami.

— Maréchal-ferrant aussi ?

— Non. Homme moderne, la tête dans les nuages, avec une délicieuse propension à se mettre les pieds dans les plats. Raconte ce que tu sais sur ce bossu et je te parlerai des frasques de Joseph.

— On va continuer à travailler, avant tout, et réserver les histoires pour la soirée. »

Gros-Nez sable, peint, prépare tout ce que l'artisan aura besoin pour effectuer une bonne réparation. Parfois, le vagabond livre la voiture réparée, rentre à pied et cogne aux portes de maisons inconnues. Il s'occupe aussi des courses de madame et garde l'atelier propre. Le jeune homme aime l'odeur de ce lieu, sa tranquillité, les gestes précieux du maître.

Comme celui-ci jouit d'une réputation très enviable, des gens viennent de loin pour commander une voiture qui sera cent fois supérieure à celles vendues par les manufactures de Montréal. Le client qui a soulevé l'ire de Gros-Nez a exigé, en plus de menues réparations, un accoudoir en or véritable. Vanité ! Argent qui ne servira pas à aider son prochain. Depuis 1890, le quêteux a mieux réalisé la richesse des pauvres et la pauvreté des riches.

« La richesse, c'est un repas sain, des sourires émergeant des rencontres, une bonne nuit de sommeil et la nature comme alliée.

— Et si on te donne de l'argent ?

— Ça se produit. Je crois que mon seul luxe sera d'acheter une bonne paire de chaussures par année. Mon tabac, une tasse de café de temps à autre. Joseph, mon ami des Trois-Rivières, a de beaux projets, mais comme il n'a aucun sens de l'économie, je lui envoie mon surplus d'argent pour lui donner un coup de main.

— Ce n'est pas le genre de vie que je ferais, mais je ne condamne pas. Moi, avec mon épouse, mes deux enfants et ce commerce, j'ai besoin d'argent. Pour maintenir ma réputation, je dois renouveler mon outillage, être au courant des produits récents pour assembler les meilleures voitures. Mon métier représente mon bien le plus précieux.

— Mais mettre de l'or sur un accoudoir !

— D'accord avec toi : c'est de la vanité, mais je te répète que les goûts de mes clients ne me regardent pas. Je sens que tu ne penses qu'à ça, que tu es en colère. Va donc prendre l'air, Gros-Nez, ça chassera les mauvais nuages. »

Le jeune quêteux est devenu un visage familier dans ce gros village devenu ville. Plusieurs personnes croient qu'il est journalier ou parent du maréchal-ferrant. Gros-Nez se demande si tenir un emploi ne l'éloigne pas trop de son idéal d'errance. Depuis qu'il a décidé que ce style de vie ferait de lui un meilleur homme, il craint souvent que des personnes le reconnaissent pour ses tâches de jadis. L'an dernier, envahi par cette crainte, il avait surtout séjourné en Ontario, dans les Maritimes et aux États-Unis, jusqu'à ce qu'il se dise que son vrai peuple, avec qui il voulait partager, était les Canadiens de la province de Québec. Rapidement, dès la dernière semaine de décembre, il a réalisé que marcher sur les routes au cours de l'hiver devenait un cauchemar, une lutte inégale de tous les instants. Il se dit chanceux d'avoir cogné à la bonne porte, l'éloignant des malheurs de la froidure.

Joli lieu! Du moins l'était-il sans doute avant que les poteaux électriques et de téléphone enlaidissent les rues principales. Gros-Nez reconnaît la disposition villageoise des maisons anciennes, souvent la même dans toutes les modestes agglomérations. L'église de pierres et son presbytère à la galerie infinie dominent le paysage, alors que les maisons des notables les voisinent. Suivent les commerces, les ateliers des artisans, le bureau de poste et, toujours un peu en retrait, la gare. Derrière cette grande artère : quelques petites rues permettant la circulation d'une seule voiture, des maisons à l'apparence différente, jetées çà et là, sans esthétique. Les familles s'y éclairent encore au fanal, ce qui donne à la ville un air étrange, mêlant tradition et modernité.

Depuis longtemps, la société apparaît à Gros-Nez comme étant tristement inéquitable. Quand il y pense trop, le jeune homme sent de la confusion l'inciter à dire des bêtises. Sa liberté toute fraîche lui permettra, croit-il, de faire la part des choses de façon plus sage et de se montrer conséquent dans ses réflexions. Depuis quelques semaines, il a le goût de partir, mais sa sensibilité lui souffle à l'oreille que ce serait injuste pour cet artisan si bon qui le traite avec respect.

Quand Gros-Nez retourne à l'atelier, le client riche est de passage pour vérifier les progrès des réparations de sa voiture luxueuse. L'homme ressemble à un ours, un énorme manteau de fourrure descendant jusqu'aux genoux. Le quêteux l'ignore et rejoint vite ses outils, à l'autre bout du local. Le richard, curieux, approche.

« J'aime les pauvres, car ils verront Dieu.

— Ce qui signifie que les riches n'auront pas cette chance?

— Ah! Ah! Vous êtes drôle, monsieur! Votre patron m'a dit que vous étiez mendiant et que vous travaillez ici quelques heures par semaine.

— Je ne suis pas mendiant, mais quêteux. Je n'ai pas de patron, mais un frère de l'humanité et, enfin, je ne travaille pas : je m'amuse.

— Je sens chez vous une nette méfiance à mon endroit. Ne suis-je pas aussi un de vos frères de l'humanité ?

— En quelque sorte.

— Vous faites ici du beau travail et tant mieux s'il vous amuse.

— Je vous remercie, monsieur.

— J'aime les pauvres. Je donne aux pauvres directement.

— Directement ?

— Je ne passe pas par un intermédiaire, qu'il soit religieux ou autre. Ainsi, je vais vous donner…

— Je n'ai besoin de rien. J'ai mangé, dormi au chaud. Je suis comblé, monsieur. »

Le maréchal-ferrant intervient, loquace, et Gros-Nez comprend aussitôt que sa propre attitude pourrait irriter cet homme et l'inciter à s'adresser à un autre artisan. Il semble cependant difficile de changer à la seconde près. Cela aurait l'air hypocrite.

Ce soir-là, le quêteux se couche troublé par cette scène de l'après-midi. « Je dépense mon temps comme je l'entends. Au fond, ce riche fait pareil, avec son argent. Je crois que j'agirais avec intelligence en allant m'excuser. » Le dimanche suivant, alors que Gros-Nez profite de ce congé pour visiter quelques gens du coin, il croise le riche, son épouse et leur fils, qui ressemble à une poupée. « Nous revenons de la messe », de faire l'homme. Le vagabond hoche la tête, approche avec prudence de la voiture.

« Le sermon aurait pu vous plaire. Il parlait de générosité.

— Chacun fait beaucoup de sermons, dans la vie.

— Vous retournez à la ville chez l'artisan ? Montez, je vais vous y conduire.

— Vous êtes fort aimable.

— Madame mon épouse, voici le vagabond dont je vous ai parlé et qui se fait connaître sous le sobriquet amusant de Gros-Nez. »

La femme ne semble guère intéressée à faire connaissance. L'enfant sort de son immobilisme pour faire bouger un chien de chiffon devant les yeux de l'étranger, lui répondant par une grimace hilarante, suivie des reproches de la mère.

« Vous voici à bon port.

— Je vous remercie. Je vous informe que le maréchal-ferrant aura terminé les réparations de votre voiture dès mardi.

— Mardi… Je serai à Montréal…

— Laissez-moi votre adresse et je ferai la livraison. Vous paierez dès votre retour. »

Quelle ironie ! Un quêteux conduisant la voiture la plus luxueuse que l'on puisse imaginer, maintenant décorée d'un accoudoir en or véritable. Le garçon d'écurie aide Gros-Nez à dételer le cheval, s'assure que la voiture est parfaite. « C'est madame qui désirait cette décoration. Je sais que monsieur n'y tenait pas du tout. » Le vagabond va cogner à la porte géante de la maison et dit à une domestique que la livraison a été effectuée. Elle promet de faire le message à sa maîtresse, mais celle-ci arrive, remercie et dépose un écu dans la main de l'homme.

« Cinquante sous de bonbons ? » de demander un marchand. Gros-Nez confirme d'un bref hochement de tête. Dix minutes plus tard, il lance des friandises à une bande d'enfants excités, comme s'il nourrissait des oiseaux dans un parc. Le jour suivant, tout de même un peu embarrassé, le mendiant annonce au maréchal-ferrant sa décision de reprendre la route, le remerciant mille fois pour ses largesses.

Gros-Nez part à huit heures, le lendemain matin, alors qu'une douce neige enjolive le paysage. Soixante minutes plus tard, le paysage implore pitié, alors que le vent décide de jouer un sale tour à tous les piétons de ce coin de pays, invitant le froid à se joindre à cette ronde. Rien en vue pour s'abriter ! « On ne fait pas un vrai quêteux dans de la dentelle », de se répéter l'homme, tout en boxant l'intérieur de ses mitaines.

Soudain : la chance! Il voit approcher une voiture, lui fait de grands signes, mais cesse aussitôt en reconnaissant le garçon d'écurie et l'homme riche. « Montez, Gros-Nez! C'est trop froid pour la marche. Je vais vous servir un thé chaud et vous repartirez quand cette fureur sera calmée. » Le quêteux n'a d'autre choix que d'accepter.

Madame ne semble guère heureuse de voir ce gaillard entrer dans la maison. Le mari lui reproche ouvertement son attitude. « Vous donnez aux pauvres en vous bouchant le nez et en ne les regardant pas, pour répondre aux ordres de votre curé. Moi, j'ouvre ma porte à cet homme qui marchait dans la tempête et qui, de plus, a travaillé gratuitement pour notre maréchal-ferrant. » Gros-Nez craint de devenir le prétexte à une dispute, dessine un pas vers la sortie, quand arrêté par un ordre formel : « Restez ici, vous! »

Le thé est servi par la domestique dans le bureau de l'homme, lieu tapissé de tant de livres que Gros-Nez, écarquillant les yeux en tous sens, se voit étourdi par le décor. Il est persuadé que son hôte n'a jamais lu tant d'ouvrages. Ils servent souvent de décoration prétentieuse dans les maisons bourgeoises.

« Vous savez lire ?

— J'ai fréquenté l'école. Je regarde parfois un journal laissé sur un banc, mais on ne parle guère de baseball, dans la presse canadienne.

— Vous êtes amusant, Gros-Nez. Je vous aime bien. Je sais que vous me détestez, mais je vous pardonne.

— Je vous signale que votre impression est fausse. Je ne déteste personne.

— Vous ne vous exprimez pas comme un vagabond.

— Existe-t-il un langage particulier pour ces gens? En avez-vous beaucoup rencontré ?

— Buvez votre thé, cela vous réchauffera. »

L'homme se met à parler de son métier : propriétaire de dix fabriques de meubles, réparties dans tous les coins de la province. « Vous êtes assis sur un de mes produits. » Il en vend en Ontario et dans les États de la Nouvelle-Angleterre. « Je rends les gens beaux et confortables. » Gros-Nez ne peut s'empêcher de rire suite à cette remarque. Suit l'autobiographie et le quêteux se sent heureux d'entendre la fable du petit gars parti dans la vie avec cinq sous pour, dix ans plus tard, collectionner les poches de billets. « Le travail, Gros-Nez ! Le travail ! Une vertu ! Je ne laisse aucun répit à ce combat qu'est la vie. » La domestique, poliment, intervient après avoir entendu la clochette. Son patron lui ordonne d'apporter les petits gâteaux.

« Et vous ? Vous n'avez pas toujours vécu ainsi.

— Non.

— Quel est votre nom ?

— Gros-Nez. L'autre désigne celui que je ne suis plus.

— Et qui était cet homme ?

— Un être humain prisonnier, encadré par les règles de la tristesse.

— Prisonnier ? Vous sortez de prison ?

— Symboliquement.

— Vous gardez vos secrets, n'est-ce pas ?

— Exact.

— Comme bon vous semble. Regardez ces boîtes, là-bas. Ce sont d'autres livres. Je n'ai plus de tablettes pour les classer. Il faudrait ajouter trois rangées au sommet des tablettes présentes. Habituellement, pour ces travaux, j'engage un homme de notre ville, mais si cette tâche vous intéresse, je vous donnerai trois dollars par jour.

— Un modeste coin de l'écurie et un repas par jour me suffiront.

— Allons! Allons! Tout travail mérite salaire!

— Dans ce cas, faites appel à un homme de la ville.

—Vous êtes vraiment drôle! Ça me plaît! »

L'homme désire que le quêteux couche dans la maison. Cette idée provoque une autre querelle entre l'époux et la femme. Gros-Nez sent qu'il vient de faire un faux pas en acceptant ce travail, ne sachant guère pourquoi il ne prend pas son sac pour foncer vers les modestes maisons des cultivateurs où tout le monde rira à s'en fendre l'âme en écoutant ses histoires.

Le vagabond se rend à l'écurie, qui pourrait tenir lieu de maison à plusieurs familles. D'ailleurs, l'employé y habite et dispose d'un poêle et d'un mobilier décent. Il raconte avoir gagné un salaire de crève-la-faim pour des semaines interminables dans une manufacture et que, maintenant, il touche le triple en se contentant de la routine peu exigeante de prendre soin des chevaux et des nombreuses voitures, tout en effectuant de menues réparations autour du manoir.

« L'été, j'ai même droit à un jardin pour moi seul.

— Neuf voitures... Ils ont neuf voitures... Pour deux personnes et un enfant!

— Une pour chaque saison, une réservée aux dimanches, une autre pour les longs voyages, une pour les déplacements de madame chez ses amies et la dernière, celle avec l'accoudoir en or, pour les grandes sorties importantes. Enfin, celle-ci me sert quand je vais faire les courses de la cuisinière et des domestiques, ou pour transporter quoi que ce soit pouvant salir les autres.

— Et dire qu'une seule...

— Ça ne me regarde pas, Gros-Nez. Dis? Tu sais jouer aux dames ? »

Dès le lendemain, le vagabond s'assure de la qualité du bois des tablettes de la bibliothèque, afin d'en commander du semblable. Il calcule le nombre de planches nécessaires et note leurs dimensions. Avec son nouvel ami, il se rend à la ville pour régler ces questions.

« Vous n'avez pas commencé ?

— Une chose à la fois, monsieur. Est-ce que je dois respecter un délai ?

— Non, mais…

— Le travail bien fait est avant tout un acte d'amour et non de performance temporelle.

— Avec un tel principe, je déclarerais rapidement faillite.

— Dans un tel cas, je vous enseignerais à monter dans un wagon de marchandises d'un train en marche et je vous baptiserais Grand-Manteau.

— Grand-Manteau ?

— Vous n'auriez qu'à en porter un, tout comme je porte mon nez.

— Bon ! Il faudra cependant commencer demain.

— Je vous le promets. »

La présence de Gros-Nez embête profondément l'épouse. Le mari a passé une heure à dresser la liste de ses défauts, ennuyant le mendiant, sachant qu'elle pourrait proposer un bilan voisin. Le richard a parlé de la cupidité de sa femme, de son hypocrisie, de sa religiosité excessive l'obligeant à faire la charité même si elle n'en a pas le goût. La présence de Gros-Nez dans la maison lui semble imposée par son mari, cherchant peut-être à lui donner une leçon en faisant appel à un véritable pauvre. Le vagabond se demande quelle histoire il pourrait tirer de cette aventure. « Rien. Ça ennuierait tout le monde, si je la racontais. »

Il se met à l'œuvre dès le lendemain, tenant sa promesse. L'épouse entre à ce moment-là. Dix minutes plus tard, Gros-Nez tente de fermer ses oreilles à une autre dispute. Elle prétend que l'étranger aurait eu avantage à scier dans l'écurie et non dans la bibliothèque. Elle a sans doute raison, mais le vagabond préfère ne pas intervenir. Scie! Cogne! Visse! Han! Han! Puis, le silence… Quand la domestique se présente avec son verre d'eau au centre d'un plateau doré, Gros-Nez, la tête près du plafond, a un livre ouvert entre les mains.

« Madame a cru que vous pourriez avoir soif.

— Cela arrive, dans la vie. Dites merci à votre maîtresse pour sa générosité. Vous lui direz aussi ce qu'elle brûle de savoir : j'étais en train de lire la page 312 d'un manuel sur l'Histoire de France.

— Je… Heu… Je dépose le plateau là. »

Gros-Nez ricane discrètement en la voyant s'éloigner. Les domestiques sont de drôles d'animaux qui ne voient rien, n'entendent pas plus, ne disent point un mot sans qu'on ne leur commande, tout en semblant être dépourvues d'émotions. La plupart d'entre elles sont des filles de cultivateurs, permettant aux employeurs de les payer affreusement mal. La richesse marche main dans la main avec la rapacité.

Le travail accompli au cours de la journée satisfait monsieur. Le repas, copieux, est apporté dans la grange par la bonne rougissante. « Je suis peut-être en train de manger ton père et je te demande de cesser de me regarder ainsi », de dire Gros-Nez à une vache aux yeux tristes, alors que le responsable du lieu étouffe un rire.

Congé le lendemain. Madame reçoit ses amies pour le thé et il ne saurait être question que le quêteux soit dans la maison au même moment, avec ses vieux vêtements, sa barbe inégale et ses coups de marteau. Gros-Nez profite de ce temps pour retourner dans la petite ville saluer son ami, le maréchal-ferrant.

« Je suis payé en repas et en gîte, comme convenu.

— Persuadé qu'il va te donner de l'argent. C'est le langage préféré des gens de cette classe.

— Je n'ai pas besoin de billets, sinon pour changer mes chaussures une fois par année, mais celles que j'ai sont encore étanches. Pour être sincère, j'ai accepté afin de voir les livres. Ils sont très beaux. Il y a des éditions anciennes de France et d'Angleterre. Je suis persuadé que peu de gens les ont lus, tant ils paraissent propres et neufs. Ces ouvrages sont comme des bibelots décoratifs, alors que tout ce qu'ils contiennent pourrait enrichir tant de gens.

— T'as qu'à lui demander de te payer en livres. Comment cela se fait-il qu'un quêteux connaisse tant les livres ?

— Cela fait partie de mon mystère. La vie est faite pour donner l'illusion de tout connaître. Alors, j'ai quelques notions diverses dans mon bagage, dont l'amour de la langue française, porté par des écrits imprimés dans des livres. »

Gros-Nez de retour à la grange, l'employé s'affaire à préparer la voiture d'une amie de madame. La femme observe, immobile comme une statue. « Je conduis moi-même. Nul besoin d'un cocher. Je suis demeurée une femme simple. » Elle toise le quêteux du regard, lui qui n'avait pourtant rien demandé. Soudain, elle bouge un peu la tête, embarrassée. L'homme devine que sa stature imposante et ses larges épaules font de l'effet à cette dame.

« Je m'appelle Gros-Nez et je suis quêteux. J'ai été engagé par le maître de la maison pour effectuer des réparations dans la bibliothèque.

— Un quêteux ? Comme dans les légendes ?

— Je ne sais pas si je suis légendaire, mais ma réalité se confond avec celle d'autres hommes ayant choisi de vivre sans chaînes.

— Fascinant ! Êtes-vous un pauvre ?

— Ma fortune se bâtit progressivement au contact de mes frères et de mes sœurs de l'humanité.

— Poète, en plus ! Venez me voir dans mon domaine et je vous recevrai avec joie, afin que vous me racontiez votre vie. Voici ma carte.

— Je vous remercie, mais je ne vous promets rien.

— En attendant, je vous donne vingt sous.

— Je n'en ai guère besoin, madame. Je mange très bien depuis que je suis au service de monsieur et je dors comme un roi dans cette écurie.

— Ici ? Vous dormez ici ?

— Un palace d'écurie, je vous l'assure. »

Gros-Nez remercie encore, regarde la carte bordée d'une dorure, un chérubin ailé dans le coin gauche et, au centre, le nom très long de la dame, ainsi que son titre : « Bourgeoise ». Au moins, celle-là ne s'en cache pas ! L'homme a souvent vu ce style de cartes, une façon, pour les riches, de se présenter sans avoir à parler.

Gros-Nez retourne au travail, soudain pressé de terminer, de repartir sur les routes et d'y rencontrer des ouvriers et des cultivateurs, des patriarches barbus et amusants, des vieilles vêtues de noir, au regard méfiant. L'ouvrage est interrompu par l'entrée de la domestique. Le vagabond a de plus en plus l'impression que cette petite l'espionne, sur ordre de sa patronne. Cogne et cogne ! Han ! Soudain, l'échelle tangue, se renverse, et voilà l'homme étendu sur le plancher, écarquillant les yeux en constatant que sa tête a passé à quelques pouces du coin de ce bureau massif. Le bruit a suffi pour attirer madame. Elle le regarde brièvement, ne demande aucune explication, sort aussitôt, toujours aussi stoïque. Gros-Nez suit, l'échelle sous le bras droit, se tenant le dos avec la main gauche.

« Voilà, monsieur.

— Vous avez mis beaucoup de temps, si je puis me permettre.

— Je me suis blessé, il y a deux jours. Votre épouse a dû vous le dire.

— Non.

— Heu… Passons… Passons… Par contre, votre patience est récompensée, car je crois avoir accompli du beau travail.

— En effet. Pouvez-vous placer les livres de ces caisses sur ces nouvelles tablettes?

— À votre convenance.

— Je vais vous aider. »

L'homme relève ses manches et tend les ouvrages à Gros-Nez, qui passe son temps à monter et à descendre le long de l'échelle. Une heure suffit pour compléter la tâche. Le richard sort tout de suite son gros porte-monnaie pour tendre des billets, que l'errant refuse, lui rappelant l'entente initiale.

« Soyez sérieux.

— Alors, donnez-moi un livre.

— Pourquoi?

— Pour le lire. Je traverse des moments de solitude pénible, parfois, et avec la lecture, un homme ne peut se sentir seul.

— Vous avez un choix particulier?

— Ce petit livre de légendes canadiennes. »

Alors que Gros-Nez sort, la maîtresse ose avancer, sans doute pour adresser encore des reproches à son époux. Le quêteux, malgré lui, a entendu un nombre incroyable d'insultes depuis tous ces jours. La femme tend cinquante sous à l'étranger.

« Je vous remercie, madame.

— Un écu! Moi, je lui ai offert le gîte, les repas, un travail et j'étais prêt à ajouter dix dollars!

— Je suis très content de cet écu, monsieur. Maintenant, je dois partir. Je vous souhaite tout le bonheur du monde. »

Gros-Nez soupire, pressé de quitter ce coin où il lui semble avoir trahi ses promesses à la liberté. Malgré le froid et l'heure tardive, le vagabond marche rapidement, siffle une mélodie joyeuse, salue fermement les quelques personnes croisées. Quand, plus tard, il ressent un peu de fatigue, il ralentit le pas et regarde les maisons paysannes, où il trouvera un coin de grange pour coucher.

« Madame, je m'appelle Gros-Nez. Je suis quêteux et…

— Un quêteux? Les quêteux, ça porte malheur! Déguerpissez!

— Je vous assure, madame, que je suis un honnête vagabond et…

— Les garçons! Votre mère est attaquée par un étranger! »

Le trio appelé à l'aide ferait reculer de peur une montagne. Gros-Nez n'a jamais vu une telle quantité de muscles. Le plus curieux est que le benjamin, après avoir administré un coup de poing extraordinaire dans le ventre du mendiant, se penche et lui donne cinq sous. « J'aime les quêteux. » Qu'est-ce qui serait arrivé s'il les avait détestés…

La proverbiale bonté campagnarde se manifeste, le temps de vingt minutes, par trente insultes, quinze menaces et un éclat de rire très blessant pour le moral. Heureusement, un village niche tout près, mais ses habitants ne se montrent pas plus généreux. Gros-Nez voit un hôtel, hésite à pousser la porte. Un costaud généreusement moustachu et au visage de pierre trône derrière le comptoir de réception. « Ça coûte plus cher qu'un écu pour une nuit, mais vous pouvez tout de même prendre la chambre douze. Voici la clef. Bonne nuit. »

Hôtel villageois de luxe. Gros-Nez sait trop bien que les riches de tous les coins de la province de Québec aiment cette région, en bordure du fleuve Saint-Laurent, pour prendre du bon air et s'asseoir sous des parasols, les pieds dans le sable d'une plage. Avec prudence et distinction, les plus aventuriers se déchaussent et vont se tremper les orteils dans le Majestueux. La chambre déborde de peintures et de statuettes. Le miroir, ovale, est orné de bas-reliefs dorés, représentant une armée d'angelots. Et le lit, donc! En y prenant place, l'homme craint d'être absorbé par le matelas. Le meuble le berce doucement, l'attire dans un sommeil paisible.

« Gardez votre argent, monsieur.

— J'insiste.

— Vous réclamez la charité, vous qui vous dites quêteux, et ne désirez pas la mienne?

— Dans ce cas, puis-je vous rendre service? Balayer? Réparer un objet brisé?

— Eh bien… Il a un peu neigé, cette nuit. Enlevez cette neige de la devanture, pendant que je vous prépare à déjeuner. »

Étrange sensation de se faire servir dans de la vaisselle fragile, alors que le vagabond n'a que cinquante sous dans ses goussets. Gros-Nez se croyait seul dans l'hôtel, jusqu'à ce que descendent un homme, son épouse et leur petit garçon, vêtus à la dernière mode européenne. Le voilà prêt à se retirer, quand l'homme lui fait signe de se joindre à eux.

Un quêteux? Dans cet établissement? Gros-Nez hausse les épaules, avant d'avouer que les responsables sont les hasards de la vie. Le mendiant ne sait pas pourquoi la femme trouve cette remarque amusante. Ils sont en visite dans la région pour soutenir une tante devenue veuve. Il travaille dans la fabrication de cigares pendant qu'elle lit et joue du piano.

« Voyager par le train? Cela m'étonne.

— Ma façon de me servir du train est un peu inhabituelle.

— Est-ce que vous voulez dire, par hasard, que vous vous accrochez aux wagons d'un convoi en marche?

— Précisément.

— J'ai déjà entendu parler de cette gymnastique fort périlleuse. C'est délicieusement irrespectueux pour les compagnies de chemin de fer. Formidable! Que serait la vie sans une gentille transgression? Racontez-moi votre méthode, Gros-Nez. Il faut admettre que vous êtes très costaud! »

Rencontre imprévue portant le quêteux à réfléchir, d'autant plus que cet homme n'a pas fait parade de ses richesses en lui donnant de l'argent. Gros-Nez apprécie l'échantillon de cigare laissé en guise d'adieu. Il se balade dans les rues du village, cette luxueuse gâterie entre les lèvres, comme un millionnaire en vacances. Soudain, il arrête et plonge la main dans son sac, à la recherche de la carte donnée par la bourgeoise dans l'écurie. « Hmmm… Je dois accepter son invitation pour gagner un peu de sagesse ! Allez, mon vieux ! Marche ! »

Après deux jours, le vagabond arrive devant une immense maison en pierres des champs, comme il s'en construisait beaucoup à la fin du siècle dernier. Quand il demande à voir la maîtresse, la domestique demeure de marbre. Il montre la carte, elle sourcille et va chercher sa patronne. « Morale : quand tu as une carte, tu deviens quelqu'un ! » La jeune bourgeoise reconnaît vite cet homme imposant rencontré chez son amie.

« Mademoiselle, servez un bon repas chaud à ce mendiant. Il le prendra dans la cuisine du personnel. Pour ma part, j'ai des amies qui…

— Je peux les distraire, madame. Vous savez, un quêteux connaît cent histoires légendaires fort plaisantes.

— Peut-être… Peut-être… En retour de quoi ?

— De votre sourire, ma bonne dame.

— Vous êtes charmant ! Allez d'abord manger et j'en parle à mes amies. »

Les femmes, de tous les modèles appréciés par cette classe, portent des bijoux et des robes de soie. Elles écoutent sagement le récit de l'étranger, gesticulent et marchent sans cesse, sursautent en prononçant les mots phares, puis chuchotent certains passages. Les unes ont le rire britannique : étouffé et discret. D'autres présentent le rire français : plus vif et sonore. Après le numéro, l'invité doit se prêter à une période de questions biographiques. « Je ne serais point un véritable quêteux si je vous révélais tout, mesdames. » Et l'amour ? Et les rencontres ? Gros-Nez devient un livre instructif, puis enchaîne avec une autre légende.

À la fin de la soirée, l'homme part avec un pain chaud, de la viande froide, des fruits frais. Il dispose maintenant de dix dollars. « Cela servira à Joseph. Il en a besoin pour ses grands projets. Moi, je suis amplement payé, sachant que les riches sont aussi mes frères et sœurs de l'humanité. Puis j'ai huit cartes ! »

CHAPITRE 1890 : PAUVRETÉ

Le jeune homme marche d'abord avec enthousiasme, la tête comme une girouette, sentant une liberté absolue et étourdissante. Trois heures plus tard, le pas a ralenti et il regarde essentiellement devant lui. Une certaine peur l'habite, une nervosité plus que palpable. Il n'a encore cogné à aucune porte, craignant un rejet ou de l'incrédulité. S'il se proclame maintenant quêteux, il n'en a pas l'apparence...

Triste, après cette première journée perdue, il trouve un boisé où s'installer confortablement pour la nuit. Il baigne dans un silence profond. Il pense alors à ce que racontaient les vieux Indiens : la nature pourvoit à tout. Au réveil, l'homme s'étonne d'avoir si bien dormi. Le paysage lui apparaît magnifique.

Il marche une heure et s'arrête devant une maison de ferme. Il frappe le creux de ses mains en se disant qu'il faut un jour franchir ce premier pas. La femme qui lui répond a un visage très froid, comme s'il avait été sculpté avec une extrême rigueur dans la pierre la plus solide.

« Je suis... Je suis... heu... Je suis...

— Est-ce que vous le savez, oui ou non ?

— Je suis un voyageur perdu et je voudrais savoir si le village le plus près est loin d'ici et s'il y a une gare.

— Pourtant pas difficile à dire ! Vous êtes sur la bonne route. Marchez encore deux milles. Vous arriverez à une intersection, où se trouve une grosse croix de chemin. Tournez à droite. Le village est à trois milles de là. Oui, il y a une gare.

— Je vous remercie, madame.

— J'aurais pensé que vous êtes un quêteux. On ne veut pas de ce genre de pouilleux, dans le coin.

— Un voyageur, madame. »

Gros-Nez demeure immobile à l'intersection, avant de tourner à gauche. Il marche dix minutes et voit un vieillard semblant éprouver des difficultés avec sa voiture. Le jeune homme lui donne un coup de main.

« Comment tu t'appelles, p'tit gars ?

— Gros-Nez, monsieur.

— Gros-Nez ? C'est un nom de quêteux, ça. Es-tu un quêteux ?

— Oui, monsieur.

— Ah ben ! Tu ne me dis pas ! J'aime les quêteux. Ça a toujours des histoires à raconter, des nouvelles à donner. Viens chez nous, Gros-Nez ! Ma bru va te donner à manger et tu me feras rire. »

Si le vieux se montre volubile, la femme garde ses distances. Les enfants avancent prudemment, un à la fois. Gros-Nez a toujours rêvé de séduire librement ces jeunes garçons et filles. Il connaît des légendes canadiennes et sait faire des grimaces aussi drôles que celles des comédiens du vaudeville américain.

Soudain, le père de famille entre, dévisage l'étranger, pendant que le vieux fait les présentations. Le paysan fronce davantage les sourcils en disant : « Il me semble que je te connais. » Gros-Nez assure que cela est impossible, mais se trahit un peu en décidant de partir tout de suite, ses pas ressemblant à ceux d'un fuyard. Une heure plus tard, il manque de souffle. « Je ferais mieux de me rendre en Ontario, dans les Maritimes ou aux États-Unis pour cette première année. Le temps qu'il faudra pour ressembler à un vrai quêteux. Oui, c'est ce que je vais faire! »

Après une nuit passée à grelotter, l'homme, tenaillé par la faim, hésite à cogner à la porte d'une autre ferme, d'autant plus que la première croisée a l'air misérable. Un Indien lui a déjà dit que pour combler un homme le ventre vide, il en fallait un aussi affamé. Les riches accumulent tout, alors que les pauvres dépensent sans compter, même la nourriture. Gros-Nez approche, mais ralentit en voyant deux enfants pieds nus. Le vagabond se retourne, mais s'immobilise en entendant le cri du paysan, approchant de lui.

« Manger? Des œufs, ça irait? Ça, on en a! C'est d'ailleurs tout ce qu'on possède.

—Vous devez avoir des poules pour vous vanter d'avoir tant d'œufs.

— Je ne peux pas manger mes pondeuses. Je n'aurais plus d'œufs. Va à la maison et dis à ma femme que c'est moi qui t'envoie. Elle va te préparer les œufs comme personne d'autre. Elle l'a fait toute sa vie.

— Comme je vous ai dit, je ne tends pas la main égoïstement et je suis prêt à vous rendre service en retour de ce repas.

— Si tu y tiens, tu reviendras me voir. Je prépare la terre pour les semences. Tu me donneras un coup de main.

— Qu'allez-vous semer?

— Des œufs.

— Sérieusement…

— J'ai dit ça parce que t'as l'air d'un gars de la ville. Ils ne connaissent pas la campagne, à Montréal. Va manger, va manger, quêteux. »

La mère de famille ne semble pas très heureuse de cette visite, mais obéit à son époux. Du bout du doigt et sans prononcer un seul mot, elle ordonne à son fils d'aller chercher des œufs dans le poulailler. La fillette profite de cette fuite de son frère pour étaler son courage en avançant vers l'étranger, lui montrer ses doigts et faire preuve de ses profondes connaissances : « Un, deux, trois, quatre, cinq. » L'étranger appuie sur son nez avec son pouce, provoquant ainsi la sortie de la langue qui, refoulée à l'intérieur de la bouche, fait rouler les yeux en tous sens. Ces gestes font fondre la glace du cœur de la paysanne.

« Vous n'avez pas de jardin, madame ?

— Les tomates ne poussent pas sur de la roche.

— Vous en vendez beaucoup, des œufs ?

— On les échange contre des tomates. Dans la région, monsieur, c'est aride. On se contente de vivre et de produire pour manger. Si ce n'était du salaire de mon mari comme bûcheron, au cours de l'hiver, on serait partis vers les manufactures des États-Unis depuis longtemps. Ils engagent, eux. Par contre, on n'aurait plus de liberté. Vous venez de loin ? Vous avez des nouvelles d'un autre canton ?

— Oui, j'en ai. Je dois d'abord aider votre époux. Je vous raconterai ça plus tard. »

Pour la première fois, Gros-Nez a l'impression de remplir le rôle traditionnel réservé aux mendiants : parler de ce qu'il y a ailleurs. La critique du paysan laisse croire à la présence d'aspects à améliorer : « Vous êtes un jeune quêteux. » La grange est désignée comme lieu pour dormir, mais l'intérieur paraît si infect que Gros-Nez préfère la belle étoile et le froid de la fin du printemps. Le lendemain, après un frugal déjeuner aux œufs, le vagabond s'éloigne en saluant la famille, mais rebrousse chemin dix minutes plus tard.

« Voici soixante sous. C'est tout ce que j'ai. Cet argent vous sera plus utile qu'à moi.

— Un quêteux qui donne ?

— Vous m'avez offert votre chaleur et des œufs. Nous sommes quittes. Acceptez, madame.

— Je ne dis pas non. Vous êtes un brave homme, Gros-Nez. »

Le quêteux s'éloigne sans regarder derrière. Il a l'idée d'agiter une main au-dessus de sa tête, question de signifier que son destin se situe devant, mais qu'il a apprécié les gens laissés dans son sillage. Deux heures plus tard, assis sur le bord de la route, l'homme se tord de douleur, son ventre protestant avec violence contre l'absorption de trop d'œufs.

Une semaine plus tard, il n'a pas récupéré sa fortune de soixante sous et a jeûné plus que si on lui avait ordonné de le faire. Il a rencontré beaucoup de personnes, certaines accueillantes et d'autres profondément antipathiques. En dernier lieu, il a croisé un homme semblant le reconnaître, malgré sa barbe inégale envahissant son visage. Ainsi, son idée de passer l'année ailleurs que dans la province du Québec a été fermement renforcée.

« C'est loin. Je ne vais quand même pas marcher cette distance. Et si je prenais le train ? Comme jadis, cet Indien connu ! Il empoignait un wagon tout en courant, se donnait un élan, grimpait, arrivait à ouvrir la porte et à se jeter à l'intérieur. À couper le souffle ! Je suis certain de pouvoir en faire autant. Il était aussi grand et fort que moi, cet homme. Puis, un quêteux dans un wagon de passagers, ce n'est pas logique. »

Le jeune homme trouve une voie de chemin de fer, s'amuse à courir adroitement sur les travers. Dix minutes plus tard, il se paie une chute spectaculaire lui faisant avaler les cailloux. En se relevant, il voit approcher le train. Grande occasion ! Gros-Nez court, tend les bras vers une tige métallique et… entend la locomotive freiner. Il ne sait pas trop pourquoi, mais il demeure là, alors que s'avancent, à pas hardis, deux contrôleurs. Cependant, ils ralentissent progressivement en voyant l'imposant physique de celui à qui ils désirent faire un mauvais parti.

« M'accrocher à un train en marche ? Détrompez-vous, messieurs ! Je suis encore jeune et je tiens à la vie !

— Alors, pourquoi est-ce que vous courriez en regardant le wagon ?

— Pour savoir si je peux courir à la même vitesse que le train.

— Circulez ! Ne faites plus jamais ça ! »

Qu'à cela ne tienne, ces rails sont une invitation à apprendre à courir comme il faut. Quand un second train passe, Gros-Nez préfère se cacher. Hop ! Une autre heure de course !

« Monsieur, je m'excuse de vous demander ça, mais qu'est-ce que vous faites là ? Voilà dix minutes que je vous observe.

— Je cours sur les travers sans me casser le menton.

— Pourquoi ?

— Je veux arriver à attraper le train au passage et à me hisser dans un wagon.

— Moins cher qu'un billet, n'est-ce pas ?

— Plus près de la mentalité d'un quêteux.

— Venez avec moi et je vais vous enseigner deux ou trois choses. »

L'homme, un costaud, a rempli sa grange de bric-à-brac, sans doute glané dans les déchets d'autrui. Au centre : un solide poteau de fer, cimenté à sa base et vissé au plafond. Soudain, l'inconnu se met à courir, s'accroche vivement au poteau. Gros-Nez lui demande la raison de ce sport. « Vous dites le bon mot, quêteux. Je fais toutes sortes de choses avec du fer et du métal. C'est pour garder mes muscles tendus. Ce que je viens de faire, c'est ce que vous désirez réussir, mais avec un wagon. Regardez bien encore. »

Quel curieux bonhomme ! Gros-Nez ne doute pas une seule seconde qu'il rencontrera des êtres étranges, hors de l'ordinaire, se riant des chemins battus. Cela n'empêche pas que ses conseils athlétiques semblent judicieux. Après trente minutes, le secret finit par surgir : homme fort, il donnait des démonstrations pour une compagnie foraine américaine. « J'ai eu le mal du pays et je suis revenu pour travailler comme bûcheron. J'ai acheté cette ferme en même temps que je me suis marié. Je ne suis pas cultivateur. Ça ne m'intéresse pas. Je suis bûcheron en hiver et journalier le reste de l'année. Draveur, de plus! Jamais eu peur de la dynamite et de danser sur les billots. Les compagnies forestières connaissent ma réputation et je ne manque jamais de travail, payé plus cher que les autres. »

Gros-Nez accepte l'invitation à souper. La maison familiale, minuscule, déborde aussi d'objets hétéroclites. La jeune épouse dispose d'un minimum pour préparer le repas. Sans doute que ce couple ne vit que du salaire de bûcheron. Après ce régal, les deux hommes se retrouvent le long de la voie ferrée. Quand le premier train vrombit, le vagabond est prié d'observer comme il faut son compagnon. Magnifique! Jeu d'enfant? Pas tout à fait, d'assurer l'hercule. « Fermeté! Les pieds, les mains, le regard, tout le corps : fermeté! Sinon, tu vas te casser les membres. Je répète aussi : une chose à la fois. Si tu poses tous les gestes en même temps, tu vas rouler sous le train et ce sera "adieu" pour Gros-Nez. Le prochain convoi passe dans une heure et demie. Je vais te regarder faire. On va en parler, en attendant. »

Il n'y a pas eu de temps pour les adieux, alors que Gros-Nez se retrouve à l'intérieur du wagon. « Palpitant! Pas si difficile! Il avait raison : fermeté! » Parmi les autres bons conseils : sauter avant un arrêt en gare, où les employés ont l'habitude d'inspecter les trains de marchandises pour s'assurer que rien n'est tombé ou brisé. « Sauter du train en marche? Il ne m'a pas parlé de ce coup-là, l'athlète! Réfléchissons, mon vieux. » Quarante minutes plus tard, il roule dans un ravin, après avoir trébuché quand ses pieds ont touché le sol avec violence. Dans la chute, son pot d'encre s'est écrasé contre lui, souillant les carottes données par l'épouse de l'ami.

Gros-Nez se lève, se tenant le bas du dos, marche péniblement, à la recherche d'une source d'eau pour nettoyer cette éponge d'encre qu'est devenu son sac de voyageur. Un autre drame le surprend : « De l'encre dans ma blague à tabac! Si je mets le feu là-dedans, la fumée va épeler des mots. » Il vaut mieux se tenir tranquille, pour que ses pieds se reposent au contact de l'eau froide de ce magnifique ruisseau. Soudain, il voit approcher un garçon d'une quinzaine d'années, avec une canne à pêche rudimentaire.

« Vous êtes à ma place, monsieur.

— Un bon coin pour la pêche. J'ai vu passer deux poissons. Sais-tu que j'ai déjà rencontré des Indiens qui pêchaient à la main, sans canne, sans appât?

— Vous êtes à ma place, monsieur.

— D'accord! Je te cède le lieu. Je m'appelle Gros-Nez et je suis quêteux. Et toi?

— Vous faites peur aux poissons avec votre voix. »

Sans doute que ce garçon préférerait que l'étranger déguerpisse, mais Gros-Nez demeure dans le coin, en retrait, silencieux, observateur. Quand le jeune homme sort sa pipe, le quêteux ne peut s'empêcher de lever le petit doigt et d'approcher.

« Bravo! Belle prise!

— Pas si fort, monsieur.

— Oh! C'est vrai… Les oreilles des poissons… »

La deuxième victoire au bout de l'hameçon, le pêcheur se lève, remballe son matériel, puis autorise Gros-Nez à parler. « C'est notre souper. Je demeure par là. Vous êtes vraiment quêteux? Ça pourrait amuser ma petite sœur. Venez avec moi. » Après dix minutes de marche, le vagabond voit une cabane en lisière de la forêt. « Une famille habite là-dedans? » se demande-t-il, stupéfait. Il y a un modeste jardin dans une cour grande comme le creux d'une main. La mère accueille les poissons avec ravissement, pendant que le garçon est parti chercher sa sœur, pour la présenter au mendiant. De sa vie, Gros-Nez n'a jamais vu de fillette aussi délicieusement sale. Le spectacle de ses grimaces, après l'étonnement initial, ravit le jeune public, riant de bon cœur, sous le regard amusé de la mère.

« Mon mari, journalier, est parti travailler. Tout est rationné jusqu'à son retour avec de l'argent. Je ne peux pas vous offrir à manger.

— Je ne demande rien, madame. Votre fils m'a donné du tabac et ça me suffit.

— Du tabac, on en a pour la peine. »

Gros-Nez comprend que la situation de cette famille doit embarrasser la femme. Il a vite noté qu'une seule pomme de terre était en train de bouillir, pour accompagner deux poissons partagés entre une adulte et deux enfants. Le quêteux se serait alors montré odieux de demander à manger, même si son ventre chantonne. Ne voulant pas passer pour une personne sans-cœur, la mère de famille tend une tasse remplie d'un thé très faible. Le vagabond se concentre pour trouver dans sa mémoire une belle histoire qui fera du bien à tous, sans oublier les nouvelles fantaisistes de la région voisine et de la ville.

Quand Gros-Nez part, le lendemain matin, le garçon prend la même direction, avec sa canne à pêche. « Merci pour vos histoires, monsieur le quêteux. Ça nous a fait du bien de les entendre. » Une remarque toute simple, mais qui porte l'apprenti mendiant à réfléchir sur la pertinence de laisser tomber son passé pour parcourir les routes, à la recherche de l'humanité des hommes, des femmes et des enfants de ce peuple.

Gros-Nez répète avec succès son expérience de saisir un wagon de train en marche, mais réalise rapidement sa bêtise d'avoir regardé approcher la locomotive. Il va de soi que quelques minutes après son triomphe, le convoi arrête et que des hommes partent à la recherche du passager illégal. Les insultes lancées par le costaud du trio font sourciller Gros-Nez, mais il aurait tort de se mettre en colère.

« Vous avez raison et je vous remercie.

— Tu ris de nous, bandit ?

— Je rirais de vous en disant que vous avez tort.

— Sacre ton camp et ne recommence plus. La prochaine fois, on te laisse à la prison de la ville.

— Bonne journée, messieurs. »

Voilà le vagabond prêt à recommencer immédiatement, en surgissant du boisé quand la locomotive le dépassera. En attendant, il décide de fumer une délicieuse pipée, mais demeure songeur en mettant le tabac du garçon dans la cuve. « Plus tard, le train. J'ai quelque chose de plus important à accomplir. »

Après une heure de marche, l'homme trouve un village où il y aura, certes, un peu de travail pour gagner quelques sous à donner à cette famille démunie. Cependant, les étrangers ne semblent pas les bienvenus dans cette localité. « Un quêteux ? Va ailleurs, paresseux ! » Il traverse la rue et décide de plutôt se présenter comme homme à tout faire. Accueilli peut-être un peu mieux, mais il demeure tout de même un étranger.

« Monsieur ! Monsieur ! Voulez-vous travailler ?

— Oui, madame.

— Enlevez la neige qui obstrue mon entrée. Il en est tombé toute la nuit. Je vous donnerai cinq sous.

— La neige ? Nous sommes au début de mai, madame. Il n'y a plus de neige.

— Vous ne la voyez pas, non ? Enlevez-là ! »

Gros-Nez écarquille les yeux, aperçoit un vieillard, sans doute le mari de cette femme. Il hausse les épaules, l'air de signifier de ne pas poser de questions.

« Cet homme ? Votre époux ? Ne peut-il pas enlever la neige ?

— Napoléon ? Un empereur ne peut s'abaisser à de telles tâches, monsieur. Je vous apporte la pelle.

— Ah! Oui… Bonaparte. J'aurais dû noter la main dans sa position classique. »

Gros-Nez force à enlever de la neige qui n'existe pas, amusant les passants, attroupés, murmurant quelques remarques sur la folle du village. Napoléon fume sa pipe, les mains dans les poches.

« C'est ma sœur. Pas mon épouse. Ne vous inquiétez pas. Elle vous donnera votre argent.

— Je n'en ai pas oublié, votre Excellence?

— Ça me semble bien dégagé, étranger. Elle vous le dira mieux que moi. »

La femme, maintenant devenue marquise, inspecte avec sévérité le travail accompli. D'un doigt autoritaire, elle pointe un coin. Le quêteux se perd en excuses et déblaie. Contente, elle donne cinq sous au vagabond. « Vous êtes un pauvre. Monseigneur et le cardinal, lors de mon dernier thé, m'ont conseillé d'aimer les pauvres. Restez pour partager notre repas. » Gros-Nez sourit, ne refuse surtout pas. « Mademoiselle! » crie-t-elle, dans le vide, se retournant immédiatement et, changeant le timbre de sa voix, fait : « Madame a sonné? » Un autre tour sur elle-même et : « Nous aurons ce soldat de notre garde personnelle du château pour le repas. Faites le nécessaire, mademoiselle. » Hop! « Bien, madame. »

« Passez à la bibliothèque, en attendant.

— Je vous remercie. Napoléon sera avec nous?

— Qui?

— L'empereur.

— Vous parlez de l'homme qui habite ici? C'est mon frère, monsieur. Vous êtes amusant. »

La conversation entre l'homme et le quêteux est sans cesse interrompue autant par la domestique que par la marquise. « Il y en a beaucoup moins folles qu'elle, mais mille fois moins drôles. Il y a deux jours, nous étions devenus une famille d'ours et elle cherchait son ourson dans le village. Elle l'a trouvé face au presbytère, ce qui l'a incitée à devenir la Sainte Vierge pour l'après-midi et la soirée. »

Gros-Nez passe deux journées dans cette maison et il a pu rencontrer, selon les heures, un philosophe de l'Antiquité grecque, la reine d'Espagne et une otarie. Il a aussi balayé le désert du Sahara (en dix minutes). Le quêteux a ainsi pu attirer l'attention des villageois et travailler un peu. Le voilà enrichi de deux dollars et vingt sous.

« Je dois m'en aller, madame. Je vous remercie pour votre générosité et vos excellents repas.

— Vous en aller ? Je vous comprends, car moi-même je dois partir.

— Où donc ?

— Découvrir l'Amérique. »

Gros-Nez s'éloigne en étouffant un rire. Pas possible ! Colomb était une femme ! « Elle a raison. Moi aussi, je veux découvrir l'Amérique. Je vais aller porter cet argent à la famille du petit pêcheur et après : les États-Unis ! Je rêve de revoir une rencontre de baseball jouée par des professionnels. » Le long de sa route, il rend quelques services à des fermiers, gagne des fruits, des bouts de pain, mais n'ajoute pas un sou à sa fortune.

« Ça mord ?

— Hein ? Oh ! C'est vous, monsieur le quêteux. Ça mord toujours, quand je suis à mon poste.

— Mais il ne faut point parler.

— Pas trop fort.

— Ton père est revenu, depuis mon départ ?

— Oui, mais reparti le lendemain. »

Gros-Nez a un doute sur l'existence de ce père. Rien dans la maison ne laissait deviner la présence d'un homme. Parti, peut-être, mais à jamais? Avec une autre femme? Le quêteux a souvent entendu parler de cas semblables. Cette mère et ses enfants ressemblent à des dépourvus de la plus basse espèce. Personne dans les alentours ne cherche à les aider?

« Vous pouvez venir à la maison, si vous désirez encore du tabac.

— Je peux l'acheter, tu sais.

— Vous avez apporté des histoires et moi, je vous donne du tabac. Ma petite sœur a beaucoup aimé ça et j'essaie de les répéter, sauf que j'en ai oublié des bouts et que je n'ai pas votre talent.

— Je pense que ça mord, p'tit gars.

— Alors, silence! »

Rien n'a changé. Gros-Nez observe l'intérieur de la maison, note l'absence de crucifix et de bague au doigt. Tout s'explique! Quiconque désirant vivre hors de la norme, dans la province de Québec, doit en payer le prix. Ces gens n'ont pourtant pas l'air si malheureux. Cette fois, la mère dépose un morceau de poisson dans une assiette tendue à l'étranger. La fillette, trop souriante, balance les pieds, impatiente d'entendre un conte.

« Vous mangez souvent du poisson, n'est-ce pas?

— Puis après? D'autres mangent des œufs chaque matin et des patates de jour en jour, de semaines en mois.

— Très juste.

— Mon fils est un bon pêcheur. Je ferais bien un jardin, mais je n'ai pas de graines. »

Gros-Nez hoche la tête, pensant sans cesse à cette remarque. Il part le lendemain, sans avoir donné l'argent à la femme. Soudain, il arrête, débordant de regrets, mais poursuit tout de même sa route. Quarante minutes plus tard, il atteint un petit village.

« De l'ouvrage? Non, je n'ai rien pour vous. Qui êtes-vous?

— Je suis Gros-Nez, un quêteux.

— Un quêteux? Oh… dans ce cas, il vaut mieux ne pas refuser. De l'ouvrage en retour d'un repas ou d'argent?

— Des graines de semence.

— Des…? Arrachez les mauvaises herbes le long de la clôture et je verrai ce que je peux faire.

— Merci, monsieur. »

« Vagabond »? Bien sûr. « Mendiant »? Non, Gros-Nez n'aime vraiment pas ce dernier mot, car il désire toujours travailler en retour d'un geste généreux. « Mendiant » est un mot inspirant la pitié, alors que « quêteux » porte une tradition canadienne-française débordante de tout un folklore étrange, comme celui de posséder le don de jeter des sorts. Nettement, ce paysan était prêt à chasser l'étranger, mais aussitôt le mot « quêteux » prononcé, il a éprouvé un mélange de crainte et de respect.

Gros-Nez dépose une poignée de graines dans le fond de son sac. Pendant deux jours, il virevolte à gauche et à droite, à la recherche de quelques sous et de semences. C'est au village voisin que le vagabond apprend ce dont il se doutait : la femme n'est pas mariée, ne fréquente pas l'église et, de plus, ses parents étaient des immigrants italiens. « Mes frères et sœurs de l'humanité aiment ajouter des frontières en plus de celles établies par les géographes. » Le voilà marchant d'un pas ferme vers la famille pauvre.

« Monsieur Gros-Nez… Comment puis-je accepter?

— En souriant, madame. À quoi sert la vie si on ne peut s'entraider?

— Il n'y a que les pauvres pour aider les pauvres.

— Votre gars est certes un bon pêcheur, mais je vous assure que le tabac qu'il cultive vaut le détour. Il devrait en faire le commerce. Soyez heureuse, madame.

— Vous partez? Restez pour partager notre repas!

— Ma route me mène toujours au fond de l'horizon. »

Dix milles plus loin, le ventre de Gros-Nez réclame à grands grincements de tuyaux qu'on le remplisse de viande et de légumes. Voilà, certes, l'aspect le plus présent dans cette nouvelle vie. « Je vais m'y habituer », de chanter la raison. « J'ai faim! » de hurler le cœur. Le quêteux bifurque vers la première maison de ferme croisée. La ménagère lui fait savoir que les étrangers qui aident celles qui ne vont pas à la messe et qui élèvent deux bâtards ne sont pas les bienvenus. Les nouvelles voyagent plus rapidement que le vent...

« Qu'est-ce que vous faites là, monsieur Gros-Nez? On vous croyait parti.

— Je m'ennuyais de ce ruisseau. T'as vu? J'ai capturé un poisson, sans canne, sans appât. Avec mes mains, comme les Indiens. Je me suis régalé.

— Nous aussi. C'est drôle, quand on y pense : les pauvres sont comme des animaux, car chaque jour, il faut avant tout se battre pour manger. Les riches ne font pas ça. Ils sont gras, mais se sentent-ils heureux? Ont-ils un beau ruisseau, une petite sœur qui rit, une mère qui chante?

— Philosophe, jeune ami.

— Qu'est-ce que ça veut dire?

— Que tu penses de belle façon.

— Quand il n'y a rien d'autre à faire. Prenez-en un autre les mains nues. Je voudrais voir ça. »

Le soir venu, Gros-Nez bondit d'un boisé, court sur les rails, les mains tendues, s'accroche à une tige métallique, se hisse, ouvre la porte du wagon d'un coup de pied et s'y glisse. À bout de souffle, il s'applaudit, avant de crier : « Facile ! Ça ne m'a même pas fait mal ! Une chose à la fois et, surtout : de la fermeté ! » Le défi n'étant pas encore une habitude, il parcourt l'intérieur du wagon. Quinze minutes plus tard, le train arrête et le passager clandestin ne sait où se cacher. Insultes, réprimandes et menaces ! Le vagabond écoute à peine, pense qu'il rend cet homme heureux en lui permettant de lancer tant de mots dodus.

La nuit règne depuis peu quand Gros-Nez commence à s'assoupir, près d'un arbre. Mais, sortant de nulle part, un homme, un fanal dans la main droite et un fusil dans la gauche, le chasse de sa propriété. Le fautif hésite entre marcher et attraper un autre train. Il poursuit sa nuit de sommeil sur le bord de la route, réveillé par un soleil généreux. Peu après, un vieux lui fait signe de monter dans sa voiture. « Je m'en vais chez mon frère, à Montréal, pour chercher un meuble. Grimpez, étranger, ça me fera de la compagnie. »

Le meuble, descendu d'un troisième étage, Gros-Nez récolte dix sous, lui permettant une collation. Assis sur un banc, le long de la rue commerciale, il fume en réfléchissant à sa prochaine destination. L'Ontario, les Maritimes ou les États-Unis ? « Pourquoi pas les trois ? Je suis libre, maintenant. Être libre, c'est posséder le temps. Une richesse ! Pour l'instant, me voici dans la grande ville. Je pourrai trouver un peu d'ouvrage et gagner quelques dollars qui me seront utiles pour un si long voyage. »

Se sentant de plus en plus quêteux, le jeune homme se rend compte que les passants le dévisagent ou, au contraire, écarquillent les yeux d'un regard de dédain. Ces six jours passés sans se raser produisent de l'effet, tout comme ses vêtements sales, froissés. Soudain, il aperçoit un petit garçon tendant la main.

« C'est pour aider mes parents, monsieur.

— Pauvre enfant! Je n'ai rien à te donner et… j'y pense! Du bon tabac! Ton père n'aura pas à en acheter.

— D'accord, monsieur. Merci, monsieur. »

Nul ne sait d'où surgit un policier agressif, suivant à la lettre les consignes de ses supérieurs à propos de la mendicité sur la voie publique. Le petit a eu le temps de filer, alors que Gros-Nez fouillait dans son sac à la recherche du tabac. Le sac tombe et la main du quêteux est écrasée par la chaussure du policier qui, sans crier gare, lui assène un coup de bâton derrière la nuque. Une bosse énorme sur la tête, le pauvre se retrouve derrière les barreaux. « Les procès, c'est pour les riches. » Il y a là un ivrogne, un paresseux professionnel, un immigrant ne comprenant ni le français ni l'anglais, ainsi qu'un autre mendiant. Le vagabond regarde ce tableau désolant, avant de s'exclamer, large sourire aux lèvres : « Salut, les gars! Je m'appelle Gros-Nez et je connais des histoires très amusantes! Voulez-vous les entendre? » Les hommes se regardent, étonnés, avant de sourire à leur tour. Le plus grand tend la main : « Bienvenue, mon jeune! On veut, certes, entendre tes histoires! »

CHAPITRE 1915 : DERNIER TRAIN

※ ※

La cinquantaine, tant crainte, est arrivée depuis peu, mais son effet a été de courte durée, car Gros-Nez sait que, physiquement, il a dépassé cette étape depuis longtemps. Au premier coup d'œil, un inconnu lui attribuerait dix ou douze années de plus. Jeune, l'homme croyait que le corps, particulièrement un corps aussi athlétique que le sien, résistait à tout : au pain dur, aux fruits pas très frais, aux légumes meurtris, aux boîtes de conserves vieillottes, sans oublier aux nuits à dormir dans le froid, aux journées à marcher sous la pluie et dans la gadoue. Gros-Nez arrivait à tout affronter, à se dire invincible. Le temps en a décidé autrement.

Bien sûr, depuis 1908, il quête moins souvent que jadis. Seulement ce qu'il lui faut pour se rassasier d'humanité. Il n'a pas souvent dépassé le couloir d'ouest en est, entre l'Ontario et la ville de Québec. Il s'est peu enfoncé vers le nord et s'est contenté des Cantons de l'Est pour le sud. Avant 1908, il se rendait n'importe où, même dans des zones peu habitées.

« Il faudrait que je retourne aux États-Unis, pour voir une vraie partie de baseball jouée par des professionnels. » Silence de Joseph, avant que l'ami ne lui fasse remarquer qu'il y a maintenant des équipes partout dans la province et même aux Trois-Rivières. « Ce ne sont pas des professionnels. Il faut les voir pour le croire, Ti-Jos! Habiles comme des magiciens! Puis l'ambiance d'un beau stade! Les sons, les couleurs, les odeurs! Unique! » Joseph sourit brièvement et son silence signifie : « Fais-le. Qu'est-ce qui t'en empêche? » Le quêteux répond que la saison 1915 n'est pas encore en branle et qu'il garde le projet pour plus tard.

Chaude température! Oh, il y a une légère brise, mais elle devient caressante pour tous ces braves gens de Boston et des environs, heureux d'applaudir leurs Red Sox dans ce magnifique stade moderne, qui n'a pas encore fêté son cinquième anniversaire. Gros-Nez n'a jamais rien vu de plus beau, même si la clôture, au fond du champ gauche, semble bizarrement trop élevée. Qu'importe! Il y a la foule, l'ambiance, la musique d'une fanfare, la voix puissante d'un distingué présentateur, se servant d'un énorme cornet.

Pour cette grande occasion, Gros-Nez est passé chez le barbier, a acheté un pantalon neuf et une chemise impeccable. Seules les chaussures le trahissent un peu, mais il faut avoir du temps à perdre pour regarder les pieds d'autrui. L'homme garde dans sa main cette vieille balle qu'il avait captée lors d'une occasion similaire, il y a si longtemps. Elle l'a accompagné pendant toutes ces années de vagabondage, lui faisant oublier les malheurs et les désagréments, lui donnant du courage. Peut-être qu'avec beaucoup de chance, un joueur des Red Sox ou du Philadelphie frappera une balle dans sa direction. Il se redressera pour l'attraper adroitement, d'une seule main, et tous les spectateurs voisins l'applaudiront en pensant qu'il est talentueux, ce vieillard. « Je vais le faire, Joseph! J'irai en mai. J'y étais déjà un peu, le temps de réfléchir. » L'ami approuve, alors que le quêteux se lève, frappe dans ses mains, avant de traverser vers la gare, pour marcher en équilibre sur les rails, en chantant.

Lors des départs, les monstres de fer roulent lentement et Gros-Nez peut saisir très facilement un wagon. Depuis quelques années, habitués à sa présence, les employés de la gare le laissaient faire et, à l'occasion, l'applaudissaient ou lui envoyaient la main après son exploit. Souvent, le quêteux a rendu des services à ces hommes. Joseph est au courant du secret de son ami : il arrive très mal à le faire lorsque le train gronde à pleine vapeur, tout comme il est devenu craintif quand le moment de sauter approche. C'étaient des jeux d'un homme costaud dans la vingtaine et la trentaine, alors que maintenant… L'an dernier, Gros-Nez s'était gravement foulé une cheville, en sautant, et était demeuré des heures couché au sol, dans la poussière, incapable de se relever.

« Gros-Nez, le quêteux ! D'où arrives-tu ?

— Des Trois-Rivières.

— Bien sûr ! Quelle question idiote de ma part ! Ce n'est pas trop loin.

— Un aimable commis voyageur m'a fait monter dans son automobile. Je viens dans le coin, car je sais que je peux compter sur de fidèles amis et qu'il y a souvent du travail, le printemps.

— Comme tu vois, il y a encore des tas de neige durcie. Si tu veux m'aider à enlever tout ça, mon épouse sera heureuse de te servir un bon repas. Va chercher une pelle. Tu sais où je les entrepose.

— Parfait ! Je n'ai pas mangé depuis hier et…

— Hé, le quêteux ! Tout le monde sait que ton ami Joseph tient un restaurant, alors ne viens pas me faire pleurer avec tes mélodrames.

— Je suis parti depuis deux jours.

— Deux jours ? T'as pas pris le train ?

— Puisque je suis venu en automobile. J'ai marché presque tout le mardi. J'ai rencontré un soldat. Le soldat de l'éternité ! Tu sais, il a participé à toutes les guerres depuis les jours de l'Empire romain et…

— Garde tes histoires pour ce soir et cours chercher la pelle. »

Pendant qu'il travaille, Gros-Nez se demande ce qu'il pourra raconter à cette famille. Jeune quêteux, il récitait des fables connues et des contes puisés dans des livres français, avant d'inventer ses propres histoires, basées sur des rencontres ou des situations vécues. Il est venu un temps où l'homme était comme un comédien de vaudeville, connaissant tant de récits qu'il décidait quoi raconter au moment d'entrer en scène. Cependant, depuis deux années, le vagabond se sent épuisé et il lui arrive de se montrer peu convainquant, alors que jadis, les enfants grandissaient avec ses histoires et s'en souvenaient, devenus adultes.

Pourtant, s'il répertoriait ses récits, Gros-Nez pourrait faire publier douze livres ! Très souvent, l'idée d'écrire ces contes lui est venue, mais il n'a jamais montré le courage de se mettre à la tâche. « Je suis de la tradition orale, tel un vrai quêteux. Les Indiens peuvent raconter une histoire pendant une centaine d'années, sans jamais avoir écrit une seule ligne. Ils ont un immense respect de la tradition du peuple dont ils font partie. Cent fois supérieurs à tous les Blancs », avait-il un jour expliqué au fils de Joseph, grand admirateur de ses récits.

Ce garçon, déjà marié à dix-huit ans, était aussi instable que son père. Depuis sa jeunesse, influencé par Gros-Nez, il écrit de courtes histoires, tout comme il a rédigé un roman. Le vagabond juge adroites ces créations. Le jeune homme a toujours trouvé que son univers trifluvien était très petit, un écho évident des récits des quatre coins de la province du vagabond. Le garçon rêve de devenir journaliste et a même travaillé pour un quotidien, dans des tâches subalternes, mal payées.

Répondant à des réalités logiques, le jeune homme a posé, l'an dernier, un geste conséquent en s'engageant comme volontaire dans l'armée canadienne. Joseph était alors furieux, mais avait changé d'idée suite à une conversation sérieuse avec Gros-Nez. Celui-ci n'a jamais dit au jeune de partir à la guerre, mais lui a simplement recommandé de regarder comme il faut ce qui habitait son cœur.

Cette guerre ne durera pas longtemps, chacun le sait. Le garçon vivra une grande expérience humaine et assouvira ainsi son goût de voir ce qui se passe ailleurs. Le quêteux lui a fait parvenir une photographie de lui-même, entouré de la jeune épouse et de la petite sœur de la famille. Gros-Nez pense souvent très fort à lui, en se concentrant, comme s'il cherchait à communiquer. Le vagabond regarde parfois les nouvelles de la guerre dans les journaux. Propagande, bien sûr! Les lettres arrivant d'Europe, pour leur part, suivent le chemin incontournable de la censure. Les formules creuses utilisées sont les seules permises, mais suffisent à effacer l'inquiétude de ceux et celles laissés dans la province de Québec. Gros-Nez sait surtout que le fils de Joseph est un débrouillard, un garçon très intelligent et que son physique frêle ne fait pas de lui un candidat idéal pour se rendre au front, l'arme à la main.

« Un soldat vieux de deux mille ans! Pouvez-vous imaginer? Mais avec le visage aussi gamin qu'un gars de vingt ans. Je l'ai rencontré dans le coin de Québec, au moment où nos Canadiens s'embarquaient pour se rendre combattre les Allemands. Puis… » Gros-Nez toussote, garde silence, les yeux vides, alors que le paysan, son épouse et leurs cinq enfants attendent la suite de cette mystérieuse histoire. Le quêteux a vu ce tableau mille fois. Jadis, cette attention le stimulait, mais en cet instant, il ne sait plus quoi dire.

« Tu ne te sens pas bien, Gros-Nez?

— Honnêtement, non. Fatigué… Vous m'excuserez, mes bons amis.

— Ça se comprend, à ton âge! T'es quand même le bienvenu chez moi. Tu nous as tant fait rire depuis longtemps. Ma femme va te préparer un bon bouillon de poule et ça va te remettre en forme. »

La maison étant trop petite, Gros-Nez n'a pas droit à une chambre pour la nuit, mais, comme si souvent, à un coin agréable dans la grange, près de la réconfortante chaleur animale. Ces bêtes ne peuvent rien contre la nature qui délivre une légère tempête de neige tardive, pour punir les hommes d'avoir déjà rangé les bottes, les manteaux, les tuques et les foulards. Sentant le vent, le vagabond sort de son sommeil, pousse la porte et dessine un « O » avec sa bouche en voyant ce spectacle magnifique, qui semble éclairer la noirceur opaque de la campagne. À cinq heures du matin, le paysan entre dans la grange, une courtepointe entre les mains, qu'il dépose sur les épaules du mendiant, en soupirant : « Pauvre vieux… Il va prendre froid… »

Remarque sincère, mais sans doute blessante pour Gros-Nez, qui dormait d'un seul œil. « Tout à coup qu'il a raison ? » Parfois, l'homme se dit qu'il n'aurait jamais dû apparaître dans le décor ravagé de la ville de Trois-Rivières, incendiée, et ainsi tomber sous le charme de la famille de Joseph. À partir de cet instant, toutes ses errances se terminaient par un point de retour. D'autre part, il ne peut imaginer plus belle amitié pour cet homme qui ne l'a jamais jugé, ni conseillé. « Je suis devenu une moitié de quêteux, à ce moment-là. »

Gros-Nez se lève, prend la pelle, décidé à prouver au paysan qu'il a encore beaucoup de vigueur. L'homme cogne à la fenêtre, lui fait des signes, avant de sortir sur le perron pour lui demander de ne pas se fatiguer, car cette neige sera fondue dès demain. L'invité quitte en même temps que les jeunes enfants, qui en ont long à raconter sur leur maîtresse d'école. Selon la fillette, la femme est très sévère, alors que le garçon la qualifie de « strictement méchante ». Ceux détenant un pouvoir sont toujours « très » et « trop », mais plus rarement « strictement ». Gros-Nez ne peut s'empêcher de vérifier par lui-même. Il salue la maîtresse, lui demande si elle a besoin de quoi que ce soit. Enlever la neige pour que les enfants ne mouillent pas leurs vêtements pendant la récréation ? Facile ! Le salaire ? « Un sourire. » Le tour est joué ! « Au salaire que les commissaires d'école me paient, c'est vraiment tout ce que je peux vous offrir, monsieur. »

Malgré les humeurs difficiles des derniers jours, le vagabond se sent plein d'énergie et d'optimisme. Au moment où il termine sa tâche, le chant des enfants récitant l'alphabet lui parvient, le ravissant au plus profond de son cœur. Discrètement, il est entré pour replacer la pelle. Les gamins se sont tous levés pour claironner : « Bonne journée, monsieur ! » Pourquoi ne pas arrêter dans quelques maisons du coin ? Il connaît ces bonnes gens. Il croisera inévitablement un gaillard à la barbe rude pour lui dire qu'il se souvient de l'histoire entendue, alors qu'il n'avait que cinq ans. Dès ce soir, Gros-Nez se le jure, il racontera une fable, avec gestes et mimiques. Chacun dira que le quêteux des Trois-Rivières n'a pas de concurrent pour égayer les Canadiens de tout âge.

« Mon père ? Il est décédé en octobre dernier.

— Mort ? Il n'avait pas quarante-cinq ans !

— Je sais, quêteux. Une semaine avant, il se portait bien, puis, sept jours après : disparu. Il a eu des palpitations de cœur, qu'a dit monsieur le docteur.

— Je suis désolé. Je l'aimais bien, votre papa. Il s'est toujours montré aimable et généreux à mon endroit.

— C'était un bon homme. Il est enterré au cimetière du village, si vous voulez vous recueillir.

— Je penserai fort à lui. C'est aussi une forme sincère de recueillement.

— Si vous voulez travailler un peu pour un dîner, j'ai des piquets de clôture à préparer. On fera ça ensemble.

— Avec joie. »

Gros-Nez besogne le cœur un peu lourd. Que penser, alors que les jeunes d'autrefois disparaissent avant d'atteindre la cinquantaine ? « Je suis vieux », marmonne-t-il, un marteau dans une main. Il échappe son outil en imaginant qu'il ne pourrait plus frapper une balle de baseball comme au cours de sa vingtaine. Il pense à ce qu'un joueur doit faire quand le moment d'accrocher ses crampons est arrivé : il devient gérant, arbitre, il enseigne les trucs du métier aux jeunes, mais il demeure toujours un joueur de baseball.

« Vous avez des nouvelles de la guerre, quêteux ?

— À vrai dire, celles qu'on nous communique.

— Ce sont des mensonges, je le sais. Je demandais ça au cas, hein… Vous avez sans doute croisé des soldats.

— J'ai croisé tout le monde, entre autres un soldat qui… qui…

— Qui ?

— Qui avait… les pieds plats ! Alors, on l'a refusé. Mais lui, il désirait tellement devenir soldat que… que…

— Vous n'avez pas l'air certain de votre histoire, Gros-Nez.

— Je me sens un peu las.

— Reposez-vous et gardez votre histoire pour ce soir. Ma femme et les enfants vont être contents de l'entendre. »

Une semaine plus tard, Gros-Nez est de retour aux Trois-Rivières. Joseph lui tend tout de suite une lettre de son fils, rédigée des mois plus tôt, alors que le jeune soldat était toujours en Angleterre. Les journaux locaux ont informé qu'il y a eu depuis beaucoup de traversées et que le bataillon du petit en a fait partie. Les mots de la lettre se veulent rassurants. Une note, à la fin, semble plus humaine : une tirade sur la température épouvantable qui a régné pendant des semaines dans la région du campement britannique. Le quêteux rit de cette remarque, car il se présente à Joseph avec un rhume colossal. « Il a fait aussi mauvais qu'en Angleterre et tu vois le résultat. Je vais me reposer un peu, mon Jos. Je vais aller dans l'écurie pour m'y coucher et rêver de l'été », assure-t-il, en faisant miroiter ses yeux au cœur de sa vieille balle.

Le quêteux ne sait trop pourquoi l'histoire ratée du soldat éternel surgit de son imagination, avec une bonne conclusion, mais qui arrive avec des jours de retard. Jadis, il répétait ses numéros aux arbres, aux oiseaux et aux animaux des granges. Gros-Nez sursaute, se presse de demander du papier et une plume à Joseph, afin d'écrire tous ces mots. « Devenir méticuleux n'est pas une trahison à la liberté. Je dois m'adapter à mon âge, à ma situation. Il y aura eu trois Gros-Nez différents : avant l'incendie des Trois-Rivières, celui qui a vécu avec ce port entre 1908 et aujourd'hui, puis celui qui va naître. Folklorique, je serai ! Oui ! Je me l'ai fait tellement dire, ces dernières années : Un quêteux, ça existe encore ? Comme autrefois ? Alors, je serai folklorique. »

Gros-Nez se rend chez l'épouse enceinte du fils pour l'amuser en lui racontant l'histoire maintenant complète du soldat éternel. Peut-être que cela l'encouragera, bien que la jeune femme se débrouille très bien, touchant la plus grande partie du salaire de son mari et ayant mis deux chambres à la disposition des ouvrières du textile.

Deux jours plus tard, pas tout à fait rétabli de son rhume, le quêteux repart sur la route en fin de soirée. Il couche contre une grange de la banlieue et, à son lever, se dirige vers la voie du chemin de fer. Le train approche, grondant. Le vagabond court de toutes ses forces, les bras tendus, puis il arrête, hors d'haleine, le cœur battant. « Ils ont fini par avoir ma peau. Mais je vais en capturer un autre, un seul ! Il le faut ! Bon… Me voilà obligé de marcher, maintenant. » Il prend dix minutes avant de dessiner le premier pas et même sa balle ne lui donne pas ce soupçon de courage.

« Un quêteux ? Vous êtes un vrai quêteux ?

— Oui, monsieur.

— Comme dans l'ancien temps ?

— Tout à fait, monsieur. Je suis l'ancien temps.

— Que voulez-vous quêter à un automobiliste ?

— Dix milles de moins à marcher.

— Où allez-vous ?

— Dans le fond de l'horizon.

— Montez ! Vous êtes très drôle ! Ça va me désennuyer ! »

Ce jeune urbain « brasse des affaires », mais Gros-Nez n'arrive pas à comprendre la nature de son entreprise. La voiture est du dernier modèle et son propriétaire parle sans cesse de courses d'automobiles qui font la joie des Européens. Le mendiant le juge vain. Cela a peu d'importance, car des gens vains, il en a rencontré par bataillons depuis 1890. Le jeune homme se sent très heureux d'apprendre que le fond de l'horizon porte un nom : Louiseville.

L'arrière-pays de ce gros village fourmille de belles terres agricoles où sa réputation n'est plus à faire. Il pourra raconter son histoire du soldat, travailler un peu, rire beaucoup, manger comme un goinfre, inonder les enfants de grimaces et se faire courtiser par cette veuve joyeuse qui Aime les hommes avec un immense « A » majuscule.

« Morte… Pauvre dame…

— J'ai acheté sa maison pour pas trop cher. Elle l'avait laissée en héritage à une nièce qui habite à Montréal. Vous savez ce qu'on a trouvé dans les coins les plus cachés? Des caisses entières d'illustrations d'hommes. Elle découpait ça dans les revues, les journaux. C'était soigneusement placé et chaque homme portait un numéro, qui nous renvoyait vers un cahier, où elle leur avait donné un prénom et des qualités, sans oublier quelques notes de bas de page sur l'ardeur romantique.

— L'ardeur romantique?

— En d'autres mots, leur…

— J'ai compris. Quand je venais, elle me désignait la chaise favorite de son défunt. Elle me tendait des pantoufles et s'empressait d'allumer ma pipe. Elle gardait aussi des cigares en réserve.

— C'était une brave femme, mais pleine de ces secrets, hein… Entrez, quêteux. Vous n'aurez pas de pantoufles, mais je peux vous servir une tasse de thé et vous donner des biscuits. Nous prendrons ça dans la balançoire et vous me parlerez de la guerre ou de tout ce que vous voudrez.

— Pourquoi avoir acheté cette maison? Votre terre est très productrice.

— L'âge de la retraite! Ici, au village, je suis plus près de tout. Pour les grosses commissions, mon garçon a une automobile et on se rend aux Trois-Rivières ou à Louiseville, une fois par semaine.

— La retraite? Déjà?

— J'ai soixante-sept ans. Entrez, quêteux. »

L'histoire du soldat éternel fait rire le vieux. Ce n'est pas l'effet désiré, mais Gros-Nez se sent heureux de cette réaction. Le vagabond se souvient que cet homme s'est toujours montré réceptif à ses récits. La première fois, il écoutait attentivement, un pain dans la main droite et à chaque passage qui l'amusait, il en lançait un bout à Gros-Nez, comme s'il nourrissait un moineau.

« On se raconte toutes sortes de choses pour nous garder vivants. Ce que les hommes disent à leurs semblables vaut davantage que ce qui est écrit dans les livres. Le pauvre monde qui travaille fort n'a pas de temps ni d'argent pour des livres. Puis ce qui est écrit là-dedans vient d'un étranger qui veut imposer ses idées. Vous, ce n'est pas la même chose. Vous êtes vivant et je sais très bien que vos récits proviennent d'hommes semblables à moi. Gros-Nez, j'en ai vu passer d'autres mendiants, mais vous, vous n'êtes pas comme les autres. Vous êtes un livre vivant! Quand vous allez mourir, vos histoires vont survivre, parce que je les aurai racontées, à ma manière, à mes enfants, à mes petits-enfants. En un sens, vous ne mourrez que cent ans après votre décès, quand les pages de la mémoire seront jaunies, usées. Dans l'avenir, des hommes et des femmes que je n'aurai jamais connus, mais qui seront tout de même de mon sang, vont parler d'un homme immense, mal rasé, vêtu comme un gueux, qui cognait aux portes, demandait du travail en retour d'un repas ou d'un coin de grange. Et cet homme-là racontait les histoires qui les feront encore rêver ou frémir.

— C'est touchant ce que vous me dites-là. Je suis ému…

— Pas de larmes, tout de même! Ce soir, ma femme va être revenue de sa visite au curé et on aura eu le temps de réunir les voisins, mes enfants, tout le monde qui passera dans le coin, et vous nous raconterez une histoire. Dans la vie, il y a des cordonniers qui fabriquent des souliers, des médecins qui soignent, des charpentiers qui bâtissent des maisons, et puis, il y a vous qui construisez le rêve. Et puis… Ça y est! Il pleure! Vous n'avez pas honte? Un grand garçon de soixante ans comme vous! »

La tournée des zones agricoles et des petits villages se poursuit et s'avère un succès. Gros-Nez travaille, rit, console, écoute, s'amuse avec les enfants, affronte des chiens montrant les crocs, pour être mieux caressés cinq minutes plus tard. Puis, il raconte, raconte tant et tant son histoire de soldat éternel qu'il devient, aux yeux du public ravi, un chef-d'œuvre qu'un jongleur de la vieille France, survivant de l'époque de la colonie, leur réserve avec toutes les plus immenses politesses. Il a mangé, dansé, chanté et, pour couronner le tout, a saisi l'express hurleur, s'est hissé tel un jeune de vingt-cinq ans et s'est retrouvé au milieu d'un troupeau de cochons. « Première classe dans un wagon de voyageurs, je serais avec des notaires et des politiciens. Dernière classe, et encore clandestine, me voilà avec vous. Pas tellement de différence, sauf que vous sentez meilleur. »

Sommeillant légèrement, Gros-Nez oublie les Trois-Rivières. En se réveillant, il a la surprise d'entendre rouler des sous sur le plancher. Un employé du chemin de fer l'a sûrement vu, a eu pitié de lui ou s'est montré généreux. « Où suis-je donc? Est-ce que j'ai dépassé Québec? Non. L'arrêt aurait été plus long et le bruit de la grande gare m'aurait réveillé. Si j'ai réussi à monter, je vais descendre, et sans me faire mal. Je vais sortir, bondir sur mes pieds, courir malgré moi, rouler dans le fossé, puis me relever et envoyer la main au train. Comme un vrai Gros-Nez! »

Deux minutes plus tard, il fait semblant de ne pas avoir ressenti un choc violent en touchant le sol. « Fermeté! Je n'ai pas oublié la leçon! Il s'agira de mieux calculer mon coup, maintenant, et de m'adapter. » Gros-Nez ferme les yeux pour mieux goûter le silence, roi de la solitude. Il marche un peu, voit un bel arbre, mais sursaute en se rendant compte qu'il vient de s'asseoir sur un tas de neige durcie, refusant les ordres de Monsieur le Printemps. Un peu plus loin, l'homme trouve un coin plus sec, se couche, puis dort peu après. Quelques heures plus tard, un soleil radieux décide que juillet est arrivé. « C'est beau ! Un milliard de fois, je le dirai : beau ! Tiens ! Des oiseaux ! Revenus du Sud, mes bons amis ? Moi, je vais faire le contraire et me rendre dans le pays de vos hivers. J'irai voir vos cousins des Orioles de Baltimore sur un terrain de baseball et… Non, je crois que cette équipe n'existe plus… Il y a des Cardinals, je pense. Est-ce dans la même ligue que Boston ? Quoi qu'il en soit, merci pour la symphonie, tas de cervelles d'oiseaux ! Bon ! Je dois maintenant faire comme vous : trouver à manger. »

Gros-Nez ne voit pas de fermes dans les alentours. Il reconnaît cependant des caractéristiques de la nature et évalue qu'il doit être à une vingtaine de milles de Québec. En marchant vers le sud, il devrait rejoindre la route nationale et croiser un village. Le temps lui donne raison. À cette heure, tout semble fermé, sauf un petit restaurant. Et pourquoi pas un peu de luxe, grâce aux sous donnés par l'inconnu du chemin de fer ?

« Vous avez de l'argent pour payer ?

— De l'argent, du temps, du labeur, du…

— Pas de fous ici !

— J'ai de l'argent, madame. Je vous le montre. »

À force d'entendre cette question, l'homme en est venu à penser que les restaurants, du plus modeste au plus chic, étaient une vitrine de la mode vestimentaire, capillaire, des manières, que c'était tout ce que la société impose, sauf un endroit pour manger. Parfois amusant, mais aussi risible. Tout ce qui est convenance l'a toujours agacé, même si, paradoxalement, il jouera le jeu lorsqu'il sera à la porte du stade de baseball de Boston, dans quelques semaines.

Un détour par Québec ne peut se refuser avant le retour aux Trois-Rivières. C'est comme se faire bercer par la vieille Europe, avant de replonger dans l'américanisation des autres villes. Les rues de la capitale zigzaguent, montent et descendent au rythme d'un hoquet urbain, pendant que les maisons, difformes, luttent pour savoir laquelle aura droit à plus de soleil. Quand les méandres de la basse-ville râlent un dernier soupir, il y a le fleuve Saint-Laurent à regarder, sans mot dire, poliment, avec la plus immense courtoisie du cœur. Beau partout, mais à Québec, il surpasse la splendeur. Le Saint-Laurent est un géant! À Québec, il devient une demoiselle. Gros-Nez sait que l'Histoire a posé le même regard que le sien sur ce paysage. Voilà des voiles! Vive le roi de France! Voilà l'ennemi! Aux armes! Voilà des voiles! Vive l'Empire britannique! Voilà Québec! Silence…

Quelques visites à des connaissances et, pour ne pas perdre la main: laver la vitrine d'une boutique, en retour de cinq sous noirs. «Je vais acheter ce journal», de faire le quêteux, en pointant un papier américain. Tourne et tourne les pages et voilà ce que l'homme espérait: la saison 1915 va bientôt débuter, alors que Boston recevra Philadelphie. Au vent, le journal! Il ne peut exister d'autres nouvelles pour Gros-Nez. Le vagabond, faisant fi des passants, se prosterne pour remercier Québec, puis se met en marche vers Joseph, afin de préparer son départ pour les États-Unis. Cela va lui prendre une semaine ou plus pour parcourir la distance jusqu'aux Trois-Rivières, mais l'homme sait qu'il sera bien accueilli dans les habitations le long du Chemin du Roi. Belle occasion pour s'assurer que le conte du soldat éternel produit le même effet partout.

«Je l'écris. L'oral? Fort bien, mais ce n'est pas entièrement nous. Les Indiens sont maîtres dans cet art, les Noirs aussi. Nous, pauvres Blancs, avons besoin d'écrire. J'y pense depuis si longtemps, sans jamais rien faire, tu le sais très bien! Cette fois, je suis décidé: je vais tout coucher sur le papier. Avec un peu de discipline, j'y arriverai.

J'étais devenu quêteux à mi-temps. Je le serai maintenant à un quart de temps. Je me sens si bien aux Trois-Rivières, avec ton amitié. Ton garçon reviendra de guerre et sera père. Mille bonnes raisons de ralentir mes errances. Le fond de l'horizon, je l'ai vu tant de fois. Quand ce sera intenable, j'irai dans les alentours. Je n'ai que des amis, dans cette région. Le trésor de ma vie. J'ai rencontré un homme, dans l'arrière-pays, au nord de Louiseville, qui m'a fait des aveux fort émouvants. Je vais raconter ça à ton gars dans une lettre que tu lui feras parvenir. Moi, à cette heure, je serai en route pour Boston. Je serai absent jusqu'à la fin mai, je crois bien. Cela dépendra des bonnes gens que je rencontrerai chez les exilés canadiens. Je t'assure cependant que je serai aux Trois-Rivières cet été. Je vais partir vers la fin de la nuit. Les trains vont moins rapidement à cette heure-là. Bon repos, Ti-Jos ! »

À ce moment de la nuit, Joseph est réveillé par des coups percutants dans la porte du restaurant. Il croit d'abord que Gros-Nez a oublié son sac, mais fait plutôt face à un employé très nerveux du chemin de fer.

« Votre quêteux a eu un accident, monsieur Joseph. D'après ce qu'on a pu voir, son pied droit était coincé dans un engrenage de métal et en cherchant à se dégager, il est tombé, mais son pied n'a pas suivi, si bien qu'il s'est assommé contre le wagon. Pour dire la vérité, il est tombé avec tant de force qu'on a entendu le choc jusqu'à la locomotive et c'est pourquoi nous avons décidé d'arrêter, croyant que quelque chose était brisé dans la mécanique. Ce n'était pas très beau à voir, je vous jure… On l'a enlevé, puis on a téléphoné un médecin de l'hôpital. Il doit être arrivé là-bas, au moment où je vous parle. Je dis tout ça, car chacun sait que vous étiez son ami et qu'il faut quelqu'un pour s'occuper du corps. Nous, on ne peut pas le faire. Nos patrons ne seraient pas contents d'apprendre qu'on tolérait votre quêteux quand il s'accrochait aux wagons. N'ébruitez pas cet accident, s'il vous plaît, monsieur Tremblay. Je vous ramène son sac et vous demande de rejoindre le médecin. Moi, je dois repartir avec le convoi. On a un horaire à respecter et déjà vingt minutes de retard. »

Mince rassemblement autour du lieu de l'accident. Joseph regarde, détourne aussitôt le visage, dégoûté. Le médecin, froidement, parle d'une grave fracture de la boîte crânienne. Joseph passe près de s'évanouir en voyant le pied tordu, sens dessus dessous.

« Mes condoléances, monsieur Tremblay. Vous êtes un peu parent, je crois.

— En quelque sorte.

— Je vais revenir avec les ambulanciers, qui vont le mettre dans notre morgue. Si vous le voulez, on a un croque-mort qui peut le préparer. Il vous proposera un prix abordable.

— Oui… Faites ça… À qui devrais-je m'adresser, demain matin ?

— Je vais tout vous expliquer. »

Joseph retourne chez lui, attendu avec inquiétude par son épouse, son petit garçon et ses deux filles. « Gros-Nez est mort. Un accident, à la gare. » La femme prend tout de suite la main de son mari, alors que la grande fille part chercher son chapelet, que la plus jeune cache sa bouche avec ses mains. Elles ne comprennent pas pourquoi Joseph réclame des instants de solitude.

Dans la pénombre du restaurant, l'homme laisse refroidir un thé bouillant, alors qu'une longue cendre chancelle au bout de sa cigarette, avant de tomber sur le bois du comptoir. « Il est mort comme un vrai quêteux : accroché à un wagon de train. » Il pige une autre cigarette dans son paquet, puis ouvre le sac de son ami. Une tasse de fer blanc, des lacets de chaussure, un pot d'encre, une tablette de papier, un mouchoir, un gilet usé et, tout au fond, cette vieille balle de baseball qu'il chérissait tant. Joseph la regarde en tous sens, a le goût de la lancer par la fenêtre. Sans sa passion pour ce sport, le quêteux ne serait pas parti. Le restaurateur remet la balle dans le sac, sachant comme cet objet a eu une bonne influence sur le moral de Gros-Nez lors de moments difficiles. Il la sort aussitôt, la serre entre ses mains, l'appuie sur son cœur, espérant que la balle produira le même effet sur lui.

L'épouse revient à ce moment, l'assurant qu'un bon déjeuner lui fera du bien. « Je n'ai pas trop d'argent pour acheter un terrain. Le lot familial ? Tu permets ? Quand je serai mort, à mon tour, Gros-Nez sera près de moi. On s'amusera comme des fous. » La femme sourit, hoche la tête, signifiant son approbation. Il se lève pour l'embrasser. Il sait qu'elle n'a jamais tellement aimé le quêteux, sans pourtant le rejeter. Le vagabond lui a rendu mille services. Sans Gros-Nez, elle le sait, Joseph se serait perdu en mille bêtises, n'aurait pu ouvrir son commerce du quartier Saint-Philippe et, par la suite, son restaurant. « Il n'a jamais rendu personne malheureux. Le bon Dieu lui pardonnera. Oui, Joseph : ton ami peut faire partie de la mémoire de notre famille. »

Dieu dans le ciel ? Dieu miséricorde et pardon ? Justice, assure-t-on. Ceux élus sur Terre pour imposer sa philosophie ont bâti un empire fondé sur les pires tares du genre humain. Le croque-mort n'a causé aucun problème, pas plus que le fossoyeur et le vendeur de cercueils. Mais le curé de la paroisse… Joseph sort du presbytère en vociférant les pires blasphèmes, se dirige à la vitesse d'une locomotive vers l'archevêché, où il attend des heures dans une salle austère, alors qu'il a tant à faire.

Le résultat de la démarche fait croître sa colère. En rentrant chez lui, il a la surprise de voir un ouvrier du quartier préparer le salon, alors que son épouse aide celle de Joseph. « Quand j'ai tout perdu lors de l'incendie de 1908, cet inconnu m'a aidé. Chaque fois que ça allait mal, dans ma vie, Gros-Nez venait me voir pour me parler, me faire rire, m'encourager. Alors, tu te calmes, Joseph. Tu n'es pas seul. Un quêteux appartenait à tout le monde. Si on le fait savoir par les journaux, les trains réguliers ne suffiront pas pour tous les gens de tous les coins de la province désireux de le voir une dernière fois. »

« Gros-Nez, le quêteux ». Ils n'ont pas voulu l'écrire sur la pierre tombale. Pas même la mention « Mendiant ». Quand bien même que Joseph irait cogner à la porte des protestants, ces gens-là refuseront tout autant. Dieu est amour, mais les religions sont des péchés. Il y a les grands, si petits, puis les petits, si grands. Ils sont venus de toutes les parties de la ville, des paroisses voisines pour passer par le salon. Un homme s'est mis à rire, offusquant ainsi Joseph. « Excusez-moi, monsieur Tremblay. Je viens de penser à la fois où il… » Cinq minutes plus tard, tout le monde s'esclaffait. Le silence, c'est la mort. Le rire, c'est l'immortalité. Ces braves gens en ont pour des décennies à s'amuser en se remémorant ceci ou cela. Joseph a regardé dans le cercueil pour voir Gros-Nez sourire brièvement, puis lancer une grimace.

Le lendemain, l'ami regarde encore. « Beau travail, le croque-mort. Il connaît son métier. Mais mon pauvre vieux, si tu voyais l'habit ridicule qu'il t'a mis sur le dos ! Je serais prêt à te remettre tes guenilles, mais ça aussi, on ne me le pardonnerait pas. Les gens n'ont plus droit de mourir en demeurant fidèles à eux-mêmes ? Cependant, comme personne n'ouvrira cette boîte, je t'apporte ta tasse, ta plume, ton pot d'encre et ta balle de baseball. Si jamais les anges t'embêtent, là-haut, tu sortiras la balle et tu la lanceras au loin, puis tu marcheras avec fermeté sur les nuages pour la récupérer. »

Joseph ne s'est pas rendu à la messe ni à l'enterrement. Il est demeuré dans le silence de son restaurant fermé. Une semaine plus tard, il recevait une lettre du gouvernement, l'informant que son fils a été gravement blessé au combat, qu'il repose dans un hôpital militaire en Angleterre et qu'il sera de retour au Canada dans quelques mois. Joseph a sursauté en voyant la date de l'accident : le même jour où Gros-Nez est décédé. « Il faut que je lui dise ça ! J'ai autre chose à lui raconter, aussi. Vite, au cimetière ! »

Recueillement ? Joseph ne peut pas. Il raconte, les larmes aux yeux, pourtant heureux, le cœur en paix. « Et tes imbéciles de Boston ont perdu 12-3 contre Philadelphie ! » Joseph entend un rire, sans doute l'écho du sien, mais il aime croire que Gros-Nez vient de s'adresser à lui. Joseph s'éloigne heureux, surtout parce qu'il n'a pas regardé l'indication sur la pierre tombale : « Maurice Loranger, 1865-1915, prêtre. »

Aussi disponible en version numérique

RECYCLÉ
Papier fait à partir
de matériaux recyclés
FSC® C103567

100%   PERMANENT

Cet ouvrage, composé en Adobe Garamond Pro,
fut achevé d'imprimer au Canada
en mai deux mille quinze
pour le compte
de Marcel Broquet Éditeur